강력한
한양대 자연계 수리논술
기출문제

저자 소개

저자 김근현은 현재 탁트인 교육, 일으킨 바람, 에듀코어 대표이다.
前 메가스터디 온라인에서 대입 논술과 면접, 자기소개서, 학생부종합 등 다양한 동영상 강의를 하였다.
현재는 학습 프로그램 개발 및 연구 활동을 통해 교육의 발전을 고민하고 있다.
홍익대학교에서 전자전기공학부를 졸업하고 동대학원에서 전자공학 석사(반도체 레이저)를 전공하였다. 또한 연세대학교 교육경영최고위자 과정을 마쳤으며 연세대학교 교육대학원에서 평생교육 경영을 공부하고 있다.

강력한 한양대 자연계 수리논술 기출 문제

발　행 | 2023년 07월 10일
개정판 | 2024년 06월 11일
저　자 | 김근현
펴낸이 | 김근현
펴낸곳 | 일으킨 바람
출판사등록 | 2018.11.12.(제2018-000186호)
주　소 | 경기도 고양시 일산서구 하이파크 3로 61 409동 1503호
전　화 | 031-713-7925
이메일 | illeukinbaram@gmail.com

ISBN | 979-11-93208-61-8

www.iluekinbaram.com

강력한 한양대 자연계 수리논술 기출문제

김 근 현 지음

차례

머리말

책을 쓰기 위해 책상에 앉으면 아쉬움과 안타까움, 나의 게으름에 늘 한숨을 먼저 쉰다.
왜 지금 쓸까?
왜 지금에서야 이 내용을 쓸까?
왜 지금까지 뭐했니?
스스로 자책을 한다.

또 애절함도 함께 느낀다.
시험이 코앞에서야 급한 마음에 달려오는
수험생들에게 왜 미리 제대로 준비된 걸 챙겨주지 못했을까?
그렇게 하루, 한 달, 일 년 그렇게 몇 해가 지나 이제야 조금 마음의 짐을 내려놓는다.

입에 단내 가득하도록 학생들에게 강의를 했고,
코앞에 다가온 연속된 수험생의 긴장감을 함께하다보면
그렇게 바쁘게 초조하게 지냈던 것 같다.

그렇게 함께했던 시간을 알기에
부족하겠지만
부디 이 책으로 수험생들이 부족한 일부를 채울 수 있고,
한 걸음이라도 희망하는 꿈을 향해 다갈 수 있길 간절히 바래 본다.

김 근 현

I. 한양대학교 논술 전형 분석

1. 논술 전형 분석

1) 전형 요소별 반영 비율

구분	논술	학생부	총 비율
일괄합산	90%	10%(학생부종합평가 10%)	100%

학생부종합평가 반영방법
① 학교생활기록부에 기재되어 있는 출결, 봉사활동 등을 참고하여 학교생활 성실도 중심 종합평가 진행 ② 학생부 없는 자 학생부종합평가 반영방법 대 상 : 2022년 2월 이전 졸업자(2022년 2월 졸업자 포함) 또는 학생부 성적을 산출할 수 없는 자(검정고시 출신자, 외국고교 졸업자 등) 반영방법 : 논술고사 성적에 의한 비교 학생부종합평가 성적을 산출함

2) 수능 최저학력 기준

· 없음 (수능 미접수자 혹은 미응시자도 지원 가능)

단, **한양인터칼리지학부** : 국어, 수학, 영어, 탐구(1과목) 중 **3개 영역 등급 합 7**이내

[수능필수 응시영역:국어, 수학, 영어, 탐구 (2과목))

3) 논술전형 경쟁률

논술전형			경쟁률			
계열	대학	모집단위명	2024	2023	2022	2021
자연	공과대학	건축학부	103.4	88.4	70.0	47.3
		건축공학부	74.5	63.6	57.2	39.0
		건설환경공학과	74.2	62.0	54.4	38.0
		도시공학과	75.8	62.8	61.3	39.5
		자원환경공학과	70.7	61.0	57.0	36.2
		융합전자공학부	126.4	129.5	111.3	75.8
		컴퓨터소프트웨어학부	156,1	177.9	148.6	89.2
		전기공학전공	95.1	87.3	77.3	-
		바이오메디컬공학전공	109.0	113.3	91.0	-
		전기·생체공학부	-	-	-	46.2
		신소재공학부	121.4	117.7	88.9	50.9
		화학공학과	113.5	102.8	93.5	62.1
		생명공학과	136.0	149.0	105.7	66.6
		유기나노공학과	83.7	74.3	64.7	40.3
		에너지공학과	104.8	88.0	77.8	52.5
		기계공학부	113.7	105.7	94.5	49.8
		원자력공학과	71.0	61.3	55.5	34.9
		산업공학과	90.6	79.2	79.4	45.1
		미래자동차공학과	93.8	82.2	83.8	53.8
	의과대학	의예과	-	-	266.9	295.1
	자연과학대학	수학과	79.1	65.9	58.4	44.9
		물리학과	71.6	58.6	53.2	34.7
		화학과	72.0	52.8	51.2	39.0
		생명과학과	75.2	68.6	53.8	40.8
	사범대학	수학교육과	60.7	68.0	66.0	60.3
	생활과학대학	의류학과(자연)	-	54.0	46.5	32.8
		식품영양학과	58.8	52.3	45.0	31.0
		실내건축디자인학과(자연)	-	60.7	52.0	33.7
	간호학부	간호학과	65.2	57.6	61.4	35.5

4) 논술 전형 합격자 논술성적 평균

논술전형			최종등록자 논술 평균점수 (100점 만점)			
계열	대학	모집단위명	2024	2023	2022	2021
자연	공과대학	건축학부	83,75	88.90	77.25	84.28
		건축공학부	82.5	72.50	84.75	83.57
		건설환경공학과	91.5	79.25	76.25	83.67
		도시공학과	75.94	80.31	81.88	85.31
		자원환경공학과	78.75	85.83	74.17	73.20
		융합전자공학부	80.57	78.82	84.96	80.11
		컴퓨터소프트웨어학부	81.67	85.45	81.77	81.74
		전기공학전공	68.14	68.14	74.82	-
		바이오메디컬공학전공	66.50	66.50	78.13	-
		전기·생체공학부	-	-	-	88.13
		신소재공학부	66.50	66.50	74.86	88.78
		화학공학과	64.71	64.71	80.00	76.89
		생명공학과	79.17	79.17	72.50	83.80
		유기나노공학과	78.75	78.75	80.00	89.21
		에너지공학과	66.56	66.56	75.31	75.31
		기계공학부	67,12	67.12	76.98	87.79
		원자력공학과	85.00	85.00	82.50	84.72
		산업공학과	87.25	87.25	83.50	87.50
		미래자동차공학과	73.00	73.00	79.75	78.33
	의과대학	의예과	-	-	76.52	90.39
	자연과학대학	수학과	93,11	64.41	82.03	81.90
		물리학과	88.4	82.75	86.25	78.92
		화학과	89.75	77.10	85.50	81.73
		생명과학과	76.35	74.25	80.40	88.03
	사범대학	수학교육과	80.42	71.75	83.33	84.38
	생활과학대학	의류학과(자연)	-	73.81	83.69	72.56
		식품영양학과	78,50	77.86	80.31	76.41
		실내건축디자인학과(자연)	-	72.92	75.25	73.33
	간호학부	간호학과	78.20	68.90	76.90	72.75

5) 논술 전형 충원률

논술전형			충원율			
계열	대학	모집단위명	2024	2023	2022	2021
자연	공과대학	건축학부	2	1	0	4
		건축공학부	0	0	1	1
		건설환경공학과	0	1	1	1
		도시공학과	1	1	1	3
		자원환경공학과	0	0	1	1
		융합전자공학부	3	4	5	2
		컴퓨터소프트웨어학부	2	6	1	3
		전기공학전공	0	0	0	-
		바이오메디컬공학전공	0	0	0	-
		전기·생체공학부	-	-	-	4
		신소재공학부	1	0	1	1
		화학공학과	1	2	0	2
		생명공학과	0	0	0	1
		유기나노공학과	0	1	1	0
		에너지공학과	1	1	0	0
		기계공학부	3	2	4	7
		원자력공학과	0	0	0	0
		산업공학과	1	0	0	3
		미래자동차공학과	0	0	0	4
	의과대학	의예과	-	-	1	1
	자연과학대학	수학과	4	1	2	1
		물리학과	1	0	1	6
		화학과	0	0	1	3
		생명과학과	1	1	0	1
	사범대학	수학교육과	0	0	0	0
	생활과학대학	의류학과(자연)	-	0	0	0
		식품영양학과	0	1	1	2
		실내건축디자인학과(자연)	-	0	0	0
	간호학부	간호학과	0	0	1	0

2. 논술 분석

1) 출제 구분 : 계열 구분

2) 출제 유형 :

계 열	평가유형	문항 수	출제범위	시간
자연	수리논술	2문항 (소문항 3~4문항)	고등학교 교육과정 내에서 출제 • 수능 출제범위와 동일 • 수학Ⅰ, 수학Ⅱ, 확률과 통계, 미적분, 기하	90분

3) 동점자 처리기준

계 열	순 위
자연	① 논술고사 성적 우위자 ② 고배점 문항(소문항 기준) 성적 우위자

4) 출제 방향 :

단답형 문제를 지양하고 고등학교 수학의 다양한 주제들을 통합교과적으로 출제함. 학생들이 수학 교과서에 있는 정의들을 기본으로 하여 제시문을 이해하고, 이를 바탕으로 창의력을 발휘하여 논리적으로 문제가 요구하는 결론에 도달할 수 있는지를 평가함

5) 논술 평가 :

(1) 문항

2개의 문제가 출제되고 세부질문으로 3개정 도의 질문을 한다.

2023년 수시 기출문제 사례

[문제 1] 다음 제시문을 읽고 물음에 답하시오. (50점)

오른쪽 그림과 같이 길이가 2인 선분 AB를 지름으로 하는 반원이 있다. 점 O는 선분 AB의 중점이다. 호 AB위의 한 점 R에서 선분 AB에 내린 수선의 발을 H라 하고, 점 H에서 선분 AR에 내린 수선의 발을 P라 하자.

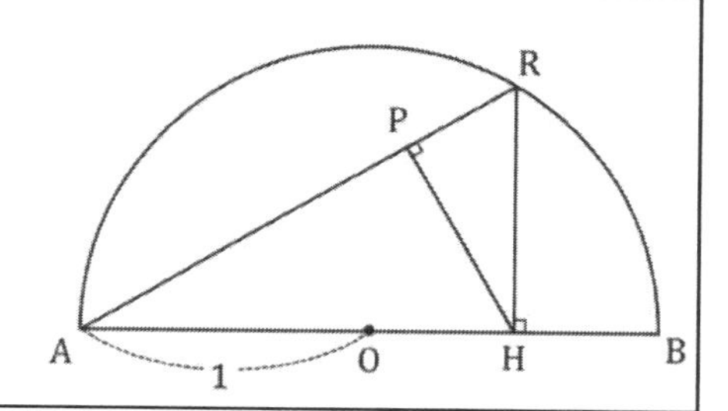

1. $\angle ROB = \frac{\pi}{3}$ **일 때, $\overline{OP}^2 + \overline{BP}^2$의 값을 구하시오.**

2. **점 R가 A에서 B까지 호 AB위를 움직일 때, 선분 OP의 길이의 최솟값을 구하시오.**

3. **점 R가 A에서 B까지 호 AB위를 움직일 때, 점 P가 이루는 곡선과 선분 AB로 둘러싸인 도형을 밑면으로 하는 입체도형이 있다. 이 입체도형을 선분 AB에 수직인 평면으로 자른 단면이 모두 정사각형일 때, 이 입체도형의 부피를 구하시오.**

(2) 문항별 배점

대문항 2문제는 각 50점이다. 각 세부 문항은 난이도에 따라 다르게 배점된다. 세부 문항은 세부평가 기준에 만족여부에 따라 세부 배점으로 나누어 각각 평가를 한다.

<2023학년도 수시 예시>

문항	배점	세부평가 기준	세부 배점
1	20	함수의 이계도함수를 구하였는가?	10
		이계도함수의 부호를 파악하여 아래로 볼록과 위로 볼록을 조사하고 변곡점을 구하였는가?	10
2	40	접선의 방정식들을 구하였는가?	10
		함수의 그래프가 항상 접선 l보다 위에 l_2놓여있는지를 파악하였는가?	10
		정적분을 사용하여 도형의 넓이를 잘 구하였는가?	20
3	40	함수 $g(x)$를 구하였는가?	20
		삼각함수의 최댓값을 이용하여 부등식을 보였는가?	20

3. 출제 문항 수

● 수리논술 2문항 (소문항 3~4문항)

4. 시험 시간

· **90분**

5. 답안 작성시 유의사항

1. 90분 안에 답안을 작성하시오.
2. 답안지는 검정색 펜(샤프, 볼펜, 연필)으로 작성하시오.
3. 답안지와 문제지, 연습지를 함께 제출하시오.
4. 다음 경우는 0점 처리됩니다.
   1) 답안지를 검정색 펜(샤프, 볼펜, 연필)으로 작성하지 않은 경우
   2) 자신의 신원을 드러내는 표기나 표현을 한 경우
   3) 답안을 해당 답란에 작성하지 않은 경우

II. 기출문제 분석

1. 출제 경향

기출 연도	교과목	질문 및 주제
2024학년도 수시 논술 (오전)	수학Ⅰ, 수학Ⅱ, 미적분	삼각함수, 증가, 감소, 극대, 극소, $f'(x)$, 정적분, 급수, 등비급수, $\sum_{n=1}^{\infty} a_n$, e^x, 지수함수 및 삼각함수의 미분
	확률과 통계	이산확률변수, 기댓값, 정규분포, 표준정규분포, 표본평균, 표본표준편차, 신뢰도, 신뢰구간, $\overline{X}$
2024학년도 수시 논술 (오후 1)	확률과 통계, 수학Ⅱ, 미적분	같은 것이 있는 순열, 확률분포, 함수의 극한, 여러 가지 함수의 부정적분과 정적분, 치환적분법
	미적분, 기하	삼각함수의 덧셈정리, 삼각함수의 미분, 정사영
2024학년도 수시 논술 (오후 2)	수학Ⅱ, 확률과 통계	같은 것이 있는 순열, 중복조합, 미분, 정적분, 기댓값
	미적분, 기하	내적, 미분, 삼각함수 덧셈정리, 수열의 극한
2024학년도 모의 논술	확률과 통계, 미적분, 기하	조합, 이항정리, 치환적분, 부분적분, 삼각함수, 벡터
	기하, 미적분, 수학Ⅱ, 확률과 통계	공간도형, 미분법, 도형의 넓이, 두 곡선의 교점의 미분법, 사잇값 정리, 독립사건의 확률, 기댓값
2023학년도 수시 논술 (오전)	수학Ⅰ, 수학Ⅱ, 미적분	코사인 법칙, 삼각함수의 뜻, 여러 가지 함수의 미분, 여러 가지 미분법 적분법
	수학Ⅰ, 미적분, 확률과 통계	삼각함수, 등비급수, 치환적분법, 이항정리, 정규분포
2023학년도 수시 논술 (오후 1)	미적분	접선의 방정식, 변곡점, 부분적분법, 정적분
	수학Ⅰ, 미적분, 확률과통계, 기하	코사인법칙, 수열의 귀납적 정의, 정사영, 이항정리
2023학년도 수시 논술 (오후 2)	수학Ⅰ, 확률과 통계,	이항계수, 등비수열, $\sum_{n=1}^{n} a_n$
	수학Ⅰ, 수학Ⅱ, 미적분	도함수의 활용, 접선의 방정식, 삼각함수의 덧셈정리
2023학년도 모의 논술	기하, 수학 Ⅰ, 미적분학,	평면 벡터와 내적, 삼각함수 코사인 법칙, 쌍곡선의 의미, 부분적분법, 치환적분법
	수학Ⅰ, 미적분,	함수의 극한, 정적분의 정의 및 활용, 정적분과 급수와의 관계, 연쇄법칙, 부분적분법, 삼각함수,
2022학년도 수시 논술 (오전)	수학I, 미적분, 기하	평면, 이면각, 정사영, 두 직선의 위치관계, 삼각함수, 삼수선의 정리, 삼각함수의 덧셈정리
	수학I, 확률과 통계, 미적분	표본평균의 분포, 정규분포, 로그함수의 미분법, 함수의 몫의 미분법, 도함수의 활용, 함수의 증가와 감소, 삼각함수의 극한

기출 연도	교과목	질문 및 주제
2022학년도 수시 논술 (오후 1)	수학Ⅰ, 미적분	사인법칙과 코사인법칙, 삼각함수의 극한, 정적분과 급수의 합 사이의 관계, 치환적분법, 부분적분법
	수학Ⅱ, 확률과 통계, 미적분, 기하	확률의 덧셈정리, 곱셈정리, 확률변수, 이산 확률 변수의 기댓값, 타원(장축, 단축), 접선의 방정식, 점과 직선사이의 거리, 합성함수 미분법, 부정적분, 정적분, 부분적분법
2022학년도 수시 논술 (오후 2)	수학Ⅰ, 수학Ⅱ, 확률과 통계, 미적분	등비수열의 합, 확률분포, 매개변수로 나타낸 함수의 미분법, 합성함수의 미분법, 평균값의 정리, 이계도함수
	수학, 수학Ⅰ, 미적분, 기하	점과 직선 사이의 거리, 코사인 법칙, 쌍곡선과 타원의 정의 및 접선의 방정식, 정적분의 계산
2022학년도 모의 논술	수학II, 미적분	함수의 극한, 정적분의 활용, 정적분과 급수와의 관계, 평균값 정리
	수학II, 미적분, 기하	타원의 성질, 음함수의 미분법, 삼각함수의 덧셈정리, 함수의 극한, 함수의 최솟값, 속도와 가속도의 개념, 삼각함수의 미분법을 이용한 최대·최소
2021학년도 수시 논술 (오전)	수학I, 수학II, 미적분	부분적분법, 입체도형의 부피, 지수함수와 로그함수의 극한, 곡선의 길이, 도함수를 활용한 함수의 최대와 최소
	수학, 수학II, 미적분	절대부등식, 최대최소정리, 함수의 최대와 최소
2021학년도 수시 논술 (오후 1)	확률과 통계	이항분포, 정규분포, 확률의 덧셈정리, 확률의 곱셈정리
	수학Ⅰ, 미적분	삼각함수, 삼각함수의 덧셈정리, 여러 가지 함수의 정적분, 치환적분법
2021학년도 수시 논술 (오후 2)	수학Ⅰ, 미적분	수열의 귀납적 정의, 등차수열의 합, 정적분과 급수의 합 사이의 관계, 여러 가지 함수의 정적분
	수학Ⅱ, 미적분	함수의 극한, 함수의 극한의 대소 관계, 평균값 정리, 여러 가지 미분법, 치환적분법, 곡선의 길이
2021학년도 모의 논술	수학Ⅰ, 수학Ⅱ, 미적분	삼각함수의 증감, 삼각함수의 특성에 따른 정적분, 부분적분법
	수학Ⅱ, 미적분	삼각함수의 덧셈정리, 삼각함수의 정적분, 삼각함수를 통한 삼각형의 넓이 표현, 접선의 기울기, 부정적분, 함수의 극한

기출 연도	교과목	질문 및 주제
2020학년도 수시 논술 (오전)	미적분Ⅱ, 기하와 벡터	삼각함수의 미분, 치환적분법, 곡선의 길이
	미적분Ⅰ, 미적분Ⅱ, 기하와 벡터	수직선 위의 운동, 평면운동, 속도, 몫의 미분법
2020학년도 수시 논술 (오후 1)	확률과 통계	이항분포, 기댓값, 이항정리
	수학Ⅰ, 기하와 벡터, 미적분Ⅱ	원의 방정식, 정사영, 삼각함수
2020학년도 수시 논술 (오후 2)	확률과 통계	확률의 곱셈정리, 조건부 확률, 독립시행의 확률
	미적분Ⅱ	미분법, 미분법의 활용, 정적분의 활용

2. 출제 의도

기출 연도	출제 의도
2024학년도 수시 논술 (오전)	● **삼각함수, 극대, 극소, 정적분, 급수** 및 **여러 가지 함수의 미분법** 등 고등학교 수학 과정을 이수한 학생이라면 충분히 이해하고 있는 개념을 활용하여 해결할 수 있는 세 개의 소문항으로 구성되어 있다. 모든 교과서에서 공통으로 서술된 내용을 바탕으로 출제하였다. 이 문항을 통해 교과 역량 중 문제 해결, 추론, 창의·융합, 의사소통 능력을 평가하고자 하였다. ● **이산확률변수, 기댓값, 정규분포, 표본평균, 신뢰도** 및 **신뢰구간** 등 고등학교 과정의 수학 과목을 이수한 학생이 충분히 이해하고 있는 개념을 활용하여 해결할 수 있는 3개의 소문항으로 구성하였다.
2024학년도 수시 논술 (오후 1)	● 수학Ⅱ, 미적분, 확률과 통계의 주요 내용인 같은 것이 있는 **순열, 확률분포, 함수의 극한, 여러 가지 적분법**을 이용하여 중요한 성질들을 분석하고 정확한 논증을 통해 원하는 결과를 도출할 수 있는지를 묻고 있다. ● 미적분, 기하의 주요 내용인 **삼각함수의 덧셈정리, 삼각함수의 미분, 정사영**을 이용하여 중요한 성질들을 분석하고 정확한 논증을 통해 원하는 결과를 도출할 수 있는지를 묻고 있다.
2024학년도 수시 논술 (오후 2)	● 수학Ⅱ, 확률과 통계의 주요내용인 같은 것이 있는 **순열, 중복조합, 다항함수의 정적분, 이산확률변수의 기댓값**을 이용하여 중요한 성질들을 분석하고 정확한 논증을 통해 원하는 결과를 도출할 수 있는지를 묻고 있다. ● 미적분, 기하의 주요 내용을 다루고 있다. 3개의 문항은 모든 교과서에서 공통으로 다루는 내용만으로 구성되어 있다.
2024학년도 모의 논술	● 1번은 문제에 제시된 **경우의 수**를 **조합**을 이용해 표현할 수 있는지, **이항정리**를 실제 계산에 적용할 수 있는지를 평가하는 문제이다. 2번은 주어진 함수의 성질을 이용하여 **치환적분**을 잘 찾아낼 수 있는지, 그리고 **부분적분**을 적절히 이용하여 **정적분**을 계산할 수 있는지를 평가하는 문제이다. 3번은 **삼각함수, 벡터의 내적의 의미**를 이해하고 활용할 수 있는지를 평가하는 문제이다. ● 문항 1은 **공간도형**에 대한 기본적인 지식을 바탕으로, **미분법**의 도구를 적절히 활용해서 주어진 **도형의 넓이**를 구할 수 있는가를 묻고 있다. ● 문항 2는 두 곡선의 교점을 **미분법, 사잇값의 정리** 등을 이용하여 구할 수 있는가를 묻고 있다. ● 문항 3은 **독립 사건의 확률**을 계산하여 **확률변수의 기댓값**을 구할 수 있는가를 묻고 있다.
2023학년도 수시 논술 (오전)	● **도형의 성질**을 이해하고 활용하기 위한 중요한 도구인 **삼각함수의 덧셈정리 및 곡선의 매개변수 표현** 등의 지식을 적절히 활용해서 **평면도형이 갖고 있는 성질**들을 분석하고, **미적분의 다양한 기술**을 적절하게 이용해서 원하는 결과를 도출할 수 있는지를 묻고 있다. ● **반원 안에 놓은 삼각형들이 만족시키는 조건**을 적절히 활용해서 주어진 **선분길이**를 구하기

기출 연도	출제 의도
	● **곡선의 매개변수 표현**, **미분의 기술** 등을 효과적으로 이용해서 주어진 **함수의 최솟값**을 구하기 ● **입체도형의 부피**를 구하기 위해 필요한 함수를 기술하고 **적분의 기술**을 적절히 사용하기
	● **치환적분법**을 이해하고 이를 활용하여 **등비급수의 합**을 구하는 문제를 구할 수 있는지 묻고 있다. **삼각함수의 성질**을 파악하고 주어진 문제의 계산도 확인하고 자 하였다. ● **정규분포의 성질**을 통해 주어진 **확률분포의 평균과 표준편차**, 그리고 **모평균의 추정된 신뢰구간으로부터 표본의 크기**를 찾을 수 있는지 묻는다. ● **확률의 기본성질**을 이용하여 주어진 **확률을 조합에 관련된 식으로 표현**하고 **이항정리**를 이용하여 식으로 나타낼 수 있는지 묻는다.
2023학년도 수시 논술 (오후 1)	● 주어진 **함수의 정적분과 미분의 관계**를 파악하고 **치환적분법**을 이용할 수 있는지 묻고 있다. 곡**선의 오목과 볼록** 및 **변곡점**을 **이계도함수**를 사용하여 구할 수 있는지 평가한다. ● **함수의 개형**을 파악하고 **접선의 방정식**을 구할 수 있는지 묻고 있다. **도형의 넓이를 정적분**을 활용하여 구하고 이를 계산하는데 필요한 정보들을 파악하고 사용하는지 평가한다. ● **미분과 적분의 관계**를 이용하여 함수를 구할 수 있고 **삼각함수의 성질**을 파악하고 있는지 묻고 있다. **삼각함수의 최댓값**을 파악하고 이를 이용하여 **부등식**을 보일 수 있는지 평가한다.
	● 공간도형에 대한 기본적인 이해를 바탕으로 **삼각함수의 기본적인 법칙**과 **정사영**에 대한 지식을 적절히 활용해서 원하는 결과를 이끌어 낼 수 있는지 묻는다. ● **수열의 귀납적 정의**를 이해하고 주어진 **수열 사이의 관계식**을 추측하고 **$\sum$의 성질**을 활용하여 원하는 결과를 도출할 수 있는지 묻는다. ● **이항정리**를 이해하고 이를 주어진 **함수의 최솟값**과 연결지어 부등식을 증명할 수 있는지 묻는다.
2023학년도 수시 논술 (오후 2)	● **이항계수의 기본 성질**을 이용하여 식을 전개할 수 있는지 묻는다. ● 기호 **$\sum$로 표현된 식**을 앞 문제에서 얻은 관계식을 이용하여 바꾼 후 각 항이 몇 번씩 더해지는 지를 계산하고, **이항계수**의 $3k$번째 열을 모두 더했을 때 2^{3k}이 되는 것을 이용하여 원하는 식을 얻을 수 있는지를 묻는 문제이다. ● **등비수열을 합**을 이용하여 a_{100}의 값을 계산하고 **이항계수의 대칭성**을 이용하여 원하는 값을 찾도록 하는 문제이다.
	● **미분을 통해 주어진 함수의 개형**을 이해하고 **방정식의 근의 개수**와 연관지을 수 있는지를 묻고 있다. ● **미분계수의 의미**를 이해하고 이를 **삼각함수 덧셈정리**에 적용할 수 있는지 묻고 있다.

기출 연도	출제 의도
	● **사인법칙**을 이용하여 **도형의 삼각형 부분 넓이**를 구하고, **도함수의 성질**과 **호와 현 사이 영역**이 일정하다는 사실을 이용하여 **도함수를 계산**해낼 수 있는지 묻고 있다.
2023학년도 모의 논술	● **평면 벡터와 그 내적, 삼각함수 코사인 법칙, 쌍곡선의 의미, 부분적분법, 치환적분법** 등 중요한 개념과 법칙들을 잘 이해하고 있는지 묻는 문제들로 구성되어 있다.
	● **함수의 극한, 정적분의 활용, 정적분과 급수와의 관계, 연쇄 법칙** 등을 잘 이해하고 있는지 묻는 문제들로 구성되어 있다. 또한 주어진 **수열의 평균**으로 이루어진 **급수와 정적분과의 관계식**을 적절히 이용하여 문제를 해결할 수 있는지도 묻고 있다. ● **연쇄법칙**과 **부분 적분법**을 잘 이해하고 적절히 활용할 수 있는지를 물음으로써 문제 이해도와 활용도를 측정하고자 하였다. ● **삼각함수**에 대한 지식을 적절히 사용해서 원하는 식을 구하고, **정적분의 정의, 부분적분법**을 활용해서 주어진 **극한값**을 구할 수 있는지 묻고 있다.
2022학년도 수시 논술 (오전)	● 교선과 이루는 각도가 45도인 선분의 **정사영의 길이**를 **직각 이등변 삼각형을 이용**하여 구하도록 묻고 있다. **코사인의 정의**를 이용하여 구할 수 있다. ● 선분을 **정사영** 했을 때 그 **길이를 구하는 문제**이다. 앞 문항을 이용하여 좀 더 일반화된 문제로 **직각 삼각형**을 이용하여 구할 수 있다. ● **정삼각형**을 **정사영**했을 때 그 변들의 길이의 합을 구하는 문제이다. 앞 문항에서 얻어진 결과와 **삼각함수 덧셈정리**를 이용한다.
	● 주어진 상황을 잘 파악하여 **표본평균에 대한 식의 평균, 분산**을 통해 **표준정규분포를 활용하여 확률**을 구할 수 있는지 묻고 있다. ● **함수 $f(x)$의 성질**과 **e의 근사적 값**을 이용하여 주어진 문제를 해결할 수 있는가를 묻고 있다. ● **평면도형**에 대한 기본적인 지식을 바탕으로 **삼각함수의 활용**과 **여러 가지 함수의 미분**에서의 **삼각함수와 그 극한**에 대한 다양한 지식과 성질을 적절히 활용하여 주어진 **극한값**을 구할 수 있느지 묻고 있다.
2022학년도 수시 논술 (오후 1)	● **삼각함수의 극한과 정적분과 급수의 합 사이의 관계 치환적분법, 부분적분법**을 다루고 있다. **도형의 성질**을 잘 이해하고 활용하기 위한 도구인 **삼각함수**와 **미적분**의 관련 지식을 적절히 활용해서 주요 **평면도형**인 **원이 갖고 있는 중요한 성질**들을 분석하고, 정확한 논증을 통해 원하는 결과를 도출할 수 있는지 묻고 있다. ● **원의 호와 현**에 대한 정보를 분석하고 **삼각함수의 극한**을 구하는 도구를 적적히 활용하기 ● **원의 성질**에 대한 이해를 바탕으로 주어진 **무한급수**를 적당한 **정적분으로 변환**하고, **치환적분법** 등의 기술을 적절히 활용하여 **정적분의 값**을 구하기 ● 주어진 **무한급수**를 적당한 **정적분으로 변환**하고, **부분적분법** 등의 기술을 적절히 활용하여 정적분의 값을 구하기

기출 연도	출제 의도
	● 주어진 상황을 통하여 **사건에 해당하는 경우**와 대응되는 **확률**을 파악하고 **기댓값을 주어진 확률**에 대한 식으로 나타낼 수 있는지 묻고 있다. ● **이차곡선**에 대한 기본적인 지식을 바탕으로 주어진 **도형을 좌표평면**으로 적절히 옮겨 방정식으로 변환하고 효과적으로 분석하는지 평가하였다. ● **구간을 나누어 적분하는 방법**과 **부분적분법**을 이용하여 **함수의 성질**을 분석할 수 있는가를 묻고 있다.
2022학년도 수시 논술 (오후 2)	● 주어진 상황에서 사건이 일어나는 경우와 **대응하는 확률**을 적절하게 파악하고 문제의 확률을 구할 수 있는지 묻고 있다. **등비수열의 합**을 사용하여 확률을 효과적으로 계산할 수 있어야 한다. ● **원의 호와 현에 대한 정보**를 적절히 분석하고 **코사인 법칙** 등의 기본적인 도구를 활용할 수 있는지를 묻고 있다. **매개변수**와 나타낸 **함수의 미분법**을 사용하여 원하는 **미분계수**를 찾아낼 수 있는지 평가한다. ● 함수 $f(x)$의 성질을 **도함수**와 **이계도함수**를 통해 적절히 분석하고 **평균값 정리를 활용하여 부등식**을 증명해 낼 수 있는지 평가한다.
	● **쌍곡선의 정의**와 **코사인 법칙을 활용**하여 원하는 점의 좌표를 구할 수 있는지 묻는다. ● **타원의 접선 방정식**을 구한 후 원점으로부터 그 접선까지의 거리를 나타내는 함수를 구하여 이를 **정적분**하는 문제이다. ● **타원의 초점으로부터 타원 위의 점까지의 거리**를 구하여 앞 문항에서 얻어진 값과 곱한 결과를 계산하도록 하는 문제이다.
2022학년도 모의 논술	● **함수의 극한**, **정적분의 활용**, **정적분과 급수와의 관계**, **평균값 정리** 등을 잘 이해하고 있는지를 묻는 문제들로 구성되어 있다. 제시문에 주어진 **함수의 극한 관계 부등식**과 **정적분과 급수의 관계식**을 적절히 이용하여 문제를 해결 여부도 확인한다.
	● **타원의 기본적인 성질**을 이해하고, **음함수의 미분법**, **삼각함수의 덧셈정리** 등의 도구를 적절히 활용하여 원하는 결과를 효과적으로 도출하고 있는지를 묻는 문제이다. ● **함수의 극한**을 잘 이해하고, **미적분**의 지식을 활용해 주어진 **함수의 최솟값**을 구할 수 있는지를 묻는 문제이다. ● **속도와 가속도의 개념**을 이해하고, **삼각함수의 미분법**의 지식을 활용해 주어진 **함수의 최댓값과 최솟값**을 구할 수 있는지를 묻고 있다.
2021학년도 수시 논술 (오전)	● 입체도형의 단면의 넓이가 주어졌을 때 **정적분을 이용하여 두 종류의 입체도형의 부피**를 구하고 **함수의 극한을 이용하여 극한값**을 구하는 문제이다. ● 주어진 **곡선의 길이를 미분과 적분을 이용**하여 구하고, **곡선 위의 점과 원점 사이의 거리와의 비율**을 구한 뒤, **함수의 극한**을 이용해 극한값을 구하는 문제이다. ● **몫의 미분법**을 통해서 함수의 도함수를 구하고 이를 활용하여 **함수의 그래프의 증가와 감소**를 파악하도록 하였다. **미분과 그래프의 증가와 감소를 이용해 최솟값**을 구하는 문제이다.

기출 연도	출제 의도
	● **도함수**를 이용하여 **절대부등식**을 도출하는 과정을 제시하고 그 과정을 평가하였는지 파악하는 문제이다.
2021학년도 수시 논술 (오후 1)	● **이항분포와 표준정규분포의 관계**, **경우의 수**, **같은 것이 있는 순열**, **확률** 등의 내용을 종합적으로 이해하여 해결할 수 있는지를 묻고 있다. ● 충분히 큰 시행에 대하여 **이항분포가 근사적으로 정규분포**를 따른다는 점을 활용하고, **표준화를 통하여 확률**을 묻는 문제이다. ● 시행을 반복하였을 때 나올 수 있는 **득점의 방법**과 **그 경우의 수**를 구하고, 각각의 경우에 **확률**을 이용하여 문제를 해결하는 문제이다. ● 각 학생이 얻어야 하는 점수와 그 점수를 얻기 위한 득점의 방법을 빠짐없이 파악하고, **득점을 얻는 경우의 수**와 그 **확률**을 활용해 문제를 해결할수 있는지 묻고 있다.
	● **삼각함수의 덧셈정리**와 **치환적분법**을 주요 내용으로 하고 있다. **도형의 성질**을 잘 이해하고 활용하기 위한 중요한 도구인 **삼각함수의 덧젬정리** 및 관련 지식을 적절히 활용해서 **평면도형이 갖고 있는 성질**을 분석하고 결과를 도출하는지 묻고 있다. ● **특정 조건을 만족하는 삼각형이 갖는 고유의 성질**을 이끌어낼 줄 아는지를 묻는 문제이다. ● **삼각함수의 덧셈정리** 등을 이용하여 주어진 삼각형에 대한 필요한 정보를 이끌어 내고 **치환적분** 등의 기술을 적절히 활용할 줄 아는지를 묻는 문제이다. ● **정사각형에 내접하는 정삼각형이 만족해야 하는 고유의 성질**을 이해하고 **치환적분** 등의 기술을 적절히 활용할 줄 아는지를 묻는 문제이다.
2021학년도 수시 논술 (오후 2)	● 제시문에서 **귀납적으로 정의된 수열의 규칙성**을 파악하는 데 의미가 있는 제 36항의 값을 묻는 문제이다. 다음 문항 해결에 필요한 수열 $\{a_n\}$에 대한 유도를 위한 과정이다. ● 수열 $\{a_n\}$에서 같은 값을 갖는 항들이 **규칙적으로 반복되는 특징**을 이해하고 **등차수열의 합**을 이용하여 조건을 만족시키는 항들의 개수를 구할 수 있는지 묻는 문제이다. ● 수열 $\{a_n\}$에서 특정한 값을 갖는 항들의 개수로 정의된 **새로운 수열** $\{c_n\}$을 구하고 그 일반항 c_n으로 이루어진 **급수의 합을 정적분**으로 변형하여 계산할 수 있는지를 묻는 문제이다.
	● **합성함수의 미분법**을 이용하여 주어진 함수를 미분할 수 있는지 묻는 문제이다. ● **곡선의 길이 공식**을 활용하여 주어진 곡선의 길이를 구하고, **극한값**을 계산할 수 있는지를 확인하고 있다. ● 주어진 **함수의 부정적분**의 형태를 추론하여 제시된 값을 계산할 수 있는지를 묻는 문제이다.

기출 연도	출제 의도
2021학년도 모의 논술	● **삼각함수**를 주제로 **함수의 증감**, **함수의 특성에 따른 정적분** 값에 대한 이해, 적분 방법 중 하나인 **부분적분법**을 활용할 수 있는지 등을 평가한다.
	● **삼각함수의 덧셈정리**를 이해하여 활용할 수 있는지를 묻는 문제이다. ● **삼각형의 넓이를 삼각함수를 활용**하여 나타내고 앞 문항의 결과를 활용하여 **삼각함수의 정적분**을 이용할 수 있는지를 측정하고자 하는 문제이다. ● **접선의 기울기**, **부정적분**, **함수의 극한** 등을 활용할 수 있는지 측정하는 문제이다.
2020학년도 수시 논술 (오전)	● 공간에서 주어진 **직선을 포함하는 평면과 구의 교차점**들이 이루는 **원의 넓이**와 중심점을 대상으로 하여 **정적분**을 올바로 적용하여 기본적인 계산을 할 수 있는가를 평가하는 문제이다. ● **교차점들이 이루는 원**을 올바로 파악하는 가를 **원의 넓이**를 구하는 과정을 통해 평가한다. ● **원의 넓이**를 **평면의 사잇각을 매개로 하는 함수**로 생각한 후 **치환을 적용해 정적분** 값을 계산하도록 하였는데, 계산의 기술보다는 **함수/적분에서의 치환** 개념을 적용할 수 있는 가를 평가하였다. ● **정적분**을 이용해 곡선의 길이를 구하는 것을 요구하는 문제이다.
	● **삼각형의 닮음**을 이용하여 그림자의 위치에 대한 함수를 찾고, **함수의 몫의 미분법**을 이용하여 **그림자의 속력과 방향**을 구하는 문제이다. ● 제시문과 삼각함수를 이용해 **그림자의 속력에 대한 함수**를 구하고 이 함수를 이용하여 **그림자의 속력으로부터 시간**을 얻어 **공의 위치**를 찾는 문제이다. ● 제시문과 앞 문제의 **삼각형의 닮음**을 이용하여 **공의 위치와 속도**, **그림자의 위치와 속도**를 사용하여 해결하는 문제이다.
2020학년도 수시 논술 (오후 1)	● **주사위**를 여러 번 던질 때 특정한 눈의 수가 짝수번 또는 홀수번 나오는 **확률**을 주제로 하여 **이항정리**와 **조합수**의 특성을 활용하는 것을 묻는 문제이다. ● **이항정리**를 활용하여 주사위를 여러 번 던질 때 3인 눈의 수가 짝수번 나오는 **확률**을 구하도록하고 있다. ● **기댓값**을 나타내는 수식을 조합수의 특성을 활용하여 **이항정리의 전개식**의 모양으로 변형하여 그 기댓값을 구하도록 하고 있다. ● 앞 문항에서 단서를 활용하여 두 가지 **기댓값의 대소**를 비교하도록 하였다.
	● **원의 성질**, **입체도형의 평면 위로의 정사영**, **삼각함수**에 대한 기본적인 지식을 주요 내용으로 하고 있다. **원의 성질에 대한 이해**와 **삼각함수** 등의 도구들을 적절히 활용해서 공간 안에서 특정한 조건을 만족하는 점들이 이루는 **도형의 모양과 성질**을 분석하고 정확한 논증을 통해 원하는 결과를 도출할 수 있는지를 묻고 있다.

기출 연도	출제 의도
	● 평면 위에서 한 선분의 양 끝점과 일정한 각을 이루는 점들에 의해 **둘러싸인 영역의 넓이**를 구하기 ● 공간 안에서 한 선분의 양 끝점과 일정한 각을 이루는 점들 중 한 끝점과 가장 멀리 떨어져 있는 점들이 이루는 **곡선의 길이**를 구하기
2020학년도 수시 논술 (오후 2)	● 동전을 던질 때 발생하는 **경우의 수**를 잘 따져서 **수학적 확률**을 계산할 수 있는지 묻는다. ● **배반사건, 사건의 독립, 확률의 덧셈 정리**의 개념을 잘 이해하고 **조건부 확률**을 계산할 수 있는지 묻는다. ● 제시문에서 주어진 상황을 명확히 파악하여 **확률의 곱셈정리**를 적용하는 문제이다.
	● **미적분**의 다양하고 강력한 도구들을 적절히 활용해서 평면 위에 **특정한 성질을 만족하는 곡선** 등이 갖고 있는 성질들을 분석하여 결과를 도출하는 것이 중요하다. ● 평면 위의 한 선분이 고정되었을 때, 이 선분을 한 변으로 하고 세 변의 길이가 **등비수열**을 이루는 삼각형의 다른 두 변의 길이의 합의 **최댓값과 최솟값**을 구하기 ● 특정 **합성함수의 도함수**를 구하기 ● 평면 위의 한 선분이 고정되었을 때, 이 선분을 한 변으로 하고 세 변의 길이가 **등비수열**을 이루는 삼각형의 한 꼭짓점의 **자취로 둘러싸인** 영역을 밑면으로 하는 한 **입체도형의 부피**를 구하기

III. 논술이란?

1. 논술이란?

1) 논술이란?

어떤 문제에 대해 자기 나름의 주장이나 견해를 내세운 다음, 여러 가지 근거를 제시하여 그 주장이나 견해가 옳음을 증명하는 글쓰기 활동을 말한다. 따라서 논술의 가장 기본적인 요소는 주장과 근거이다. 다시 말해 어떤 주제에 관해서 자신의 견해를 밝히고 자기 의견을 내세우는 글이 바로 논술이다. 때문에 논술은 특별히 논리적이어야 한다는 요구를 받게 된다. 왜냐하면 여러 가지 의견이 있을 수 있는 문제에 대해 자신의 의견을 세워 다른 사람을 설득하려면, 그 주장이 충분한 근거 위에서 논리적으로 개진될 때만 가능하기 때문이다.

2) 대한민국 논술고사는?

한국에서의 대학 입시 논술고사는 실제 교과 과정과 교과서가 기본이 되어 응용된 사고와 풀이 능력과 지식을 바탕으로 한다. 논술고사는 일반적을 비판적으로 글을 읽는 능력과 창의적으로 문제를 설정하고 해결하는 능력 그리고 논리적으로 서술하는 능력을 종합적으로 평가하는 시험이다. 비판적으로 글을 읽는다는 것은 능동적으로 자신의 관점에서 글을 읽는 것을 말하며, 창의적으로 문제를 설정하고 해결하는 능력이란 심층적이고 다각적으로 논제에 접근함으로써 독창적인 사고와 풀이를 이끌어낼 수 있는 능력을 말한다. 그리고 논리적 서술 능력은 글 구성 능력, 근거 설정 능력, 표현 능력 등을 포괄한다.

3) 자연계 논술? 그리고 그 변화

모든 글은 일반적으로 3가지 종류로 나뉘어진다. 시, 소설 등 문학 작품과 같은 글쓰기인 창작적 글쓰기(creative writing)와 설명문이나 해설문의 글쓰기는 해명적 글쓰기(expository writing), 그리고 논설문의 글쓰기인 비판적 글쓰기(critical writing)가 있다. 이 글쓰기 중 대한민국의 대학입시에서 시행되고 있는 자연계 논술은 창작적 글쓰기는 포함되지 않는다. 새로운 문학 작품을 쓰는게 아니라 제시문을 읽고 내용을 구체화시켜 잘 설명하는 설명문의 형태가 있고, 주어진 문제에 대해 생각하고 깊이있는 주장을 피력하는 비판적 글쓰기도 있다.

2. 논술의 기본 용어

1) 논제 : 논술의 문제를 의미한다.

반드시 해결하고 접근하여야 할 논술 시험의 대상이다.

(1) 중심 논제 : 채점할 때 가장 배점이 높으며, 핵심적으로 해결해야 할 논술의 문제

(2) 세부 논제 : 큰 논제 속에 포함된 작은 문제, 각 단계별 채점의 기준이 되며 세부 채점 항목으로 필수 해결 항목이다.

2) 논거 : 논술에서 설명하고 주장하는 논리적인 근거 혹은 이유

3) 주장 : 수험생이 생각하고 채점자에게 알리고 싶은 생각

4) 제시문 : 보기 지문을 말한다.

(3) 출제자가 논제 해결을 위해 보여주는 다양한 글

(4) 각종 그래프, 도표, 그림 등

자료가 정해져 있지는 않다. 하지만 고등학교 교과서를 가장 많이 인용하고, 고등학교 교과 과정으로 분석하고 판단할 수 있는 내용을 제시한다.

5) 개요 : 논제에 맞게 더 구체적으로는 세부 논제에 맞게 글의 진행 방향을 간략하게 정리하는 과정이다.

3. 논술의 명령어

논술고사 後 대학의 발표 자료를 보면 논술은 출제자의 의도에 부합하게 글을 써야 한다고 강조한다. 그런데 출제자의 의도를 파악하는 것은 자칫 상당히 모호하고 주관적인 것으로 판단하기 쉽다. 하지만 자연계 논술에서는 명령어가 한정되어 있다. 그 명령어들을 잘 익히고 의미를 파악한다면 훨씬 논술의 이해가 높아질 것이다. 또한 대학의 채점 기준에는 명령어의 요구 조건을 충족하는지를 평가한다. 그러므로 자연계 논술의 명령어는 수험생에게는 아주 기초적이지만 필수적이며 절대 잊지 말아야 할 중요한 핵심이다.

1) ~ 에 대해 논술하시오.

; 주장을 밝히고 근거를 제시한다.

2) ~ 에 대해 설명하시오.

: 사실, 주장 등을 쉽게 풀어서 밝힌다.

- **~ 제시문 간의 관련성을 설명하시오.**
- **~ 제시문의 논리적 타당성과 문제점을 설명하시오.**
- **~ 제시문을 참고하여 주어진 자료의 특징을 설명하시오.**
- **~ 제시문의 관점에서 왜 그런 현상이 생기는지 그 이유를 설명하시오.**

3) ~ 의 비교하시오. 혹은 대조하시오.

: 공통점과 차이점을 중심으로 설명한다.

- **~ 공통점과 차이점을 설명하시오.**

4) ~ 을 분석하시오.

: 주제를 구성요소로 나누고 각 부분의 의미와 상호관계를 밝힌다.

5) ~ 제시문과 주어진 자료를 참고하여 현상을 예측해 보시오.

: 주어진 자료를 해석하고 자료로부터 얻을 수 있는 시간에 따른 변화나 자료의 발생 이유를 살핀다.

6) ~ 제시문의 문제점을 지적하고 그 문제점을 해결할 방법을 제시하시오.

: 보통은 수학이나 과학의 역사에서 발생했던 여러 오류나 실험과정에서 나타난 문제점을 가지고 있다. 또한 이론이나 실험, 학생의 실험보고서 등과 같이 확실한 오류가 있는 제시문을 주기도 한다. 분명히 문제점을 파악하여 답안에 서술하고 문제점이나 해결할 수 있는 방법 등을 명확히 하여야 한다.

- **~ 제시문의 관점에서 왜 그런 현상이 생기는지 그 원리를 설명하고 그런 현상을 예방할 수 있는 방안을 제시하시오.**
- **~ 문제점을 지적하고 합리적 대안을 제안해 보시오.**
- **~ 주어진 관점을 검증할 수 있는 방법을 논하시오.**
- **~ 주어진 문제점을 해결할 수 있는 실험을 설계해 보시오.**

7) 제시문의 관점에서 주장을 비판하시오.

: 어떤 주장의 타당성이나 가치 등을 평가한다.

4. 자연계 논술 글쓰기 유의사항

① 논제의 해결이 핵심이다. 출제자가 원하는 답을 써야 한다.

② 논제에 부합하는 글을 일관성 있게 써야 한다.

③ 한편의 글을 완성하여야 한다. 나열하거나 사례를 보여주는 것은 의미가 없다.

④ 제시문을 활용, 인용하는 것과 제시문을 그대로 옮겨 쓰는 것은 다르다. 적절하게 제시문의 내용을 사용하여 논제를 해결하여야 한다. 절대 제시문의 문장을 그대로 쓰면 안 된다. 금기사항이고 감점요인이다.

⑤ 부적절한 문장 즉, 비문을 만들지 말아야 한다. 주어와 서술어가 적절하게 있어 문장의 의미를 명확히 전달하여야 한다. 주어를 생략하거나 지시어를 과도하게 사용하면 문장의 의미가 모호해 진다.

⑥ 문장은 짧고 간결하게 써야 한다. 자신의 의견을 명확히 간결하고 효과적으로 밝혀야 한다.

5. 논술 확인 사항

① 시간의 제한이 시험이다. 논술 시험은 자유롭게 글을 쓴다고 생각하고 주어진 시간을 체크하지 않는 경우가 정말 많다. 대학별로 요구하는 시간에 알맞게 답안을 구성해야 한다.

② 문단의 구성, 맞춤법, 띄어쓰기 등을 무시하면 절대 안 된다. 글쓰기의 기본은 의미의 전달 과정임으로 효율적인 연습과 준비가 되어 있어야 한다.

③ 습관적으로 물어보는 의문문, 같이 할 것을 제안하는 청유형은 사용하지 않는 것이 좋다. 문법의 오류가 아니라 격을 떨어뜨리고 글을 단조롭고 어색한 글 전개가 될 가능성이 높다.

④ 500자 미만이면 서론에 해당하는 도입과정은 과감히 생략하고 바로 논점으로 들어간다.

⑤ 한국어에는 수동태가 없다. 그러나 워낙 영어 번역하며 많이 사용하다 보니 논술 답안에도 수험생들이 자주 사용한다. 문법에 맞는 효과적인 표현이 필요하다. 학생이 수험생이 대학의 논술 고사에 응시하고 답안지에 논술 답안을 쓰는 것이다. 대학의 논술 답안지가 수험생으로부터 답안으로 쓰여지는 것이 아니다.

⑥ 많은 수험생들은 착각을 한다. 논술을 멋진 글쓰기라고 생각해 감상적이거나 비유적인 표현도 많이 사용한다. 그런데 오히려 이러한 표현은 채점자가 수험생의 사고능력 파악이 힘들어지고, 오히려 논제 해결을 했는지 판단하는데 혼동을 준다. 또한 일상에서 사용하는 구어체도 사용하면 안 된다. 논술은 글쓰기에서 쓰는 조금 딱딱한 문어체를 사용하는 것이다.

⑦ 아무리 강조해도 글씨의 중요성은 지나치지 않을 것이다. 채점하는 교수님들의 한결같은 큰 애로점은 이해할 수 없는 학생의 글씨라고 한다. 글씨체를 갑자기 바꿀 수 없지만 타인이 알 수 있게 규칙적으로 줄을 맞춰 쓰고, 분량에 맞는 큰 글씨로, 흘려 쓰지 않는 정자체로 답안을 작성하여야 한다.

IV. 자연계 논술 실전

1. 각 대학별 논술 유의사항을 파악하라!

많은 대학에서 글자수 제한을 확인하여야 한다. 그래서 원고지 형이 많지만, 문항별 칸을 만들거나 밑줄 답안 형식도 있다. 논술 시험 시간은 각 대학별로 다양하다. 60분 즉, 한 시간을 시작으로 많게는 2시간까지 (120분)까지 다양하게 있다. 대학별로 준비해야 하는 중요한 이유이다. 답안을 작성하는 필기구도 다양하다. 연필(샤프펜)의 사용이 꾸준히 증가하지만 아직까지 검정색 볼펜이나 청색 볼펜으로 사용하는 학교도 많다. 주의할 것은 수정법이다. 수정은 학교에 따라 수정액, 수정테이프의 사용을 제한하는 경우도 있고 틀리면 두줄을 긋고 써야 하는 곳도 있다. 그러므로 각 대학별 특징을 파악하고, 미리 답안 작성 연습은 물론이고 작성할 때도 대학별로 금지하는 내용을 숙지하고 시험장에 가야 한다.

각 대학별 유의사항 사례

사례 1)

가. 답안은 한글로 작성하되, 글자수 제한은 없다.
나. 제목은 쓰지 말고 특별한 표시를 하지 말아야 한다.
다. 제시문 속의 문장을 그대로 쓰지 말아야 한다.
라. 반드시 본 대학교에서 지급한 필기구를 사용하여야 한다.
마. 수정할 부분이 있는 경우 수정도구를 사용하지 말고 원고지 교정법에 의하여 교정하여야 한다.
바. 본 대학교에서 지급한 필기구를 사용하지 않거나, 수정도구를 사용한 경우, 답안지에 특별한 표시를 한 경우, 또는 원고지의 일정분량 이상을 작성하지 않은 경우에는 감점 또는 0점 처리한다.

사례 2)

Ⅰ. 필요한 경우 한 개 또는 여러 개의 제시문을 선택하여 논의를 전개하고, 사용한 제시문은 꼭 참고문헌 형태로 표시하시오.
예) …[제시문 1-4].
예) …되며[제시문 2-4], …의 경우는 ~을 보여준다[제시문 2-1].
Ⅱ. [문제 1]부터 [문제 4]까지 문제 번호를 쓰고 순서대로 답하시오.
Ⅲ. 연필을 사용하지 말고, 흑색이나 청색 필기구를 사용하시오.
Ⅳ. 인적사항과 관련된 표현을 일절 쓰지 마시오.
Ⅴ. 문제당 배점은 동일함.

사례 3)

◇ 각 문제의 답안은 배부된 OMR 답안지에 표시된 문제지 번호에 맞춰 작성하시오.
◇ 각 문제마다 정해진 글자수(분량)는 띄어쓰기를 포함한 것이며, 정해진 분량에 미달하거나 초과하면 감점 요인이 됩니다.
◇ 답안지의 수험번호는 반드시 컴퓨터용 수성 사인펜으로 표기하시오.
◇ 답안은 검정색 필기구로 작성하시오. (연필 사용 가능)
◇ 답안 수정시 원고지 교정법을 활용하시오. (수정 테이프 또는 연필지우개 사용 가능)
◇ 답안 내용 및 답안지 여백에는 성명, 수험번호 등 개인 신상과 관련된 어떤 내용, 불필요한 기표하면 감점 처리됩니다.

사례 4)

◆ 답안 작성 시 유의사항 ◆

□ 논술고사 시간은 90분이며, 답안의 자수 제한은 없습니다.

□ 1번 문항의 답은 답안지 1면에 작성해야 하고, 2번 문항의 답은 답안지 2면에 작성해야 합니다. 1, 2번을 바꾸어 작성하는 경우 모두 '0점 처리'됩니다.

□ 연습지는 별도로 제공하지 않습니다. 필요한 경우 문제지의 여백을 이용하시기 바랍니다.

□ 답안은 검정색 또는 파란색 펜으로만 작성하며 연필, 샤프는 사용할 수 없습니다.

□ 답안 수정은 수정할 부분에 두 줄로 긋거나 수정테이프(수정액은 사용 불가)를 사용해서 수정합니다.

□ 답안지에는 답 이외에 아무 표시도 해서는 안 됩니다.

□ 답안지 교체는 고사 시작 후 70분까지 가능하며, 그 이후는 교체가 불가합니다.

2. 제시문에 먼저 눈을 두지 말고 문제를 파악하라!!!

대학별 고사인 논술의 어려운 점은 시간의 제한이 있는 글쓰기 시험이라는 것이다. 자유롭게 잘 쓸 수 있는 내용일지라도 시간의 제한이 있으면 얘기가 달라진다. 특히 지금과 같이 각 대학별로 다양하게 등장하는 시험에 익숙하지 않은 수험생에게는 더 큰 부담으로 작용을 한다.

대학에서는 다양하게 제시문과 문제를 분포시킨다. 문제를 등장시키고 제시문이 등장하는 경우, 그림과 도표, 그래프 등과 같이 자료를 제시하고 제시문과 문제를 함께 등장시키는 경우, 제시문을 많이 등장시키고 마지막에 문제를 제시하는 경우 등... 이렇듯 다양한 문제에 시간의 적절한 활용은 대학별 고사의 실전에서는 당락을 결정하는 중요 요소이다.

이러한 실전적 논술에서 핵심은 바로 목적을 가지고 제시문의 읽기가 선행되어야 한다. 글 읽기의 핵심은 문제을 통해 논제를 구체적으로 파악하고 그 논제에 부합하게 제시문을 분석하는 것이다.

① 문제를 먼저 확인하라!! - 제시문을 읽고 문제를 보면 다시 긴 제시문을 또 읽어 시간을 낭비한다.

② 세부 논제 확인하라!! - 한 문제라도 그 문제 속에 다루는 논제는 여러 개가 될 수 있다. 그 질문 내용을 파악하라. 그리고 요구한 논제에 맞게 글을 구성한다.

③ 전제적 요건 파악하라!! - 각 문제의 전제적 요건 및 글로 표현된 부연 설명 등이 중요한 키워드가 될 수 있다.

V. 한양대학교 기출

1. 2024학년도 한양대 수시 논술 (오전)

[문제 1] 다음 제시문을 읽고 물음에 답하시오. (50점)

<가> 등비수열 $\{a_n\}$에 대하여 급수 $\sum_{n=1}^{\infty} a_n$이 수렴하고,

$$\sum_{n=1}^{\infty} a_{2n} = -4, \quad \sum_{n=1}^{\infty} |a_n| = 20$$

이 성립한다.

<나> 최고차항의 계수가 1인 이차함수 $f(x)$가 다음 조건을 만족시킨다.

(1) 방정식 $f(x)=0$은 서로 다른 두 실근 α, $\beta(\alpha<\beta)$를 갖고, $\int_0^{\alpha} |f(x)|dx = \frac{50}{3}$이다.

(2) 함수 $|f(x)|$는 $x=6$에서 미분가능하고, 곡선 $y=|f(x)|$ 위의 점 $(6, |f(6)|)$에서의 접선의 y절편이 $|f(0)|$이다.

<다> $x>0$에서 정의된 함수 $g(x)=e^{-x}|\cos x|$에 대하여 수열 $\{b_n\}$이 다음 조건을 만족시킨다.

(1) $b_1<1$이고 모든 자연수 n에 대하여 $b_{n+1}<b_n$이다.

(2) $b_1<k<1$인 모든 실수 k에 대하여 곡선 $y=g(x)$와 직선 $y=k$가 만나는 점의 개수는 1이다.

(3) 모든 자연수 n과 $b_{n+1}<k<b_n$인 모든 실수 k에 대하여 곡선 $y=g(x)$와 직선 $y=k$가 만나는 점의 개수는 $2n+1$이다.

1. 급수 $\sum_{n=1}^{\infty} a_{4n-1}$의 합이 될 수 있는 값을 모두 구하시오.

2. $f(10)$의 값을 구하시오.

3. 급수 $\sum_{n=1}^{\infty} b_n$의 합을 구하시오.

[문제 2] 다음 제시문을 읽고 물음에 답하시오. (50점)

<가> 파란 상자에는 숫자 1, 2, 3, 4가 하나씩 적혀 있는 4개의 공이 들어 있고, 빨간 상자에는 숫자 5가 적혀 있는 공이 4개, 숫자 6이 적혀 있는 공이 3개 들어 있다. 파란 상자에서 임의로 1개의 공을 꺼낼 때 공에 적힌 수를 k, 빨간 상자에서 임의로 4개의 공을 동시에 꺼낼 때 숫자 5가 적힌 공의 개수를 l이라 하자.

<나> 평균이 10, 표준편차가 4인 확률변수 X에 대하여, 확률변수 $Y=-0.5X+5$의 평균을 m, 표준편차를 σ라 하자.
정규분포 $\mathrm{N}(m,\ \sigma^2)$을 따르는 모집단에서 크기가 n인 표본을 임의추출하여 추정한 모평균 m에 대한 신뢰도 98.76%의 신뢰구간은 $a \le m \le b$이고 신뢰도 86.64%의 신뢰구간은 $c \le m \le d$이다.

z	$\mathrm{P}(0 \le Z \le z)$
1.0	0.3413
1.5	0.4332
2.0	0.4772
2.5	0.4938

단, Z가 표준정규분포를 따르는 확률변수일 때, Z에 대한 확률은 표준정규분포표를 이용하여 계산한다.

1. **제시문 <가>에서 주어진 k, l에 대하여 $\dfrac{k}{l}$의 값을 확률변수 W라 할 때, W의 기댓값 $\mathrm{E}(W)$를 구하시오.**

2. **제시문 <가>에서 주어진 k, l에 대하여 가로의 길이가 k이고 세로의 길이가 l인 직사각형을 한 변의 길이가 1인 $k \times l$개의 정사각형으로 나눈 도형이 있다. 이 도형의 왼쪽 아래 꼭짓점을 A, 오른쪽 위 꼭짓점을 B라 하자. 예를 들어, 그림은 $k=3$, $l=4$인 경우이다. 한 변의 길이가 1인 정사각형의 변을 따라 점 A에서 점 B까지 최단거리로 이동하는 경우의 수를 확률변수 U라 할 때, $\mathrm{P}(U \le 10)$을 구하시오.**

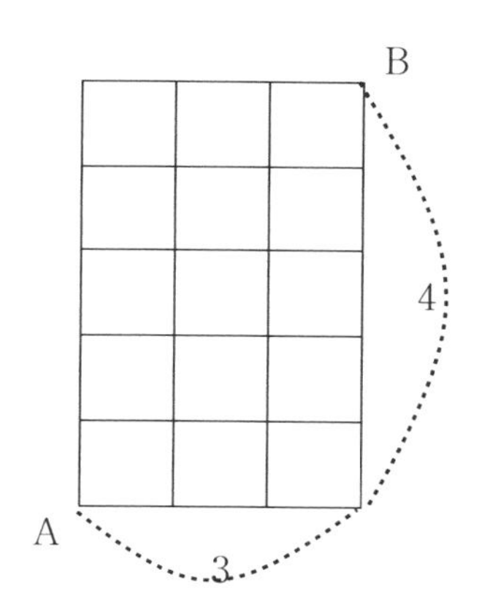

3. **제시문 <나>를 읽고 두 부등식 $1 < b-a$와 $d-c < \dfrac{6}{5}$을 만족시키는 자연수 n의 최댓값과 최솟값을 구하시오.**

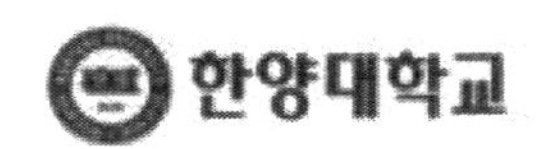

답안지 (자연계)

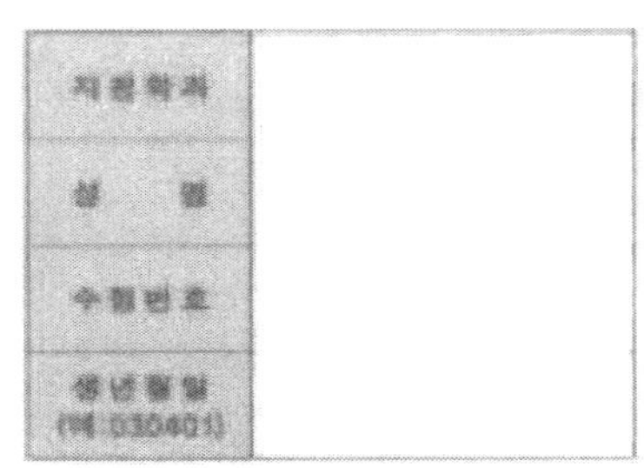

수험생 유의사항

문항 【1】 반드시 해당 문항의 답을 작성해야 함

이 줄 아래에 답안을 작성하거나 낙서할 경우 판독이 불가능하여 채점 불가

이 줄 위에 답안을 작성하거나 낙서할 경우 판독이 불가능하여 채점 불가

문항 【2】 반드시 해당 문항의 답을 작성해야 함

이 줄 아래에 답안을 작성하거나 낙서할 경우 판독이 불가능하여 채점 불가

2. 2024학년도 한양대 수시 논술 (오후 1)

[문제 1] 다음 물음에 답하시오. (50점)

1. 그림은 크기가 같은 정육면체 25개를 가로로 5개, 세로로 5개씩 쌓아 만든 직육면체이다. 정육면체의 모서리를 따라 꼭짓점 P에서 꼭짓점 Q까지 최단거리로 이동할 때, 색칠된 정육면체의 꼭짓점을 지나지 않고 이동하는 경우의 수를 구하시오.

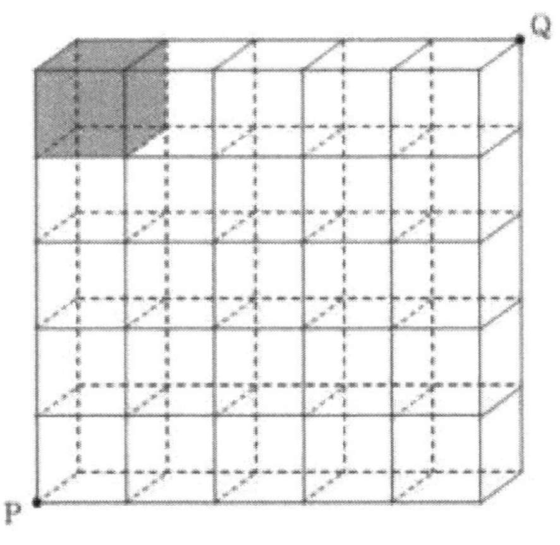

2. 주머니 A에는 숫자 4가 적힌 공이 세 개, 숫자 6이 적힌 공이 두 개, 숫자 8이 적힌 공이 한 개 들어 있고, 주머니 B에는 숫자 0이 적힌 공이 여섯 개, 숫자 1이 적힌 공이 네 개 들어 있다.
   주머니 A에서 한 개의 공을 임의로 꺼낼 때 공에 적힌 수를 a, 주머니 B에서 한 개의 공을 임의로 꺼낼 때 공에 적힌 수를 b라 하자. 곡선 $y=(x+7)\left(x^2-abx+\frac{a}{2}-6\right)$이 x축과 만나는 세 점 중에서 가장 가까운 두 점 사이의 거리를 확률변수 X라 할 때, X의 기댓값 $\mathrm{E}(X)$를 구하시오.

3. $0<x<\frac{\pi}{2}$에서 정의된 함수 $f(x)=\frac{1}{\sin^2 2x}$에 대하여 두 함수 $g(x)$와 $h(x)$를

$$g(x)=\int_{\frac{\pi}{6}}^{x} f(t)dt,\quad h(x)=\int_{\frac{\pi}{6}}^{x} g(t)dt\ \left(0<x<\frac{\pi}{2}\right)$$

라 하자. 극한값 $\lim_{x\to 0^+}\frac{h(x)+\{g(x)\}^2}{f(x)}$을 구하시오. (단, $\lim_{t\to 0+} t^2\ln t=0$이다.)

[문제 2] 다음 제시문을 읽고 물음에 답하시오. (50점)

<가> 그림과 같이 길이가 2인 선분 AB를 지름으로 하는 반원의 호 위에 $\overline{QB} < \overline{PB}$이고 $\overline{PQ} = 1$인 두 점 P, Q가 있다. 이 반원 안에 선분 PQ를 지름으로 하고 선분 AB와 점 H에서 접하는 반원이 있다.

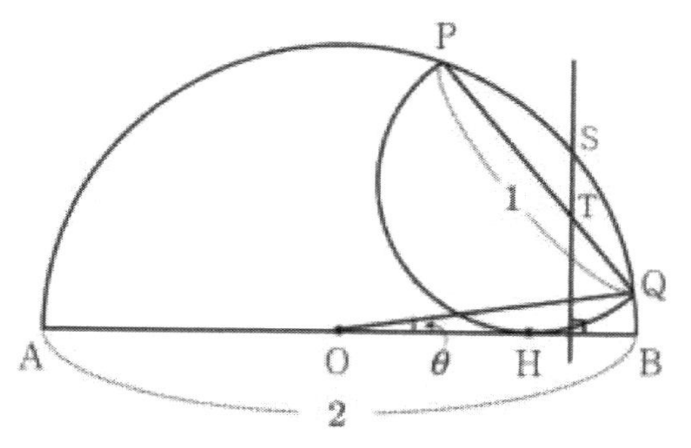

(1) 선분 AB의 중점을 O라 할 때, $\angle BOQ = \theta$라 하자. (단, $0 < \theta < \frac{\pi}{2}$)

(2) 선분 PQ위의 점 T에 대하여 점 T를 지나고 선분 AB와 수직인 직선이 호 AB와 만나는 점을 S라 하자.

<나> 그림과 같이 평면 α와 평면 β는 직선 l에서 만난다. 평면 α위에 중심이 O이고 반지름의 길이가 1인 원이 있다. 이 원을 밑면으로 하는 반구와 평면 β가 만나서 생기는 도형은 반지름의 길이가 $\frac{1}{2}$인 원 C이다. 원 C를 밑면으로 하는 반구는 평면 α와 한 점 H에서만 만난다.

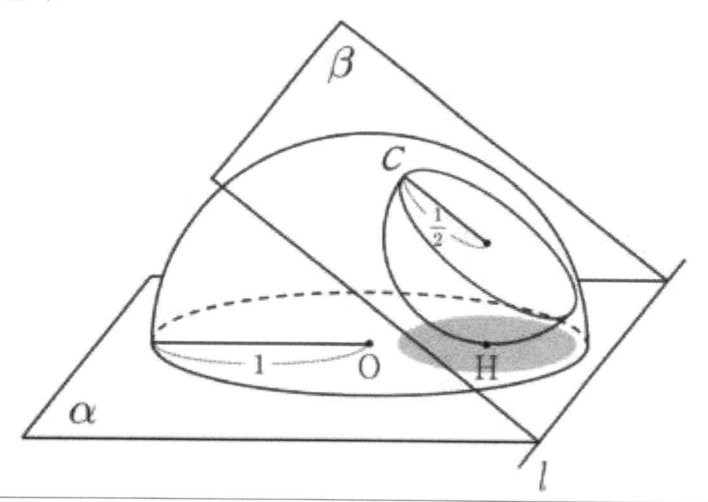

1. **제시문 <가>에서 주어진 각의 크기 θ에 대하여, $\cos\theta$와 $\sin\theta$의 값을 구하시오.**

2. **제시문 <가>에서 주어진 두 점 S와 T에 대하여, 선분 ST의 길이의 최댓값을 구하시오.**

3. **제시문 <나>에서 주어진 원 C의 평면 α 위로의 정사영의 넓이를 구하시오.**

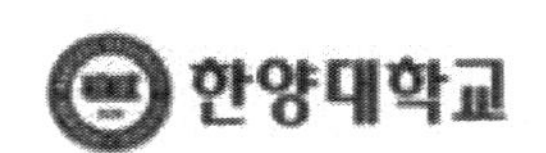

답안지 (자연계)

답안지 바코드

지원학과	
성 명	
수험번호	
생년월일 (예:030401)	

수험생 유의사항

문항 【1】 반드시 해당 문항의 답을 작성해야 함

이 줄 아래에 답안을 작성하거나 낙서할 경우 판독이 불가능하여 채점 불가

이 줄 위에 답안을 작성하거나 낙서할 경우 판독이 불가능하여 채점 불가

문항 【2】 반드시 해당 문항의 답을 작성해야 함

이 줄 아래에 답안을 작성하거나 낙서할 경우 판독이 불가능하여 채점 불가

3. 2024학년도 한양대 수시 논술 (오후 2)

[문제 1] 다음 물음에 답하시오. (50점)

1. 그림과 같이 넓이가 1인 정사각형 11개로 이루어진 도형이 있다.

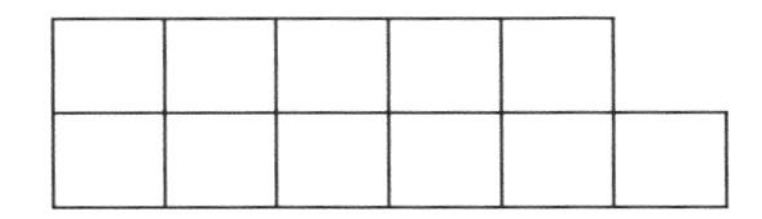

넓이가 1인 각각의 정사각형 내부를 빨간색, 파란색, 노란색의 세 가지 색 중 한 가지 색으로 칠한다. 각각의 가로 행에 빨간색으로 칠해진 정사각형의 개수가 파란색으로 칠해진 정사각형의 개수보다 크고, 각각의 가로 행에 노란색으로 칠해진 정사각형이 2개 이하가 되는 경우의 수를 구하시오.

2. 그림과 같이 자연수 n에 대하여 가로의 길이가 n이고 세로의 길이가 10인 직사각형을 한 변의 길이가 1인 $10\times n$개의 정사각형으로 나눈 도형이 있다. 한 변의 길이가 1인 각각의 정사각형 내부를 빨간색, 파란색, 노란색의 세 가지 색 중 한 가지 색으로 칠한다. 이 도형의 각 세로 열마다 세 가지 색이 적어도 한 번씩 나타나게 칠할 때, 넓이가 $10n$인 직사각형에서 빨간색, 파란색, 노란색으로 칠해진 부분의 넓이를 각각 p, q, r이라 하자. p, q, r의 모든 순서쌍 $(p,\ q,\ r)$의 개수를 $f(n)$이라 할 때, $f(5)+f(7)$의 값을 구하시오.

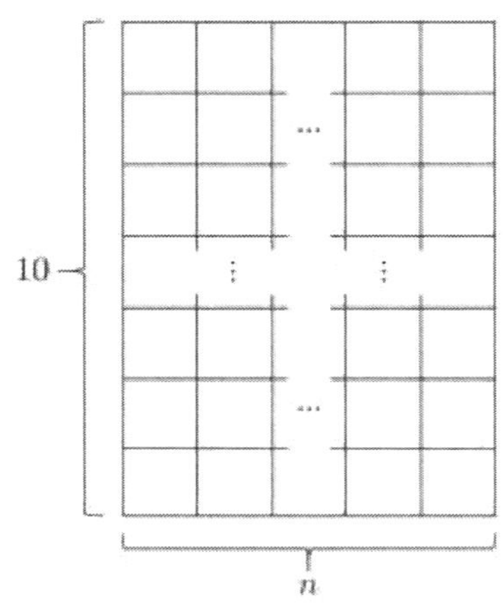

3. 주머니에 숫자 1이 적힌 공이 한 개, 숫자 2가 적힌 공이 두 개, 숫자 3이 적힌 공이 세 개 들어 있다. 이 주머니에서 한 개의 공을 임의로 꺼낼 때 공에 적힌 수를 c라 하자. 다음 조건을 만족시키는 삼차함수 $f(x)$의 -1에서 c까지의 정적분의 값을 확률변수 Y라 할 때, Y의 기댓값 $\mathrm{E}(Y)$를 구하시오.

< 가 > $f(-1)=0,\ f(3)=0,\ f'(0)=18$
< 나 >모든 실수 x에 대하여 $f'(x)\le f'\left(\frac{2}{3}\right)$이다.

[문제 2] 다음 물음에 답하시오. (50점)

1. 타원 $\frac{x^2}{3}+\frac{y^2}{2}=1$ 위의 점 P와 타원 $\frac{x^2}{2}+\frac{y^2}{3}=1$ 위의 점 Q가 직선 $y=x$에 대하여 대칭이다. 두 점 A$(-1,\ 0)$, B$(0,\ -1)$에 대하여 $\overrightarrow{\mathrm{AP}}\cdot\overrightarrow{\mathrm{BQ}}$의 최댓값을 구하시오.

2. 그림과 같이 길이가 $\sqrt{2}$인 선분 AC를 지름으로 하고 중심이 O인 원이 있다. 이 원 위에 $\angle\mathrm{AOE}=\theta\left(0<\theta<\frac{\pi}{2}\right)$가 되도록 점 E를 잡고, 직선 EO가 원과 만나는 점 중 E가 아닌 점을 G라 하자. 대각선이 선분 AC인 정사각형 ABCD의 내부와 대각선이 선분 EG인 정사각형 EFGH의 내부의 공통부분의 넓이를 $S(\theta)$라 하자. 함수 $S(\theta)$에 대하여 $\theta=\frac{\pi}{3}$에서의 미분계수 $S'\left(\frac{\pi}{3}\right)$를 구하시오.

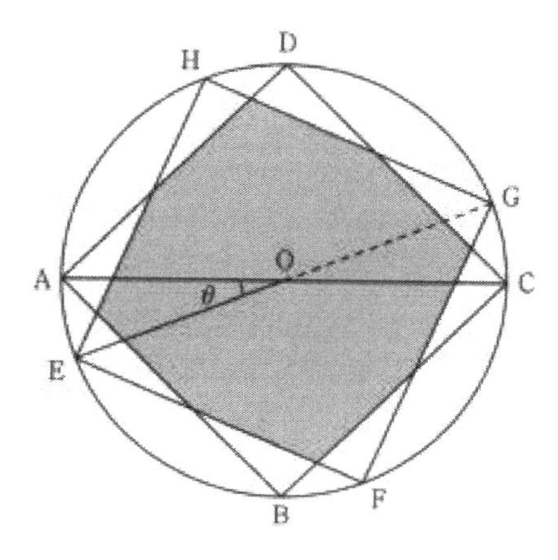

3. 자연수 n에 대하여 두 곡선 $y=\cos x$와 $y=1-ax^2$이 만나는 점의 개수가 $4n+1$이 되도록 하는 양수 a를 a_n이라 하자. 예를 들어, 아래 그림은 $n=1$인 경우이다. 극한값 $\lim_{n\to\infty}\cos\sqrt{\frac{2}{a_n}-4}$를 구하시오.

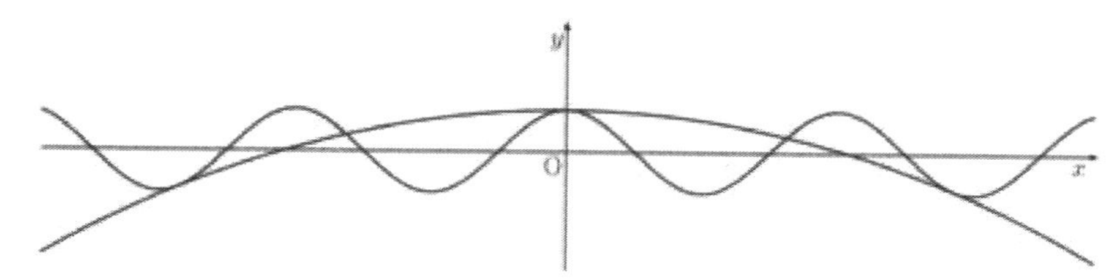

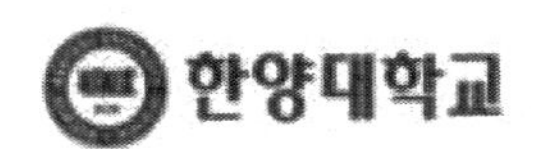

답안지 (자연계)

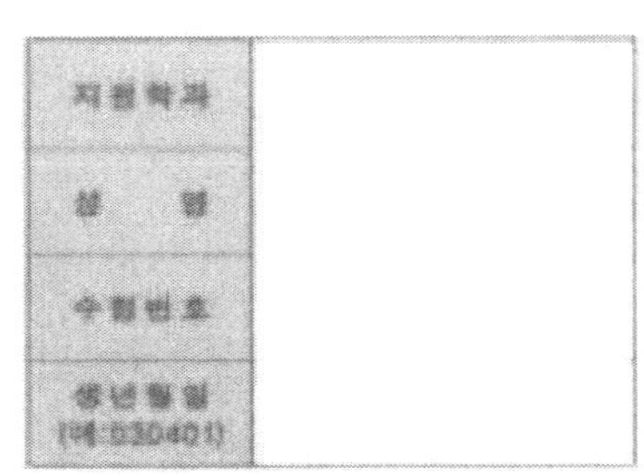

수험생 유의사항

문항 【1】 반드시 해당 문항의 답을 작성해야 함

이 줄 아래에 답안을 작성하거나 낙서할 경우 판독이 불가능하여 채점 불가

이 줄 위에 답안을 작성하거나 낙서할 경우 판독이 불가능하여 채점 불가

문항 【2】 반드시 해당 문항의 답을 작성해야 함

이 줄 아래에 답안을 작성하거나 낙서할 경우 판독이 불가능하여 채점 불가

4. 2024학년도 한양대 모의 논술

[문제 1] 다음 물음에 답하시오. (50점)

1. 집합 $A=\{k \mid k$는 $4n+2$이하의 자연수 $\}$의 부분집합 중에서 $n+1$개 이상의 짝수를 포함하고 n개 이하의 홀수를 포함하는 부분집합의 개수는? 단, n은 자연수이다.

2. 미분가능한 함수 $f(x)$는 다음 조건을 만족시킨다.

(i) 임의의 실수 a, b에 대하여 $f(a+b)=f(a)+f(b)$이다.
(ii) $f(3)=6$이다.

정적분 $\int_0^2 \{f(x)\}^9\{f(2-x)\}^{10}f'(x)dx$의 값을 k라 할 때, ${}_{20}\mathrm{C}_{10}\times k$의 값을 구하시오.

3. 좌표평면에서 선분 AB를 아랫변으로 하는 사다리꼴 ABCD가 다음 조건을 만족시킨다.

(i) $\overline{\mathrm{CD}}=1$, $\overline{\mathrm{DA}}=5$
(ii) $\cos\angle\mathrm{DAB}=\frac{3}{5}$, $\cos\angle\mathrm{BCD}=-\frac{1}{\sqrt{5}}$

점 P가 $(\overrightarrow{\mathrm{AP}}+\overrightarrow{CP})\cdot(2\overrightarrow{\mathrm{BP}}+\overrightarrow{\mathrm{DP}})=\frac{67}{8}$을 만족시킬 때, $|\overrightarrow{\mathrm{AP}}|$의 최댓값을 구하시오.

[문제 2번] 다음 물음에 답하시오. (50점)

1. 그림과 같이 반지름의 길이가 1인 구와 구의 중심 O를 지나는 평면 α가 있다. 구와 평면이 만나서 생기는 원 위에 $\overline{AB}=\sqrt{3}$을 만족시키는 두 점 A, B가 있다. 구면 위의 한 점 P에 대하여, 삼각형 ABP의 평면 α 위로의 정사영을 삼각형 ABH라 하자. 사면체 ABHP의 부피가 최대일 때, 삼각형 ABH의 넓이를 구하시오.

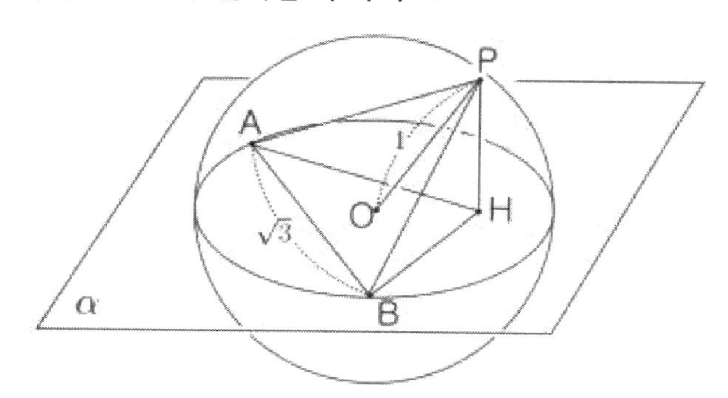

2. 닫힌구간 $[0,\ 1]$에서 두 함수 $f(x)=\frac{1}{m}x^m$과 $g(x)=1-\sqrt{1-x^2}$이 주어져 있다. 곡선 $y=f(x)$와 곡선 $y=g(x)$가 오직 한 개의 점에서만 만나기 위한 양의 실수 m의 범위를 구하시오.

3. 각 면에 1, 2, 3, 4 네 개의 수가 각각 하나씩 적혀있는 정사면체 주사위 A와 각 면에 1, 2, 3, 4, 5, 6 여섯 개의 수가 각각 하나씩 적혀있는 정육면체 주사위 B를 한 번씩 던질 때마다, 다음과 같은 규칙으로 수직선 위의 점 P를 이동시킨다.

(i) 주사위 A를 던져 바닥에 닿는 면에 적혀있는 수를 3으로 나눈 나머지가 1이면 양의 방향으로 1만큼 이동하고, 3으로 나눈 나머지가 2이면 음의 방향으로 2만큼 이동하고, 적혀있는 수가 3의 배수이면 양의 방향으로 3만큼 이동한다. (ii) 주사위 B를 던져 바닥에 닿는 면에 적혀있는 수가 3의 배수이면 양의 방향으로 1만큼 이동하고, 3의 배수가 아니면 음의 방향으로 2만큼 이동한다.

주사위 A와 주사위 B를 함께 던지는 시행을 세 번 반복한 후, 수직선의 원점에서 출발한 점 P가 규칙대로 이동하여 도착한 점이 나타내는 수의 기댓값을 구하시오.

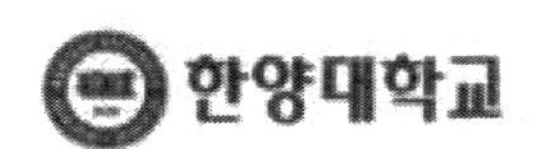

답안지 (자연계)

답안지 바코드

지원학과	
성 명	
수험번호	
생년월일 (예:030401)	

수험생 유의사항

문항 【1】 반드시 해당 문항의 답을 작성해야 함

이 줄 아래에 답안을 작성하거나 낙서할 경우 판독이 불가능하여 채점 불가

이 줄 위에 답안을 작성하거나 낙서할 경우 판독이 불가능하여 채점 불가

문항 【2】 반드시 해당 문항의 답을 작성해야 함

이 줄 아래에 답안을 작성하거나 낙서할 경우 판독이 불가능하여 채점 불가

5. 2023학년도 한양대 수시 논술 (오전)

[문제 1] 다음 제시문을 읽고 물음에 답하시오. (50점)

오른쪽 그림과 같이 길이가 2인 선분 AB를 지름으로 하는 반원이 있다. 점 O는 선분 AB의 중점이다. 호 AB위의 한 점 R에서 선분 AB에 내린 수선의 발을 H라 하고, 점 H에서 선분 AR에 내린 수선의 발을 P라 하자.

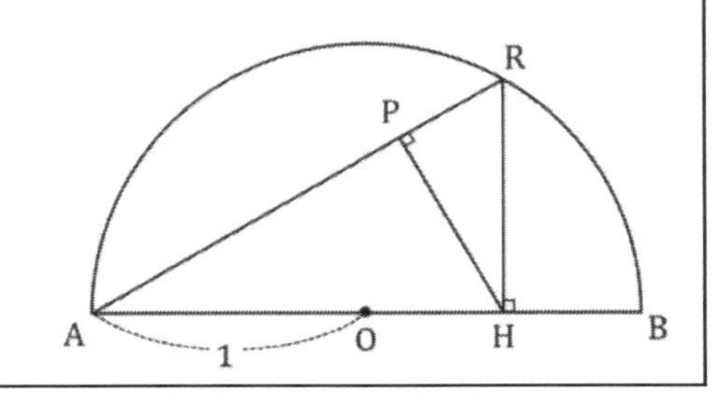

1\. $\angle \mathrm{ROB} = \dfrac{\pi}{3}$ **일 때,** $\overline{\mathrm{OP}}^2 + \overline{\mathrm{BP}}^2$ **의 값을 구하시오.**

2\. **점** R**가** A**에서** B**까지 호** AB**위를 움직일 때, 선분** OP**의 길이의 최솟값을 구하시오.**

3\. **점** R**가** A**에서** B**까지 호** AB**위를 움직일 때, 점** P**가 이루는 곡선과 선분** AB**로 둘러싸인 도형을 밑면으로 하는 입체도형이 있다. 이 입체도형을 선분** AB**에 수직인 평면으로 자른 단면이 모두 정사각형일 때, 이 입체도형의 부피를 구하시오.**

[문제 2] 다음 물음에 답하시오. (50점)

1. 수열 $\{a_n\}$은 모든 자연수 n에 대하여 $\frac{a_n}{n+1} = \int_0^{\beta} \sin^n x \cos x dx$를 만족시킨다.
$\sum_{n=1}^{\infty} a_n = \frac{1}{6}$일 때, $\tan\beta$의 값을 구하시오. (단, $0 < \beta < \frac{\pi}{2}$)

2. 평균이 m, 표준편차가 σ인 정규분포를 따르는 모집단에서 크기가 n인 표본을 임의추출 할 때, 표본평균을 $\overline{X}$라 하자. 이 모집단의 확률변수를 X라 할 때, 두 확률변수 X, $\overline{X}$가 다음 세 조건을 만족시킨다. 이때, $m+\sigma+n$의 값을 구하시오. (단, Z가 표준정규분포를 따르는 확률변수일 때, $\mathrm{P}(0 \le Z \le 1.5) = 0.4332$, $\mathrm{P}(0 \le Z \le 2.0) = 0.4772$, $\mathrm{P}(0 \le Z \le 2.5) = 0.4938$로 계산한다.)

(가) $\mathrm{P}(X \ge 8) + \mathrm{P}(\overline{X} \ge 8) = 1$
(나) $\mathrm{P}(X \ge 12) + \mathrm{P}(\overline{X} \ge 7.5) = 1$
(다) 표본평균의 값이 $\overline{x}$일 때, m에 대한 신뢰도 95.44%의 신뢰구간이 $\overline{x} - 1 \le m \le \overline{x} + 1$이다.

3. 평평한 면과 둥근 면이 나올 확률이 각각 p, $1-p$인 윷짝 한 개를 2023번 던졌을 때, 평평한 면이 나온 횟수가 짝수일 확률을 p에 대한 식으로 나타내시오. (단, 0은 짝수이다.)

답안지 (자연계)

지원학과	
성명	
수험번호	
생년월일 (예:030401)	

수험생 유의사항

문항 【1】 반드시 해당 문항의 답을 작성해야 함

이 줄 아래에 답안을 작성하거나 낙서할 경우 판독이 불가능하여 채점 불가

이 줄 위에 답안을 작성하거나 낙서할 경우 판독이 불가능하여 채점 불가

문항 【2】 반드시 해당 문항의 답을 작성해야 함

이 줄 아래에 답안을 작성하거나 낙서할 경우 판독이 불가능하여 채점 불가

6. 2023학년도 한양대 수시 논술 (오후 1)

[문제 1] 다음 제시문을 읽고 물음에 답하시오. (50점)

<가> 함수 $f(x)$는 다음 조건을 만족시킨다.

$$f(x)=\int_0^x (xt-t^2)e^{x-t}dt$$

<나> 함수 $g(x)$는 다음 조건을 만족시킨다.

① $g(0)=0$

② $e^{-x}\int_0^x g'(t)dt=\int_0^x e^{-t}g'(t)dt-x\sin(2\pi x)$

1. 제시문 <가>에서 주어진 곡선 $y=f(x)$의 오목과 볼록을 조사하고 변곡점의 좌표를 구하시오.

2. 제시문 <가>에서 주어진 곡선 $y=f(x)$위의 점 $(0,\ f(0))$에서의 접선을 l_1, 점 $(2,\ f(2))$에서의 접선을 l_2라고 하자. 곡선 $y=f(x)$와 두 직선 l_1, l_2로 둘러싸인 도형의 넓이를 구하시오.

3. 제시문 <나>에서 주어진 함수 $g(x)$에 대하여, $\int_0^{2023} g(x)dx < 4046\pi e^{2023}$이 성립함을 보이시오.

[문제 2] 다음 물음에 답하시오. (50점)

1. 오른쪽 그림과 같이 한 모서리의 길이가 1인 정육면체의 모서리 AD위에 $\overline{AP} \le \overline{PD}$를 만족시키는 점 P가 있다. 삼각형 PBH의 넓이가 $\frac{\sqrt{7}}{4}$일 때, 삼각형 PBH의 평면 EFGH 위로의 정사영의 넓이를 구하시오.

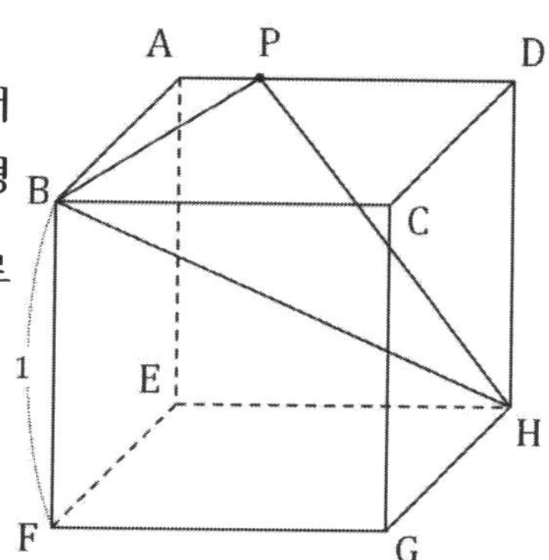

2. 3개의 바구니 X, Y, Z 각각에 1부터 n까지 자연수가 각각 하나씩 적힌 공 n개가 들어 있다. 각 바구니에서 공을 하나씩 꺼냈을 때, X, Y, Z에서 나온 공에 적힌 세 수를 각각 x, y, z라 하자. x, y, z가 삼각형의 세 변의 길이가 되는 모든 순서쌍 (x, y, z)의 개수를 A_n이라 할 때, $A_{n+1} - A_n$을 n에 대한 식으로 나타내시오.

3. 함수 $f(x) = x^{-\frac{2}{3}}(x+1)$은 $x > 1$인 범위에서 1.9보다 작은 최솟값을 갖는다. 이를 이용하여 3의 배수인 자연수 n에 대해 $\sum_{k=0}^{\frac{n}{3}} {}_{n}\mathrm{C}_{k} < 1.9^{n}$이 성립함을 보이시오.

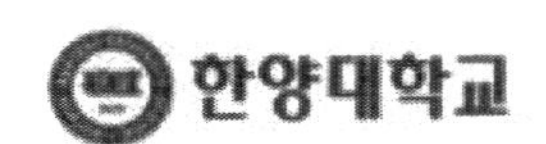

답안지 (자연계)

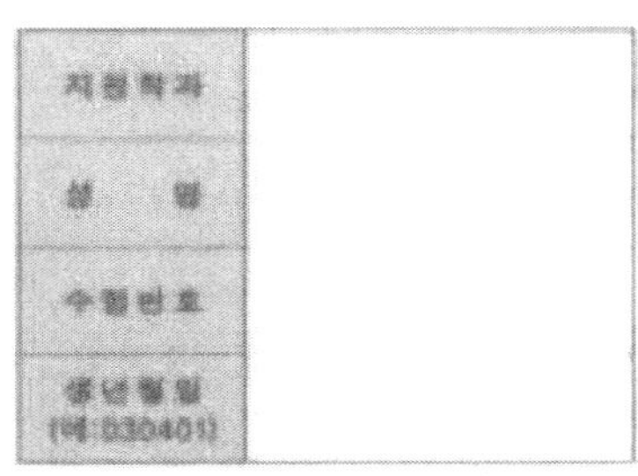

수험생 유의사항

문항 【1】 반드시 해당 문항의 답을 작성해야 함

이 줄 아래에 답안을 작성하거나 낙서할 경우 판독이 불가능하여 채점 불가

이 줄 위에 답안을 작성하거나 낙서할 경우 판독이 불가능하여 채점 불가

문항 【2】 반드시 해당 문항의 답을 작성해야 함

이 줄 아래에 답안을 작성하거나 낙서할 경우 판독이 불가능하여 채점 불가

7. 2023학년도 한양대 수시 논술 (오후 2)

[문제 1] 다음 제시문을 읽고 물음에 답하시오. (50점)

<가> 자연수 n에 대하여 $a_n = \sum_{k=0}^{n} {}_{3n}C_{3k}$이다.
<나> 정수 n과 k가 $0 \le k < n$을 만족시킬 때, ${}_{n}C_{k} + {}_{n}C_{k+1} = {}_{n+1}C_{k+1}$이 성립한다.

1. **정수 n과 k가 $1 \le k \le n$을 만족시킬 때, 제시문 <나>를 이용하여**

$${}_{3n+3}C_{3k} = {}_{3n}C_{3k-3} + 3 \times {}_{3n}C_{3k-2} + 3 \times {}_{3n}C_{3k-1} + {}_{3n}C_{3k}$$

가 성립함을 보이시오.

2. **자연수 n에 대해 $a_{n+1} = 2 + \sum_{k=1}^{n} {}_{3n+3}C_{3k}$를 이용하여 $a_n + a_{n+1} = 3 \times 2^{3n}$이 성립함을 보이시오.**

3. $\sum_{k=1}^{100} {}_{300}C_{3k-1}$**의 값을 구하시오.**

[문제 2] 다음 물음에 답하시오. (50점)

1. 함수 $f(x)=\dfrac{\ln(x+a)}{x+a}$에 대하여 방정식 $(f\circ f)(x)=\dfrac{1}{e}$이 서로 다른 두 실근을 갖도록 하는 실수 a의 범위를 구하시오. (단, $\lim\limits_{x\to\infty}\dfrac{\ln x}{x}=0$)

2. 미분가능한 함수 $f(x)$가 네 조건

$$f'(1)<0,\quad f'(-1)>0,\quad f'(-1)-f'(1)=23,\quad f(1)=f(-1)=0$$

을 만족시킨다. 곡선 $y=f(x)$위의 점 $\mathrm{A}(-1,\ 0)$에서의 접선과 점 $\mathrm{B}(1,\ 0)$에서의 접선의 교점을 P, 삼각형 APB의 넓이를 S라 할 때, $\cot(\angle\mathrm{APB})$를 S에 대한 식으로 나타내시오.

3. 높이가 1인 정삼각형 ABC의 꼭짓점 A를 중심으로 하고 변 BC에 접하는 원이 있다. 오른쪽 그림과 같이 이 원을 직선 BC에 접한 채 거리 t만큼 $(0<t<1)$평행 이동한 원과 변 AB, 변 AC로 둘러싸인 도형의 넓이를 $f(t)$라고 하자. 이때 도함수 $f'(t)$를 구하시오.

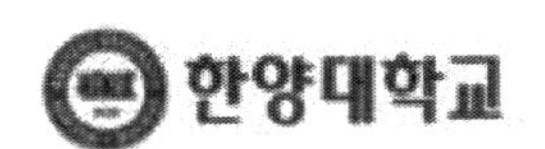

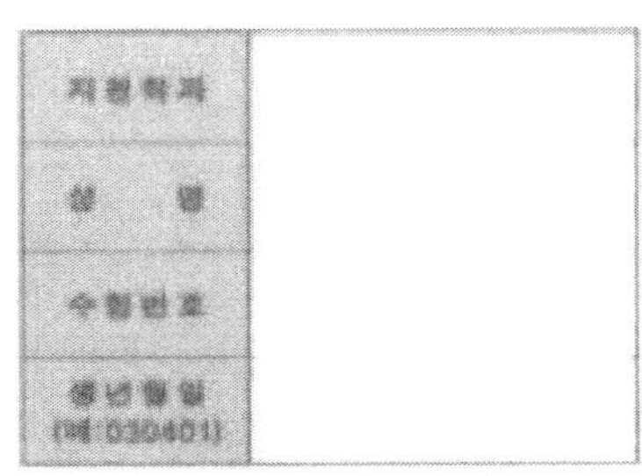

문항 【1】 반드시 해당 문항의 답을 작성해야 함

이 줄 아래에 답안을 작성하거나 낙서할 경우 판독이 불가능하여 채점 불가

이 줄 위에 답안을 작성하거나 낙서할 경우 판독이 불가능하여 채점 불가

문항 【2】 반드시 해당 문항의 답을 작성해야 함

이 줄 아래에 답안을 작성하거나 낙서할 경우 판독이 불가능하여 채점 불가

8. 2023학년도 한양대 모의 논술

[문제 1] 다음 제시문을 읽고 물음에 답하시오. (50점)

평면 위의 삼각형 ABC의 세 변의 길이의 비가 $\overline{AB}:\overline{BC}:\overline{CA}=2:1:2$이다.

1. $\left|\overrightarrow{AB}+\frac{3}{2}\overrightarrow{BC}\right|=2$인 경우 $\overline{AB}$의 값을 구하시오.

2. 아래의 등식을 만족하는 평면 위의 두 점 P와 Q에 대하여, $\overline{AQ}$가 최소가 될 때 $\frac{\overline{AQ}}{\overline{BC}}$의 값을 구하시오.

$$2(\overline{PB}-\overline{AB})=2(\overline{AC}-\overline{PC})=2(\overline{AQ}-\overline{PQ})=\overline{BC}$$

3. 삼각형 ABC의 각 A의 크기를 θ라고 하자.

함수 $f(x)=\left(x-\frac{7}{8}\right)^3+\frac{1}{\theta}$에 대하여 다음 정적분의 값을 구하시오.

$$\int_0^{\theta} x\sin x f'(\cos x)dx-\int_{\frac{\pi}{2}-\theta}^{\frac{\pi}{2}} f(\sin x)dx$$

[문제 2번] 다음 물음에 답하시오. (50점)

1. 자연수 n에 대하여 $x_n = \dfrac{1}{n}\displaystyle\sum_{k=1}^{2n}\dfrac{2n}{2n+2k-1}$ 일 때, 극한값 $\displaystyle\lim_{n\to\infty} x_n$을 구하시오.

2. 함수 $f(x)$(단, $x>0$) 가 세 조건

(i) $f''(x) = \dfrac{\sin x}{x}$, (ii) $\displaystyle\lim_{x\to\frac{\pi}{\sqrt{3}}} f'(x) = \dfrac{1}{\sqrt{3}}$, (iii) $\displaystyle\lim_{x\to\pi} f'(x) = 1$

을 만족시킬 때, 극한값 $\displaystyle\lim_{x\to\frac{\pi}{\sqrt{3}}}\int_{x}^{\sqrt{3}x} f'(t)dt$을 구하시오.

(단, $\sin\dfrac{\pi}{\sqrt{3}} = 0.97$, $\cos\dfrac{\pi}{\sqrt{3}} = -0.24$, $\sin(\sqrt{3}\pi) = -0.75$, $\cos(\sqrt{3}\pi) = 0.67$이다.)

3. 선분 AB를 지름으로 하고, 반지름의 길이가 1인 반원의 호 위에

$$\overline{AP_1} = \overline{P_1P_2} = \overline{P_2P_3} = \cdots = \overline{P_{n-1}P_n} = \overline{P_n B}$$

를 만족시키는 n개의 점 P_1, P_2, $\cdots$, P_n이 순서대로 놓여있다. 자연수 $k(1 \le k \le n)$에 대하여 삼각형 $AP_k B$의 넓이를 S_k라 할 때, 극한값

$$\lim_{n\to\infty}\frac{S_1^2 + S_2^2 + \cdots + S_n^2}{n+1}$$

을 구하시오. (오른쪽 그림은 $n=3$인 경우이다.)

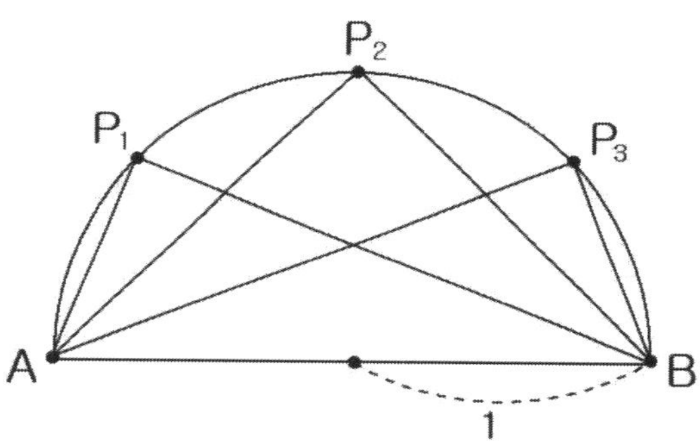

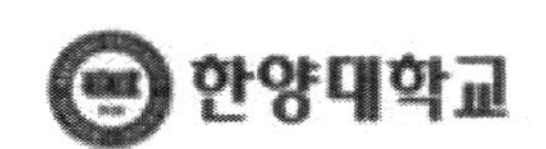

지원학과	
성 명	
수험번호	
생년월일 (예:030401)	

수험생 유의사항

문항 【1】 반드시 해당 문항의 답을 작성해야 함

이 줄 아래에 답안을 작성하거나 낙서할 경우 판독이 불가능하여 채점 불가

이 줄 위에 답안을 작성하거나 낙서할 경우 판독이 불가능하여 채점 불가

문항 【2】 반드시 해당 문항의 답을 작성해야 함

이 줄 아래에 답안을 작성하거나 낙서할 경우 판독이 불가능하여 채점 불가

9. 2022학년도 한양대 수시 논술 (오전)

[문제 1] 다음 제시문을 읽고 물음에 답하시오. (50점)

공간에서 두 평면 α와 β의 교선을 l이라 하고, 두 평면이 이루는 각의 크기를 $\theta\left(0<\theta<\frac{\pi}{2}\right)$라고 하자.

1. **평면 α위에 삼각형** ABC**가 있다.** $\overline{AB}=\overline{AC}=1$**이고 각** A**는 직각이며 선분** BC**는 직선** l**과 평행할 때, 선분** AB**의 평면** β**위로의 정사영의 길이를 구하시오.**

2. **평면 α위에 점** P**와** Q**가 있다.** $\overline{PQ}=1$**이고 직선** PQ**가 직선** l**과 이루는 각의 크기를** t**라고 할 때, 선분** PQ**의 평면** β**위로의 정사영의 길이를 구하시오.**

3. **평면 α위에 한 변의 길이가** 1**인 정삼각형** RST **가 있고 이 삼각형의 평면** β**위로의 정사영을 삼각형** R′S′T′**이라고 하자.** $\cos\theta=\frac{3}{\pi}$**일 때,** $\overline{R'S'}^2+\overline{S'T'}^2+\overline{T'R'}^2$**의 값을 구하시오.**

[문제 2] 다음 물음에 답하시오. (50점)

1. 주머니에 숫자 1, 2, 3이 각각 적힌 카드 3장이 들어 있다. 이 주머니에서 임의로 한 장의 카드를 꺼내어 숫자를 확인한 후 다시 주머니에 넣는 시행을 54회 반복할 때, 꺼낸 카드에 적힌 수의 평균을 $\overline{X}$라 하자. 이때 표본평균 $\overline{X}$는 근사적으로 정규분포를 따른다.

$-2\overline{X}$의 평균과 분산을 구하고, $\mathrm{P}\left(-2\overline{X} \geq -\frac{11}{3}\right)$의 값을 구하시오.

(단, Z가 표준정규분포를 따르는 확률변수일 때,
$\mathrm{P}(0 \leq Z \leq 0.5) = 0.1915$, $\mathrm{P}(0 \leq Z \leq 1) = 0.3413$,
$\mathrm{P}(0 \leq Z \leq 1.5) = 0.4332$, $\mathrm{P}(0 \leq Z \leq 2) = 0.4772$
로 계산한다.)

2. 함수 $f(x) = \frac{\ln x}{x}$를 이용하여 $a^b = b^a$을 만족시키는 서로 다른 양의 정수 a, b의 순서쌍 (a, b)를 모두 구하시오.

3. $n \geq 3$인 자연수 n에 대하여 둘레의 길이가 1인 정 n각형의 넓이를 $f(n)$이라 하자. $f(12)$의 값을 구하고, $\lim_{n \to \infty} f(n)$의 값을 구하시오.

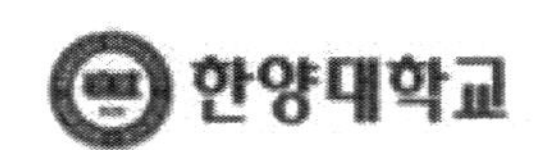

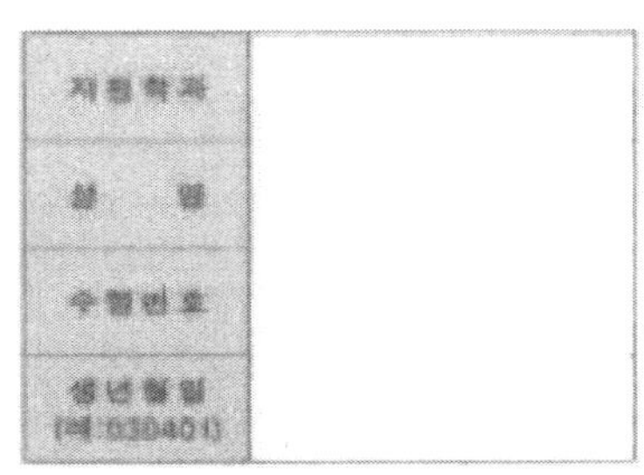

문항 【1】 반드시 해당 문항의 답을 작성해야 함

이 줄 아래에 답안을 작성하거나 낙서할 경우 판독이 불가능하여 채점 불가

이 줄 위에 답안을 작성하거나 낙서할 경우 판독이 불가능하여 채점 불가

문항 【2】 반드시 해당 문항의 답을 작성해야 함

이 줄 아래에 답안을 작성하거나 낙서할 경우 판독이 불가능하여 채점 불가

10. 2022학년도 한양대 수시 논술 (오후 1)

[문제 1] 다음 제시문을 읽고 물음에 답하시오. (50점)

<가> 오른쪽 그림과 같이 반지름의 길이가 1인 원 위의 두 점 P, Q를 잇는 한 호 PQ의 길이를 t라고 할 때, 현 PQ의 길이를 $f(t)$, 현 PQ와 길이가 t인 호 PQ로 둘러싸인 도형의 넓이를 $g(t)$라고 하자.

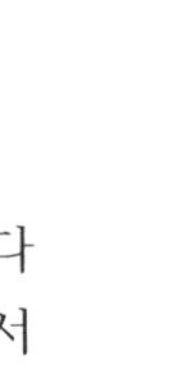

<나> 반지름의 길이가 1인 원 위에 서로 다른 n개의 점 P_0, P_1, $\cdots$, P_{n-1}이 순서대로 놓여 있고,

$\overline{P_0P_1}=\overline{P_1P_2}=\cdots=\overline{P_{n-2}P_{n-1}}=\overline{P_{n-1}P_0}$을 만족시킨다.

예를 들어, 오른쪽 그림은 $n=6$인 경우이다.

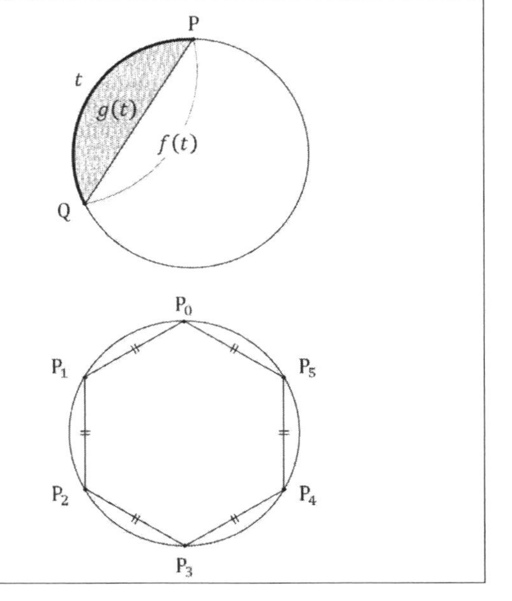

1. **제시문 <가>에서 주어진 식 $f(t)$, $g(t)$에 대하여 극한값 $\lim_{t \to 0+} \frac{g(t)}{f(t)}$를 구하시오.**

2. **제시문 <나>에서 주어진 n개의 점 P_0, P_1, $\cdots$, P_{n-1}에 대하여 극한값**

$$\lim_{n \to \infty} \frac{\overline{P_0P_1}+\overline{P_0P_2}+\cdots+\overline{P_0P_{n-1}}}{n}$$

을 구하시오.

3. **제시문 <나>에서 주어진 n개의 점 P_0, P_1, $\cdots$, P_{n-1}에 대하여 호 P_0P_1과 현 P_0P_1로 둘러싸인 도형의 넓이를 S_1, 호 P_0P_2와 현 P_0P_2로 둘러싸인 도형의 넓이를 S_2, $\cdots$, 호 P_0P_{n-1}과 현 P_0P_{n-1}로 둘러싸인 도형의 넓이를 S_{n-1}이라 하자. 극한값**

$$\lim_{n \to \infty} \frac{S_1^2+S_2^2+\cdots+S_{n-1}^2}{n}$$

을 구하시오. (단, $S_1 < S_2 < \cdots < S_{n-1}$이 되도록 호를 선택한다.)

[문제 2] 다음 물음에 답하시오. (50점)

1. 두 팀 A와 B가 배구 시합을 반복하여 어느 한 팀이 3승을 거두면 우승팀으로 결정된다. 각 시합은 팀 A가 승리할 확률이 p인 독립시행이고 무승부는 없다고 가정할 때, 우승팀이 결정될 때까지 실시한 시합 횟수의 기댓값을 p에 대한 식으로 나타내시오.

2. 장축의 길이가 6, 단축의 길이가 4인 타원이 있다. 네 변이 각각 이 타원에 접하는 직사각형의 한 변의 길이가 $2\sqrt{5}$일 때, 이 직사각형의 넓이를 구하시오.

3. 실수 전체의 범위에서 미분가능한 함수 $f(x)$가 임의의 양수 a에 대하여

$$\int_{-a}^{a}(a-|x|)f'(x)dx=0$$

을 만족시킨다. 이때 모든 실수 x에 대하여 $f(x)=f(-x)$가 성립함을 보이시오.

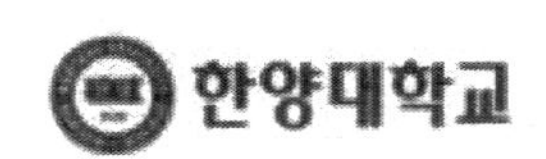

답안지 (자연계)

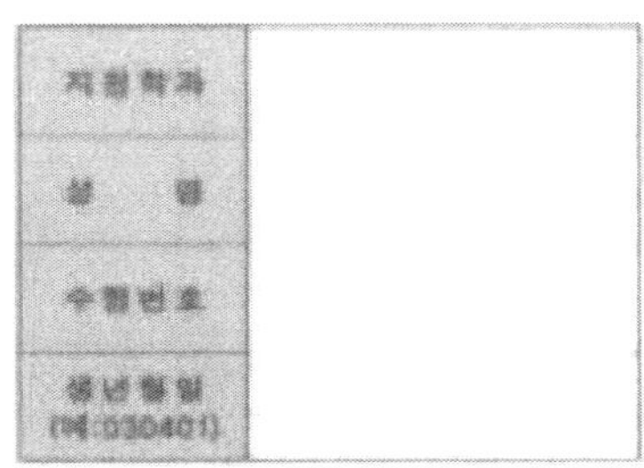

문항 【1】 반드시 해당 문항의 답을 작성해야 함

이 줄 아래에 답안을 작성하거나 낙서할 경우 판독이 불가능하여 채점 불가

이 줄 위에 답안을 작성하거나 낙서할 경우 판독이 불가능하여 채점 불가

문항 【2】 반드시 해당 문항의 답을 작성해야 함

이 줄 아래에 답안을 작성하거나 낙서할 경우 판독이 불가능하여 채점 불가

11. 2022학년도 한양대 수시 논술 (오후 2)

[문제 1] 다음 물음에 답하시오. (50점)

1. 한 개의 동전을 같은 면이 연속으로 두 번 나올 때까지 반복하여 던지되, 최대 3000번까지만 던질 수 있다. 이때 동전을 던진 횟수가 2022이하일 확률을 구하시오. (단, 동전의 앞면과 뒷면이 나올 확률은 $\frac{1}{2}$로 동일하다.)

2. 그림과 같이 길이가 2인 선분 AB를 지름으로 하는 반원이 있다. 호 AB위의 두 점 P, Q에 대하여 현 PQ의 길이가 $x(0 < x < 2)$일 때, 호 PQ와 현 PQ로 둘러싸인 도형의 넓이를 $f(x)$라고 하자. 함수 $f(x)$의 $x=1$에서의 미분계수를 구하시오.

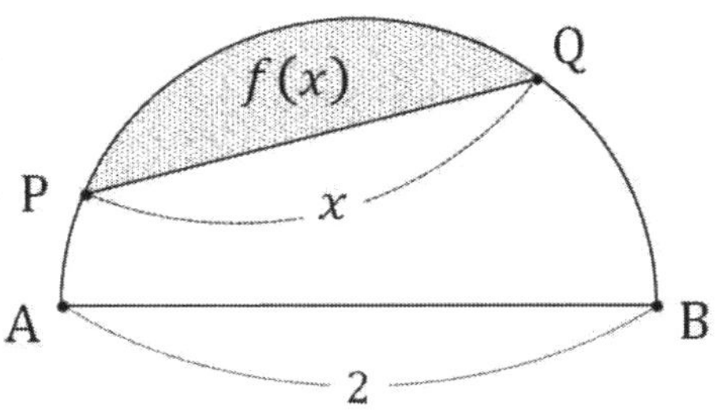

3. 함수 $f(x)=\ln(\ln(x+e))$와 양의 실수 a, b에 대하여 부등식

$$f(a+b) < f(a)+f(b)$$

가 항상 성립함을 보이시오.

[문제 2] 다음 제시문을 읽고 물음에 답하시오. (50점)

<가> 쌍곡선 $\frac{x^2}{5}-\frac{y^2}{27}=\frac{1}{2}$ 위의 두 점 A, B가 다음 조건을 만족시킨다.

- 점 A는 제 1사분면에 있고, 점 B는 제 3사분면에 있다.
- 위 쌍곡선의 두 초점을 F, F′이라 할 때, $\cos(\angle \mathrm{FAF'})=\cos(\angle \mathrm{F'BF})=\frac{7}{25}$ 이다.

<나> 타원 $\frac{x^2}{a^2}+\frac{y^2}{b^2}=1$(단, $0<b<a$)의 두 초점을 $\mathrm{F_1}$, $\mathrm{F_2}$라 하고 타원 위의 점 P에서의 접선을 l이라 하자. 점 P의 x좌표를 t라고 할 때, 원점으로부터 접선 l까지 거리의 제곱을 $f(t)$라 하고 $\overline{\mathrm{PF_1}}\times\overline{\mathrm{PF_2}}$를 $h(t)$라 하자.

1. **제시문 <가>에서 두 점 A, B의 좌표를 각각 구하시오.**

2. **제시문 <나>에서 $b=\frac{\sqrt{3}}{2}a$일 때, $\frac{1}{a^3}\int_0^a f(t)dt$의 값을 구하시오.**

3. **제시문 <나>에서 $f(t)\times h(t)$를 a와 b에 대한 식으로 나타내시오.**

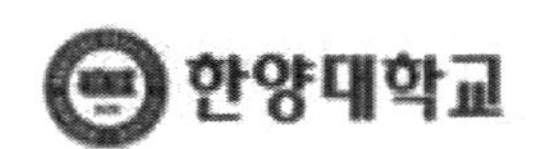

답안지 (자연계)

지원학과	
성 명	
수험번호	
생년월일 (예:030401)	

수험생 유의사항

문항 【1】 반드시 해당 문항의 답을 작성해야 함

이 줄 아래에 답안을 작성하거나 낙서할 경우 판독이 불가능하여 채점 불가

이 줄 위에 답안을 작성하거나 낙서할 경우 판독이 불가능하여 채점 불가

문항 【2】 반드시 해당 문항의 답을 작성해야 함

이 줄 아래에 답안을 작성하거나 낙서할 경우 판독이 불가능하여 채점 불가

12. 2022학년도 한양대 모의 논술

[문제 1] 다음 제시문을 읽고 물음에 답하시오. (50점)

(가) 함수의 극한의 대소 관계

$\lim_{x \to a} f(x) = L$, $\lim_{x \to a} g(x) = M$(L, M은 실수) 일 때, a가 아니면서 a에 가까운 모든 실수 x에 대하여

① $f(x) \le g(x)$이면 $L \le M$

② $f(x) \le h(x) \le g(x)$이고 $L = M$이면, $\lim_{x \to a} h(x) = L$

(나) 정적분과 급수의 합 사이의 관계

함수 $f(x)$가 닫힌구간 $[a, b]$에서 연속일 때,

$$\lim_{n \to \infty} \sum_{k=1}^{n} f(x_k) \varDelta x = \int_a^b f(x)dx \left(\text{단, } \varDelta x = \frac{b-a}{n},\ x_k = a + k\varDelta x\right)$$

(다) 연속함수 $f(x)$는 다음 식을 만족시킨다.

$$\sum_{k=1}^{n} f\left(\frac{k}{n}\right) - n\int_0^1 f(x)dx = n\sum_{k=1}^{n} \int_{\frac{k-1}{n}}^{\frac{k}{n}} \left(f\left(\frac{k}{n}\right) - f(x)\right)dx$$

1. **극한값** $\lim_{n \to \infty} \frac{1}{\sqrt{n}} \sum_{k=1}^{n} \frac{1}{\sqrt{k}}$ **을 구하시오.**

2. **극한값** $\lim_{n \to \infty} \left[\sum_{k=1}^{n} \int_{\frac{k-1}{n}}^{\frac{k}{n}} n\left(\frac{k-1}{n}\right)^4 \left(\frac{k}{n} - x\right)dx\right]$ **와** $\lim_{n \to \infty} \left[\sum_{k=1}^{n} \int_{\frac{k-1}{n}}^{\frac{k}{n}} n\left(\frac{k}{n}\right)^4 \left(\frac{k}{n} - x\right)dx\right]$ **을 구하시오.**

3. **극한값** $\lim_{n \to \infty} \left[\sum_{k=1}^{n} \left(\frac{k}{n}\right)^5 - n\int_0^1 x^5 dx\right]$ **을 구하시오.**

[문제 2] 다음 물음에 답하시오. (50점)

1. 장축의 길이가 4, 단축의 길이가 2인 타원 모양의 당구대 위의 한 초점 F에 공이 놓여 있다. 이 공을 쳤을 때 그림과 같이 공은 타원 둘레의 점 P를 지나 점 Q에 닿았다. 이때 점 F, P를 지나는 직선과 점 P에서의 접선이 이루는 예각과 점 P, Q를 지나는 직선과 점 P에서의 접선이 이루는 예각은 서로 같다. $\angle FPQ = \frac{\pi}{2}$일 때, 삼각형 FPQ의 넓이를 구하시오.

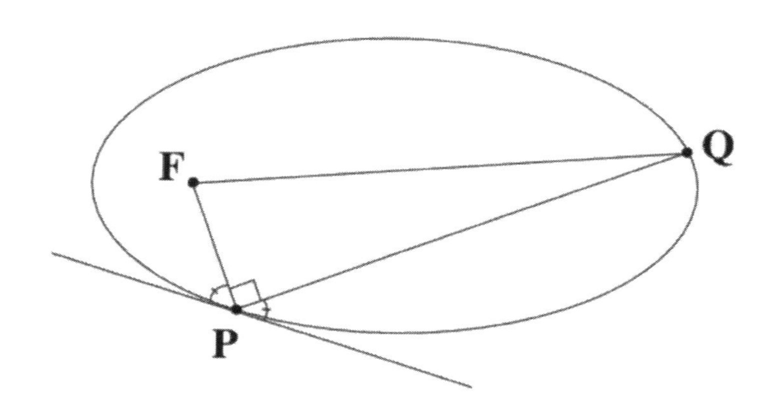

2. 다항함수 $f(x)$가 $\lim_{x \to \infty} \frac{f(x)}{x^2+2x+3} = 4$, $\lim_{x \to -1} \frac{x+1}{f(x)} = -\frac{1}{7}$을 만족시킬 때, $-2 \le t \le 2$인 t에 대하여 $g(t) = \int_{-t}^{t} f(x)dx$라 하자. $g(t)$의 최솟값을 구하시오.

3. 좌표평면 위를 움직이는 점 $P(x, y)$의 시각 t에서의 위치가

$$x = 2\cos t, \quad y = \sin t$$

일 때, 시각 t에서의 점 P의 속력을 $f(t)$, 가속도의 크기를 $g(t)$라 하자. $0 \le t \le 2$인 t에 대하여 $\frac{f(t)}{g(t)}$의 최댓값과 최솟값을 구하시오.

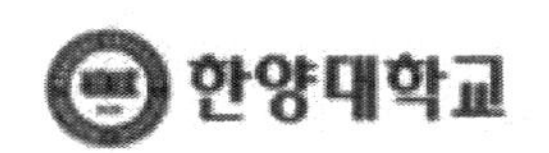

답안지 (자연계)

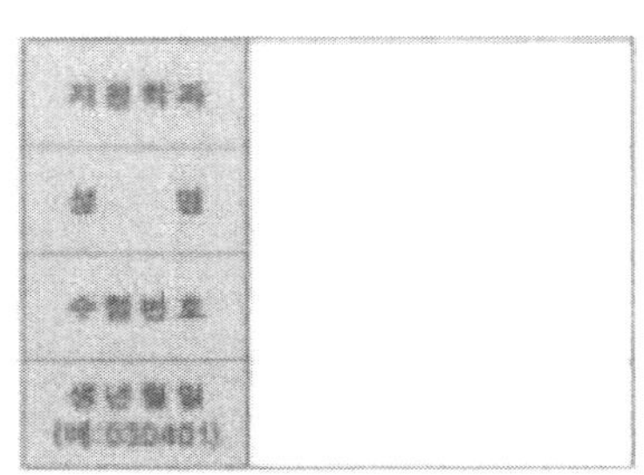

문항 【1】 반드시 해당 문항의 답을 작성해야 함

이 줄 아래에 답안을 작성하거나 낙서할 경우 판독이 불가능하여 채점 불가

이 줄 위에 답안을 작성하거나 낙서할 경우 판독이 불가능하여 채점 불가

문항 【2】 반드시 해당 문항의 답을 작성해야 함

이 줄 아래에 답안을 작성하거나 낙서할 경우 판독이 불가능하여 채점 불가

13. 2021학년도 한양대 수시 논술 (오전)

[문제 1] 다음 물음에 답하시오. (50점)

1. 곡선 $y=e^{x}\,(0 \le x \le \ln t)$와 y축, 직선 $y=t$로 둘러싸인 도형을 밑면으로 하는 두 입체도형 A와 B가 있다. 도형 A는 y축에 수직인 평면으로 자른 단면이 모두 정사각형이고, 도형 B는 x축에 수직인 평면으로 자른 단면이 모두 정삼각형이다. 도형 A의 부피를 $V(t)$, 도형 B의 부피를 $W(t)$라 할 때, 극한값 $\lim_{t \to \infty} \frac{\ln t}{t} \frac{W(t)}{V(t)}$를 구하시오.

2. 양의 실수 t에 대하여 곡선 $y=(x+1)^{\frac{3}{2}}\,(-1 \le x \le t)$의 길이를 $l(t)$라 하고, 이 곡선 위의 점 $\left(t,\ (t+1)^{\frac{3}{2}}\right)$과 원점 사이의 거리를 $d(t)$라 하자. 이때 극한값 $\lim_{t \to \infty} \frac{l(t)}{d(t)}$를 구하시오.

3. 자연수 n에 대하여 한 변의 길이가 $n^2-12n+37$인 정사각형의 넓이를 a_n, 한 변의 길이가 $2n+1$인 정사각형의 넓이를 b_n이라고 하자. $\frac{a_n}{b_n}$이 최소가 되는 n을 구하고, 이때 $\frac{a_n}{b_n}$의 값을 구하시오.

[문제 2] 다음 제시문을 읽고 물음에 답하시오. (50점)

1이하의 모든 양의 실수 a, b, c와 $abcd=1$을 만족시키는 실수 d에 대하여 부등식

$$a+b+c+d+\frac{1}{abc+abd+acd+bcd}\geq M$$

을 만족시키는 양의 실수 M의 최댓값을 다음과 같이 구하고자 한다.
위 부등식을 아래와 같이 쓰자.

$$a+b+c+\frac{1}{abc}+\frac{1}{abc+\frac{1}{a}+\frac{1}{b}+\frac{1}{c}}\geq M$$

$f(x)=a+b+x+\frac{1}{abx}+\frac{1}{abx+\frac{1}{a}+\frac{1}{b}+\frac{1}{x}}$ (단, $0<x\leq 1$)이라 하면,

$$f'(x)=\frac{(\text{ㄱ})}{x^2}\left\{\frac{1}{\left(abx+\frac{1}{a}+\frac{1}{b}+\frac{1}{x}\right)^2}-\frac{1}{ab}\right\}\leq 0$$

이므로 $f(c)\geq f(1)$이 성립한다.

이번에는 $f(1)=g(b)$가 되도록 $g(x)=a+x+1+\frac{1}{ax}+\frac{1}{ax+\frac{1}{a}+\frac{1}{x}+1}$ (단, $0<x\leq 1$)이라 하면, $g'(x)\leq 0$이므로 $g(b)\geq g(1)$이 성립한다.

마지막으로 $g(1)=h\left(a+\frac{1}{a}+2\right)$가 되는 $h(x)$를 생각하면......

(이하 생략)

1. 제시문의 (ㄱ)에 알맞은 수식을 쓰고 $f'(x)\leq 0$인 이유를 설명하시오.

2. 제시문에서 생략된 마지막 과정을 완성하여 M의 최댓값을 구하시오.

3. 다음 부등식을 만족시키는 양의 실수 K의 최댓값을 제시문과 동일한 방법으로 구하시오.
(단, 실수 a, b, c, d는 제시문과 동일한 조건을 만족한다.)

$$2(a+b+c+d)+\frac{17}{abc+abd+acd+bcd}\geq K$$

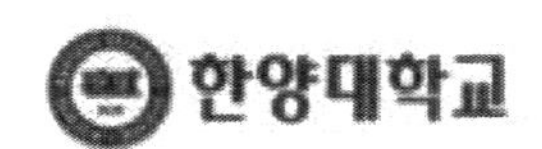

답안지 (자연계)

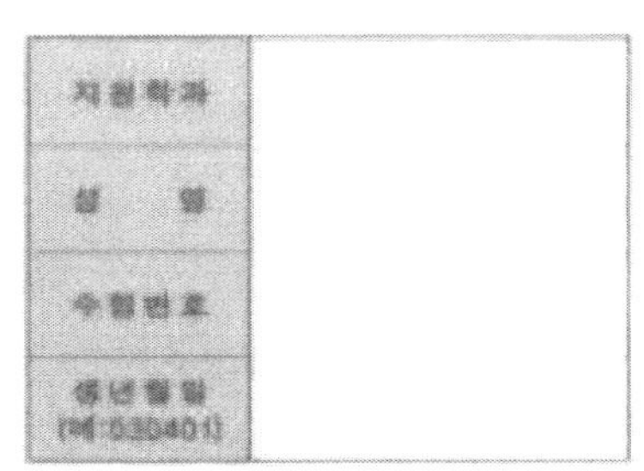

지원학과	
성 명	
수험번호	
생년월일 (예:030401)	

수험생 유의사항

[illegible]

문항 【1】 반드시 해당 문항의 답을 작성해야 함

이 줄 아래에 답안을 작성하거나 낙서할 경우 판독이 불가능하여 채점 불가

이 줄 위에 답안을 작성하거나 낙서할 경우 판독이 불가능하여 채점 불가

문항 【2】 반드시 해당 문항의 답을 작성해야 함

이 줄 아래에 답안을 작성하거나 낙서할 경우 판독이 불가능하여 채점 불가

14. 2021학년도 한양대 수시 논술 (오후 1)

[문제 1] 다음 제시문을 읽고 물음에 답하시오. (50점)

< 가 >

학생 A와 B가 다음과 같이 야구방망이를 휘둘러서 공을 치는 놀이를 한다.

(1) 공을 쳐서 날아간 거리가 50 m이상인 경우 2점, 공을 쳐서 날아간 거리가 50 m미만인 경우 1점, 공을 치지 못한 경우 0점을 얻는다.

(2) 학생 A와 B가 다음과 같은 확률로 공을 친다.

	학생A	학생B
공을 쳐서 날아간 거리가50 m이상일 확률	$\frac{1}{6}$	$\frac{1}{4}$
공을 쳐서 날아간 거리가50 m미만일 확률	$\frac{1}{3}$	$\frac{1}{12}$
공을 치지 못할 확률	$\frac{1}{2}$	$\frac{2}{3}$

< 나 >

z	$\mathrm{P}(0 \le Z \le z)$
0.5	0.1915
1.0	0.3413
1.5	0.4332
2.0	0.4772
2.5	0.4938

<표준정규분포표>

1. 학생 B가 야구방망이를 휘두르는 시행을 50회 반복했을 때 공을 친 횟수가 10이상이고 20 이하일 확률을 표준정규분포표를 이용하여 구하시오.

2. 학생 A가 야구방망이를 휘두르는 시행을 5회 반복했을 때 얻은 점수가 7점 이상일 확률을 구하시오.

3. 학생 A와 B가 야구방망이를 휘두르는 시행을 각각 2회 반복했을 때 학생 B가 학생 A보다 높은 점수를 얻을 확률을 구하시오.

[문제 2] 다음 제시문을 읽고 물음에 답하시오. (50점)

한 변의 길이가 1인 정사각형 ABCD가 있다.	
<가> 삼각형 PAQ의 두 꼭짓점 P와 Q는 각각 변 BC와 CD 위에 있고, $\angle \mathrm{PAQ} = \frac{\pi}{4}$이다. 선분 AD와 AQ가 이루는 각의 크기를 t라 하자. (단, $0 \le t \le \frac{\pi}{4}$)	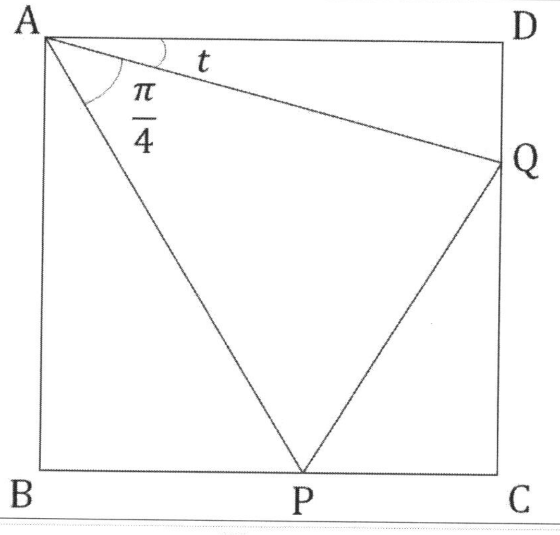 A, D, t, $\frac{\pi}{4}$, Q, B, P, C
<나> 삼각형 RST의 세 꼭짓점 R, S, T는 각각 변 AB, CD, DA위에 있다. 선분 AD와 TS가 이루는 각의 크기를 s라 하자. (단, $0 \le s \le \frac{\pi}{2}$)	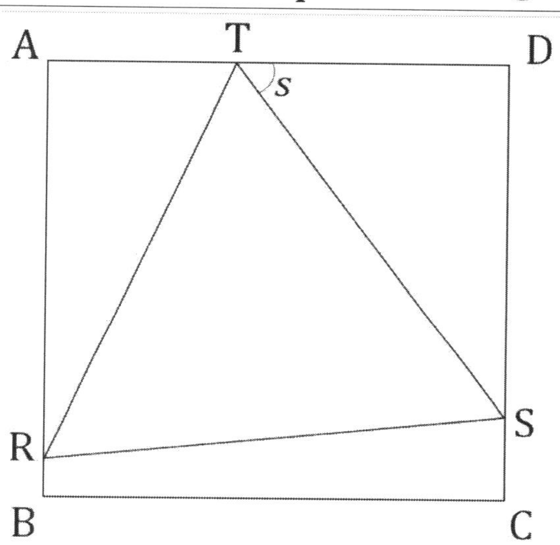 A, T, D, s, S, R, B, C

1. 제시문 <가>에서 주어진 삼각형 PAQ의 꼭짓점 A에서 변 PQ에 내린 수선의 발을 H라 할 때, 각의 크기 t $\left(0 \le t \le \frac{\pi}{4}\right)$가 변함에 따라 점 H가 이루는 곡선의 길이를 구하시오.

2. 제시문 <가>에서 주어진 삼각형 PAQ의 넓이를 t에 대한 식 $f(t)$로 나타낼 때,

$$\int_0^{\frac{\pi}{4}} f(t)\,dt$$

의 값을 구하시오.

3. 제시문 <나>에서 주어진 삼각형 RST 가 정삼각형이 되기 위한 s의 최솟값을 s_0, 최댓값을 s_1이라 하자. 정삼각형 RST 의 넓이를 s에 대한 식 $g(s)$로 나타낼 때,

$$\int_{s_0}^{s_1} g(s)ds$$

의 값을 구하시오.

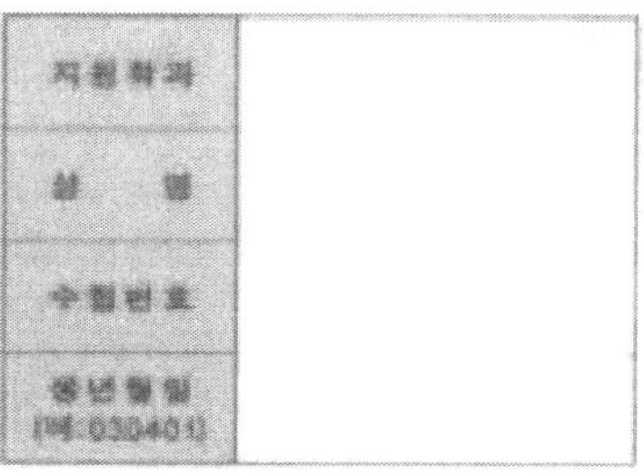

문항 【1】 반드시 해당 문항의 답을 작성해야 함

이 줄 아래에 답안을 작성하거나 낙서할 경우 판독이 불가능하여 채점 불가

이 줄 위에 답안을 작성하거나 낙서할 경우 판독이 불가능하여 채점 불가

문항 【2】 반드시 해당 문항의 답을 작성해야 함

이 줄 아래에 답안을 작성하거나 낙서할 경우 판독이 불가능하여 채점 불가

15. 2021학년도 한양대 수시 논술 (오후 2)

[문제 1] 다음 제시문을 읽고 물음에 답하시오. (50점)

수열 $\{a_k\}$는 모든 자연수 k에 대하여 다음을 만족시킨다. ㄱ. $a_1 = 2021$ ㄴ. $a_{2k} = (a_k - 2020)^{2021} + 2020$ ㄷ. $a_{2k+1} = (a_k - 2022)^{2020} + 2018$

1. a_{36}의 값을 구하시오.

2. $a_k < 2^{2020}$이고 $k \le 2^{100}$인 자연수 k의 개수를 구하시오.

3. a_1, a_2, a_3, $\cdots$중 가장 작은 수를 α라 하자. $n > 2$인 자연수 n에 대하여 $a_k = \alpha$이고 $k \le 2^n$인 자연수 k의 개수를 c_n이라 하자.

$S_n = \sum_{t=1}^{n} \frac{2(n-1)}{2c_n + t(n-1)}$이라 할 때, $\lim_{n \to \infty} S_n$의 값을 구하시오.

[문제 2] 다음 제시문을 읽고 물음에 답하시오. (50점)

<가>

$a > 0$, $0 \le b \le 1$인 상수 a, b에 대하여 함수

$$f(x) = a\sqrt{1+e^x} + \ln\left(\frac{\sqrt{1+e^x}-b}{\sqrt{1+e^x}+b}\right)$$

의 도함수가 $f'(x) = \sqrt{1+e^x}$ 이다.

<나>

곡선 $y = h(x)$ $(c \le x \le d)$의 길이는 $\int_c^d \sqrt{1+\{h'(x)\}^2}\,dx$이다.

<다>

수열 $\{\alpha_n\}$, $\{\beta_n\}$, $\{\gamma_n\}$에 대하여 $\lim_{n\to\infty}\alpha_n = \lim_{n\to\infty}\beta_n = L$이고, 모든 자연수 n에 대하여 $\alpha_n \le \gamma_n \le \beta_n$이면, $\lim_{n\to\infty}\gamma_n = L$이다.

<라>

연속함수 $p(x)$, $q(x)$, $r(x)$에 대하여 닫힌구간 $[c, d]$에서 $p(x) \le q(x) \le r(x)$이면

$$\int_c^d p(x)dx \le \int_c^d q(x)dx \le \int_c^d r(x)dx$$

이다.

1. $a+b$**의 값을 구하시오.**

2. **실수** k**에 대하여 곡선** $y = e^x$ $\left(k \le x \le k + \frac{1}{e^k}\right)$**의 길이를** $g(k)$**라 할 때,** $\lim_{k\to\infty} g(k)$**의 값을 구하시오.**

3. **함수** $f(x)$**의 한 부정적분을** $F(x)$**라 할 때,** $\lim_{x\to\infty}\frac{F(2x)}{e^x}$**의 값을 구하시오. (단,** $\lim_{x\to\infty}\frac{x}{e^x} = 0$**)**

답안지 (자연계)

답안지 바코드

지원학과	
성 명	
수험번호	
생년월일 (예: 030401)	

수험생 유의사항

문항 【1】 반드시 해당 문항의 답을 작성해야 함

이 줄 아래에 답안을 작성하거나 낙서할 경우 판독이 불가능하여 채점 불가

이 줄 위에 답안을 작성하거나 낙서할 경우 판독이 불가능하여 채점 불가

문항 【2】 반드시 해당 문항의 답을 작성해야 함

이 줄 아래에 답안을 작성하거나 낙서할 경우 판독이 불가능하여 채점 불가

16. 2021학년도 한양대 모의 논술

[문제 1] 다음 물음에 답하시오. (50점)

1. 닫힌구간 $[0,\ \pi]$에서 $\sin(x-\cos x)$와 $\sin x$의 크기를 비교하시오.

2. $\displaystyle\int_{-\frac{\pi}{2}}^{\frac{\pi}{2}} \{x\cos^2 x + x^3\cos x + \sin x\}dx$의 값을 구하시오.

3. $f(x) = 2x\cos 2x - \sin x$일 때,

$\displaystyle\int_{-\frac{\pi}{2}}^{\frac{\pi}{2}} \{2xf(x) - \cos 2x\}dx + \int_{-\frac{\pi}{2}}^{\frac{\pi}{2}} [2x\{2xf(x) - \cos 2x\} - f(x)]dx$의 값을 구하시오.

[문제 2번] 다음 물음에 답하시오. (50점)

1. 임의의 실수 t에 대해,

$$\sin(t)\sin\left(\frac{\pi}{3}-t\right)=a\cos(bt+c)+d$$

를 만족시키는 상수 a, b, c, d들의 집합 $\{a,\ b,\ c,\ d\}$를 하나 구하시오.

2. 한 변의 길이가 1인 정삼각형 ABC가 있다. $0 \le t \le \frac{\pi}{3}$ 인 t에 대해, 선분 AB를 점 A를 중심으로 t만큼 회전시켜 얻어진 선분을 l, 선분 BC를 점 B를 중심으로 t만큼 회전시켜 얻어진 선분을 m, 선분 CA를 점 C를 중심으로 t만큼 회전시켜 얻어진 선분을 n이라 하자. 그림과 같이 선분 l과 m의 교점을 P, 선분 m과 n의 교점을 Q, 선분 n과 l의 교점을 R이라 하고, 삼각형 PQR의 넓이를 $S(t)$라 할 때, $\int_0^{\frac{\pi}{3}} S(t)\,dt$의 값을 구하시오.

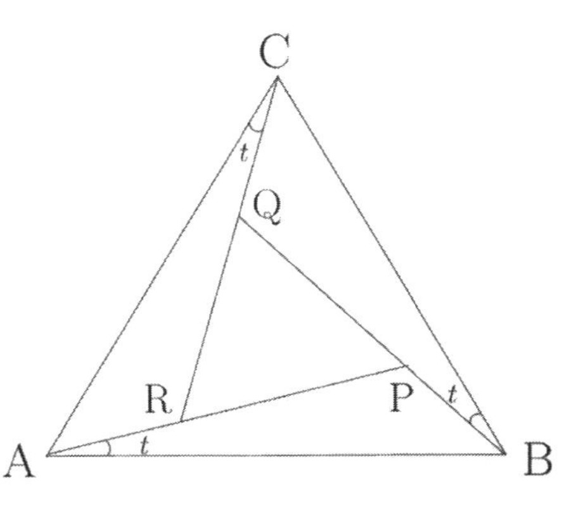

3. 곡선 $y=x\ln x$와 이 곡선 위의 점 $(1,\ 0)$에서의 접선, 그리고 직선 $x=t$(단, $t>1$)로 둘러싸인 도형의 넓이를 $P(t)$라 하고, 곡선 $y=\ln x$와 이 곡선 위의 점 $(1,\ 0)$에서의 접선, 그리고 직선 $x=t$(단, $t>1$)로 둘러싸인 도형의 넓이를 $Q(t)$라 하자.

극한값 $\lim_{t\to\infty}\frac{P(t)}{tQ(t)}$를 구하시오.

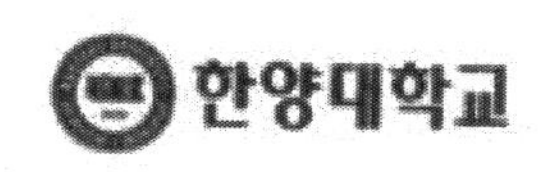

답안지 (자연계)

답안지 바코드

지원학과	
성 명	
수험번호	
생년월일 (예:030401)	

수험생 유의사항

문항 【1】 반드시 해당 문항의 답을 작성해야 함

이 줄 아래에 답안을 작성하거나 낙서할 경우 판독이 불가능하여 채점 불가

이 줄 위에 답안을 작성하거나 낙서할 경우 판독이 불가능하여 채점 불가

문항 【2】 반드시 해당 문항의 답을 작성해야 함

이 줄 아래에 답안을 작성하거나 낙서할 경우 판독이 불가능하여 채점 불가

17. 2020학년도 한양대 수시 논술 (오전)

[문제 1] 다음 제시문을 읽고 물음에 답하시오. (50점)

> 반지름의 길이가 1인 구 S의 중심으로부터 거리가 $a(a>1)$인 직선 Ql이 있다. 직선 l과 구 S의 중심을 포 함하는 평면을 P라 하고 P로부터 가장 멀리 떨어진 S의 한 점을 라 하자. l을 포함하면서 P와 이루는 각의 크기가 θ인 평면 중 Q에 가까운 것을 P_θ라 할 때, P_θ가 S를 만나 이루는 원을 C_θ라 하자. P_{θ_0}이 S에 접하는 평면이면, $0 \le \theta \le \theta_0$인 모든 θ에 대해 P_θ는 S와 만난다.

1. **$\theta = \dfrac{\pi}{6}$일 때, 원 C_θ의 넓이를 구하시오.**

2. **원 C_θ의 넓이를 $A(\theta)$라 하고 $t = \tan\theta$로 놓을 때,**

$$\int_0^{\tan\theta_0} A(\theta)dt$$

의 값을 θ_0에 대한 식으로 나타내시오. 단, $A(\theta_0) = 0$으로 한다.

3. **평면 P_{θ_0}이 구 S와 만나는 점과 원 $C_\theta(0 \le \theta < \theta_0)$의 중심이 이루는 곡선의 길이를 구하시오.**

[문제 2] 다음 제시문을 읽고 물음에 답하시오. (50점)

중력가속도는 10 m/s^{2}이고 공기저항은 없다고 가정한다. 이때, 다음 그림과 같이 지면과 이루는 각도가 θ가 되도록 지면에서 v_0의 속력으로 공을 던지면 t초 후의 위치는 $\left((v_0\cos\theta)t,\ (v_0\sin\theta)t-5t^2\right)$이 된다.

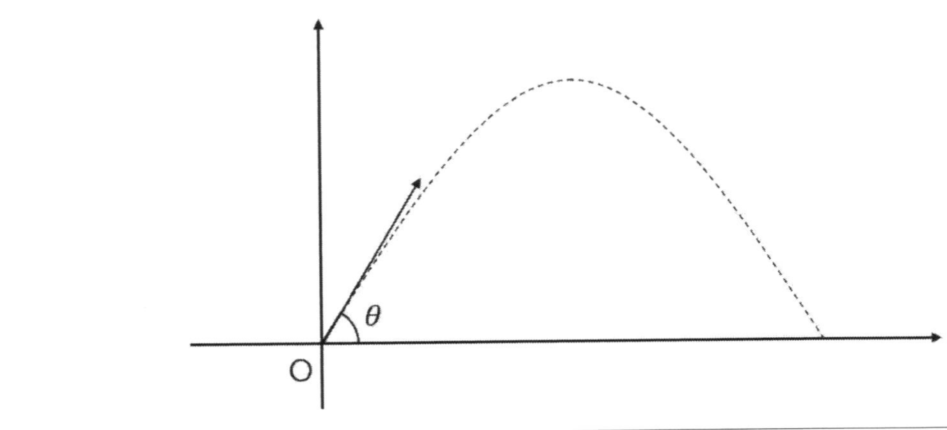

1. **야간에 높이가** 50 m**인 가로등이 켜져 있고, 가로등으로부터** 30 m**떨어진 지면에서 공을 수직으로 던져서 나타나는 공의 그림자를 관찰한다. 지면에서 공을 수직 방향으로** 20 m/s**의 속력으로 던졌을 때,** 3**초 후 그림자의 진행 방향과 속력을 구하시오. (단, 가로등의 빛은 한 점에서 모든 방향으로 나간다.)**

2. **태양광이 지면과 이루는 각도가** $\frac{\pi}{6}$**일 때, 태양을 등지고 지면과 이루는 각도가** $\frac{\pi}{3}$**가 되도록** 20 m/s**의 속력으로 공을 던지고 공의 그림자를 관찰한다. 그림자의 속력이** 10 m/s**가 될 때, 공의 높이를 구하시오. (단, 태양광은 평행하게 진행한다.)**

3. **야간에 높이가** 50 m**인 가로등이 켜져 있고, 가로등 바로 아래에서 지면과 이루는 각도가** $\frac{\pi}{3}$**가 되도록** 20 m/s**의 속력으로 공을 던지고 공의 그림자를 관찰한다. 공의 속력이** $\frac{20\sqrt{3}}{3}$ m/s**가 될 때, 그림자의 속력을 구하시오. (단, 가로등의 빛은 한 점에서 모든 방향으로 나간다.)**

답안지 (자연계)

답안지 바코드

지원학과	
성 명	
수험번호	
생년월일 (예:030401)	

수험생 유의사항

문항 【1】 반드시 해당 문항의 답을 작성해야 함

이 줄 아래에 답안을 작성하거나 낙서할 경우 판독이 불가능하여 채점 불가

이 줄 위에 답안을 작성하거나 낙서할 경우 판독이 불가능하여 채점 불가

문항 【2】 반드시 해당 문항의 답을 작성해야 함

이 줄 아래에 답안을 작성하거나 낙서할 경우 판독이 불가능하여 채점 불가

18. 2020학년도 한양대 수시 논술 (오후 1)

[문제 1] 다음 물음에 답하시오. (50점)

1. 주사위를 n번 던질 때 3의 눈이 나오는 횟수가 2의 배수일 확률을 구하시오.

2. 주사위를 n번(단, $n \geq 3$) 던질 때 3의 눈이 나오는 횟수가 k이면 $100k(k-1)(k-2)$원의 상금을 지급한다고 하자. 상금의 기댓값을 구하시오.

3. 주사위를 n번 던질 때 3의 눈이 나오는 횟수를 k라 하자. k가 2의 배수이면 학생 A에게 $3k$원을, k가 2의 배수가 아니면 학생 B에게 $3k$원의 상금을 지급한다.

상금의 기댓값은 어느 학생 쪽이 더 큰가? 그리고 그 차이는 얼마인가?

[문제 2] 다음 제시문을 읽고 물음에 답하시오. (50점)

공간에서 $\overline{AB}=1$을 만족시키는 점 A와 점 B가 있다. $0<\theta<\pi$인 θ에 대해, $\angle APB=\theta$를 만족시키는 점 P들을 생각하자.

1. 두 점 A와 B를 포함하는 한 평면을 α라 하자. $\theta=\frac{\pi}{4}$일 때, 평면 α위에 있는 점 P들과 점 A, B가 이루는 곡선으로 둘러싸인 부분의 넓이를 구하시오.

2. $\theta=\frac{\pi}{12}$일 때, $\overline{AP}$의 최댓값을 구하고, $\overline{AP}$를 최대로 하는 점 P들이 이루는 곡선의 길이를 l이라 할 때, l^2의 값을 구하시오.

3. 점 P들이 이루는 입체도형의 점 A와 B를 포함하는 한 평면 위로의 정사영의 넓이를 θ에 관한 식으로 나타내시오.

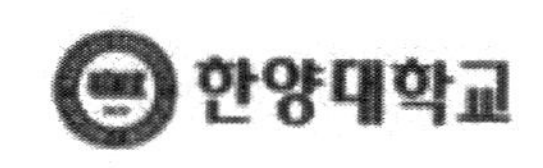

답안지 (자연계)

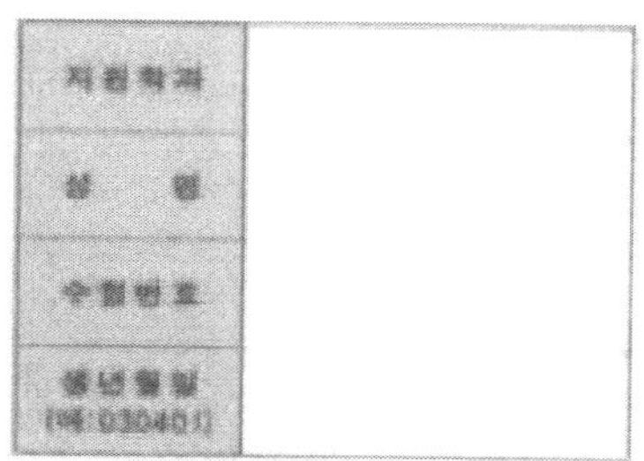

수험생 유의사항

문항 【1】 반드시 해당 문항의 답을 작성해야 함

이 줄 아래에 답안을 작성하거나 낙서할 경우 판독이 불가능하여 채점 불가

이 줄 위에 답안을 작성하거나 낙서할 경우 판독이 불가능하여 채점 불가

문항 【2】 반드시 해당 문항의 답을 작성해야 함

이 줄 아래에 답안을 작성하거나 낙서할 경우 판독이 불가능하여 채점 불가

19. 2020학년도 한양대 수시 논술 (오후 2)

[문제 1] 다음 제시문을 읽고 물음에 답하시오. (50점)

무인도 A에 있는 3명이 인근 무인도 B를 들렀다가 무인도 A로 돌아오고자 한다. 무인도 A에는 1인용 배 3척, 2인용 배 1척, 3인용 배 1척이 있다. 무인도 B에는 배가 없다. 모든 배는 정원이 찬 경우에만 운행이 가능하며 다른 이동 수단은 없다. 각 무인도를 출발할 때마다 한 명씩 4개의 동전을 던져서 본인의 이동 수단을 선택한다. 4개의 동전을 던져서 같은 면이 4개일 때 1인용 배를 선택하고, 같은 면이 2개일 때 2인용 배를 선택하고, 나머지 경우에는 3인용 배를 선택하기로 한다. 정원이 찬 배는 이동을 하고 그렇지 않은 배들은 무인도에 남는다. 만약 무인도에 정원이 n명인 배가 총 m척 이 있고 그 배를 선택한 인원이 mn명을 초과하면, mn명만 배에 올라타고 나머지 인원은 무인도에 남는다.

1. 한 사람이 동전 4개를 던질 때, 1인용 배, 2인용 배, 3인용 배가 선택될 확률을 각각 구하시오.

2. 무인도 B에서 무인도 A로 2인용 배 1척만 돌아왔을 때, 나머지 1명이 무인도 B에 있을 확률을 $\frac{p}{q}$라 하자. $p+q$의 값을 구하시오. (단, p와 q는 서로소인 자연수)

3. 무인도 A를 출발하여 무인도 B에 3명이 남게 될 확률을 $\frac{p}{q}$라 하자. p를 16으로 나눈 나머지를 구하시오. (단, p와 q는 서로소인 자연수)

[문제 2] 다음 물음에 답하시오. (50점)

1. 평면 위에 $\overline{AB}=2$인 점 A와 점 B가 있다. $\overline{AP}\times\overline{BP}=4$를 만족하는 평면 위의 점 P에 대하여 $\overline{AP}+\overline{BP}$의 최댓값과 최솟값을 구하시오.

2. 상수 a, b에 대하여, 함수 $f(x)=x\sqrt{4+x^2}+a\ln\left(x+\sqrt{4+x^2}\right)$의 도함수가 $f'(x)=b\sqrt{4+x^2}$일 때, $a+b$의 값을 구하시오.

3. 위의 문제 1에서 주어진 점 P들로 이루어진 곡선으로 둘러싸인 부분을 밑면으로 하는 입체도형이 있다. 이 입체도형을 점 A와 점 B를 지나는 직선에 수직인 평면으로 자른 단면이 정사각형일 때, 이 입체도형의 부피를 구하시오.

답안지 (자연계)

답안지 바코드

지원학과	
성명	
수험번호	
생년월일 (예: 030401)	

수험생 유의사항

문항 【1】 반드시 해당 문항의 답을 작성해야 함

이 줄 아래에 답안을 작성하거나 낙서할 경우 판독이 불가능하여 채점 불가

이 줄 위에 답안을 작성하거나 낙서할 경우 판독이 불가능하여 채점 불가

문항 【2】 반드시 해당 문항의 답을 작성해야 함

이 줄 아래에 답안을 작성하거나 낙서할 경우 판독이 불가능하여 채점 불가

VI. 예시 답안

1. 2024학년도 한양대 수시 논술 (오전)

[문제 1] 다음 제시문을 읽고 물음에 답하시오. (50점)

1. 급수 $\sum_{n=1}^{\infty} a_{4n-1}$의 합이 될 수 있는 값을 모두 구하시오.

1. $a_n = ar^{n-1}$ $(-1 < r < 1)$**이라고 하면** $|a_n| = |a||r|^{n-1}$, $a_{2n} = ar^{2n-1} = ar \times r^{2(n-1)}$**이다.**

그러므로

$$\sum_{n=1}^{\infty} a_{2n} = \frac{ar}{1-r^2} = -4, \quad \sum_{n=1}^{\infty} |a_n| = \frac{|a|}{1-|r|} = 20$$

이다.

(경우 1) $a > 0$, $0 < r < 1$**이면,**

$$-4 = \frac{ar}{1-r^2} = \frac{a}{1-r}\frac{r}{1+r} = \frac{20r}{1+r} \Rightarrow 5r = -(1+r) \Rightarrow r = -\frac{1}{6} < 0$$ **이다. 따라서 모순이다.**

(경우 2) $a > 0$, $-1 < r < 0$**이면,**

$$-4 = \frac{ar}{1-r^2} = \frac{a}{1+r}\frac{r}{1-r} = \frac{20r}{1-r} \Rightarrow 5r = -(1-r) \Rightarrow r = -\frac{1}{4}$$ **이고**

$$a = 20(1+r) = 15$$

(경우 3) $a < 0$, $0 < r < 1$**이면,**

$$-4 = \frac{ar}{1-r^2} = \frac{-a}{1-r}\frac{-r}{1+r} = -\frac{20r}{1+r} \Rightarrow 5r = 1+r \Rightarrow r = \frac{1}{4}$$ **이고**

$$a = -20(1-r) = -15$$

(경우 4) $a < 0$, $-1 < r < 0$**이면,**

$$-4 = \frac{ar}{1-r^2} = \frac{-a}{1+r}\frac{-r}{1-r} = -\frac{20r}{1-r} \Rightarrow 5r = 1-r \Rightarrow r = \frac{1}{6} > 0$$ **이다. 따라서 모순이다.**

(참고) $ar = -4(1-r^2) < 0$**임을 이용하여 (경우 2)와 (경우 3)만 바로 고려할 수 있다.**

한편, $a_{4n-1} = ar^{4n-2} = ar^2 \times r^{4(n-1)}$**이므로** $l = \sum_{n=1}^{\infty} a_{4n-1}$**이라 하면** $l = \frac{ar^2}{1-r^4}$

$$(a,\ r) = \left(15,\ -\frac{1}{4}\right) \text{이면 } l = \frac{15 \times \left(-\frac{1}{4}\right)^2}{1-\left(-\frac{1}{4}\right)^4} = \frac{\frac{15}{4^2}}{\frac{4^4-1^4}{4^4}} = \frac{15 \times 16}{(16+1)(16-1)} = \frac{16}{17},$$

$$(a,\ r) = \left(-15,\ \frac{1}{4}\right) \text{이면 } l = \frac{-15 \times \left(\frac{1}{4}\right)^2}{1-\left(\frac{1}{4}\right)^4} = \frac{-\frac{15}{4^2}}{\frac{4^4-1^4}{4^4}} = \frac{-15 \times 16}{(16+1)(16-1)} = -\frac{16}{17}$$

따라서 l**이 될 수 있는 모든 값은** $\frac{16}{17}$, $-\frac{16}{17}$

2. $f(10)$의 값을 구하시오.

$\alpha=0$**이면** $0=\int_0^\alpha |f(x)|dx=\frac{50}{3}$**이므로 모순이다.**

$\alpha<0$**이면** $\int_0^\alpha |f(x)|dx=-\int_\alpha^0 |f(x)|dx$**이고** $\int_\alpha^0 |f(x)|dx$**은 곡선** $y=|f(x)|$**과** x**축 및 두 직선** $x=\alpha$, $x=0$**으로 둘러싸인 부분의 넓이이므로 양수이다.** $\frac{50}{3}=\int_0^\alpha |f(x)|dx<0$**이므로 모순이다.**

따라서 $0<\alpha<\beta$**이고** $f(x)=x^2+px+q$**라 하면** $q=\alpha\beta>0$**이다.** $y=h(x)$**를 곡선** $y=|f(x)|$ **위의 점** $(6,\ |f(6)|)$**에서의 접선의 방정식이라 하자.**

$f(6)>0$**이라 하면,**

$$h(x)=f'(6)(x-6)+f(6)=(12+p)(x-6)+(36+6p+q)$$

$$h(0)=-6(12+p)+(36+6p+q)=q-36$$

제시문에 의해 $h(0)=|f(0)|=q$**이므로** $q-36=q$**이지만, 이를 만족시키는** q**는 없으므로** $f(6)>0$**이 될 수 없다. 또한 함수** $|f(x)|$**가** $x=6$**에서 미분가능하므로** $f(6)\neq 0$**이다.**

따라서 $f(6)<0$**이고,**

$$h(x)=-f'(6)(x-6)-f(6)=-(12+p)(x-6)-(36+6p+q)$$

$$h(0)=6(12+p)-(36+6p+q)=36-q=q$$

즉, $q=18$

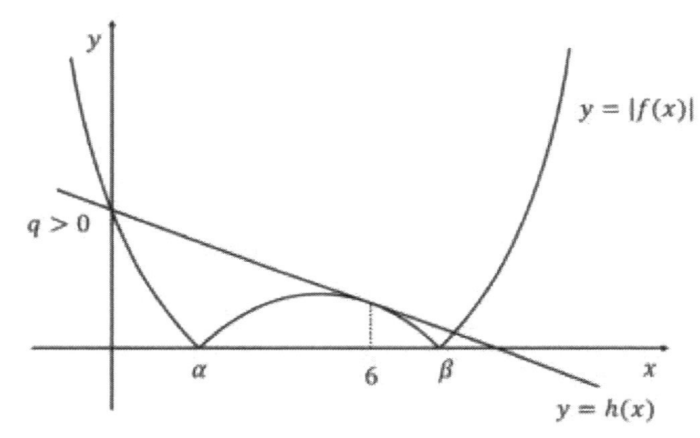

한편, 이차 방정식의 근과 계수의 관계로부터 $p=-(\alpha+\beta)$, $18=q=\alpha\beta$**이다.**

따라서 $p=-\left(\alpha+\frac{18}{\alpha}\right)$**이고** $\alpha^2<\alpha\beta=18$, **즉,** $0<\alpha<3\sqrt{2}$

또한 $f(6)<0$**이므로** $0<\alpha<6<\beta$**이고 구간** $[0,\ \alpha)$**에서** $|f(x)|=f(x)>0$

$$\int_0^\alpha |f(x)|=\int_0^\alpha f(x)dx=\left[\frac{1}{3}x^3+\frac{1}{2}px^2+qx\right]_0^\alpha=\frac{1}{3}\alpha^3+\frac{1}{2}p\alpha^2+q\alpha=\frac{50}{3}\cdots\cdots \ ㉠$$

㉠의 양변에 6을 곱하면 $2\alpha^3+3p\alpha^2+6q\alpha=100$

$q=18$, $p=-\left(\alpha+\frac{18}{\alpha}\right)$**이므로**

$$2\alpha^3-3\alpha^2\left(\alpha+\frac{18}{\alpha}\right)+108\alpha=2\alpha^3-3\alpha^3-54\alpha+108\alpha=-\alpha^3+54\alpha=100$$

이를 정리하면 $\alpha^3-54\alpha+100=(\alpha-2)(\alpha^2+2\alpha-50)=0$**이다.**

따라서 $\alpha=2,\ -1-\sqrt{51},\ -1+\sqrt{51}$
그런데 $-1-\sqrt{51}<0$이고 $-1+\sqrt{51}>3\sqrt{2}$이므로 $\alpha=2$이다.
그러므로 $\alpha=2,\ \beta=9$이고 $p=-(2+9)=-11$
$f(x)=x^2-11x+18$이므로 $f(10)=8$

3. 급수 $\sum_{n=1}^{\infty} b_n$의 합을 구하시오.

함수 $P(x)$를 $P(x)=e^{-x}\cos x$라 하면 $P'(x)=-e^{-x}(\cos x+\sin x)$
$0<x<\frac{\pi}{2}$ 또는 $\frac{\pi}{2}<x<\frac{3\pi}{2}$라 하면,

$$P'(x)=0 \Leftrightarrow \cos x+\sin x=\cos x(1+\tan x)=0 \Leftrightarrow \tan x=-1$$

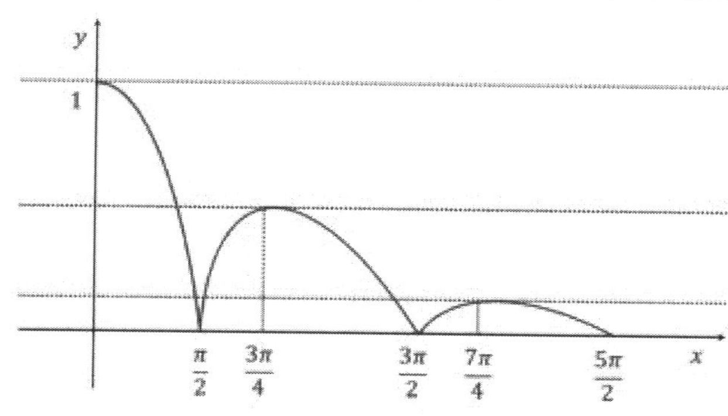

$x=\frac{3\pi}{4}$일 때 $\tan x=-1$이므로 함수 $P(x)$는 $x=\frac{3\pi}{4}$에서 극솟값을 갖고
$P\left(\frac{3\pi}{4}\right)=-\frac{1}{\sqrt{2}}e^{\frac{\pi}{4}}e^{-\pi}$이다.
그러므로 함수 $g(x)=|P(x)|$는 $x=\frac{3\pi}{4}$에서 극댓값을 갖고

$$g\left(\frac{3\pi}{4}\right)=\frac{1}{\sqrt{2}}e^{\frac{\pi}{4}}e^{-\pi}$$

$\frac{3\pi}{2}<x<\frac{5\pi}{2}$라 하면, 함수 $g(x)=|P(x)|$는 $x=\frac{7\pi}{4}$에서 극댓값을 갖고
$g\left(\frac{7\pi}{4}\right)=\frac{1}{\sqrt{2}}e^{\frac{\pi}{4}}e^{-2\pi}<g\left(\frac{3\pi}{4}\right)$이다. 따라서 $b_1=g\left(\frac{3\pi}{4}\right)=\frac{1}{\sqrt{2}}e^{\frac{\pi}{4}}e^{-\pi}\frac{5\pi}{2}<x<\frac{7\pi}{2}$라 하면,
함수 $g(x)=|P(x)|$는 $x=\frac{11\pi}{4}$에서 극댓값을 갖고 $g\left(\frac{11\pi}{4}\right)=\frac{1}{\sqrt{2}}e^{\frac{\pi}{4}}e^{-3\pi}<g\left(\frac{7\pi}{4}\right)$이다. 따라서

$$b_2=g\left(\frac{7\pi}{4}\right)=\frac{1}{\sqrt{2}}e^{\frac{\pi}{4}}e^{-2\pi}$$

함수 $y=\tan x$가 주기 π인 주기함수이므로 수열 $\{b_n\}$은 첫째항이 $\frac{1}{\sqrt{2}}e^{\frac{\pi}{4}}e^{-\pi}$이고 공비가 $e^{-\pi}$인 등비수열이다. $0<e^{-\pi}<1$이므로

$$\sum_{n=1}^{\infty} b_n=\frac{1}{\sqrt{2}}e^{\frac{\pi}{4}}\times\frac{e^{-\pi}}{1-e^{-\pi}}=\frac{e^{\frac{\pi}{4}}}{\sqrt{2}(e^{\pi}-1)}$$

[문제 2] 다음 제시문을 읽고 물음에 답하시오. (50점)

1. 제시문 <가>에서 주어진 k, l에 대하여 $\frac{k}{l}$의 값을 확률변수 W라 할 때, W의 기댓값 $\mathrm{E}(W)$를 구하시오.

k는 $\frac{1}{4}$의 확률로 1, 2, 3, 4중 하나의 값을 갖는다. 한편 $l=1$, 2, 3, 4일 때, l의 값을 확률변수 L이라 하면, $\mathrm{P}(L=l)$은 7개의 공에서 5가 적힌 공을 l개, 6이 적힌 공을 $4-l$개 임의로 동시에 꺼내는 경우의 수를 7개의 공에서 임의로 4개의 공을 동시에 꺼내는 경우의 수로 나눈 값으로 $\mathrm{P}(L=l)=\frac{{}_4\mathrm{C}_l \times {}_3\mathrm{C}_{4-l}}{{}_7\mathrm{C}_4}$이다. 확률변수 L의 확률분포를 표로 나타내면 다음과 같다.

L	1	2	3	4
$\mathrm{P}(L=l)$	$\frac{{}_4\mathrm{C}_1 \times {}_3\mathrm{C}_3}{{}_7\mathrm{C}_4}=\frac{4}{35}$	$\frac{{}_4\mathrm{C}_2 \times {}_3\mathrm{C}_2}{{}_7\mathrm{C}_4}=\frac{18}{35}$	$\frac{{}_4\mathrm{C}_3 \times {}_3\mathrm{C}_1}{{}_7\mathrm{C}_4}=\frac{12}{35}$	$\frac{{}_4\mathrm{C}_4 \times {}_3\mathrm{C}_0}{{}_7\mathrm{C}_4}=\frac{1}{35}$

앞선 결과로부터 확률변수 W의 확률분포를 표로 나타내면 다음과 같다.

W	$\frac{1}{4}$	$\frac{1}{3}$	$\frac{1}{2}$	$\frac{2}{3}$	$\frac{3}{4}$	1
$(k,\ l)$	(1, 4)	(1, 3)	(1, 2) (2, 4)	(2, 3)	(3, 4)	(1, 1),(2, 2) (3, 3),(4, 4)
$\mathrm{P}(W=w)$	$\frac{1}{4}\times\frac{1}{35}$ $=\frac{1}{140}$	$\frac{1}{4}\times\frac{12}{35}$ $=\frac{12}{140}$	$\frac{1}{4}\times\left(\frac{18+1}{35}\right)$ $=\frac{19}{140}$	$\frac{1}{4}\times\frac{12}{35}$ $=\frac{12}{140}$	$\frac{1}{4}\times\frac{1}{35}$ $=\frac{1}{140}$	$\frac{1}{4}\times\left(\frac{4+12+18+1}{35}\right)$ $=\frac{35}{140}$

$\frac{4}{3}$	$\frac{3}{2}$	2	3	4
(4, 3)	(3, 2)	(2, 1), (4, 2)	(3, 1)	(4, 1)
$\frac{1}{4}\times\frac{12}{35}$ $=\frac{12}{140}$	$\frac{1}{4}\times\frac{18}{35}$ $=\frac{18}{140}$	$\frac{1}{4}\times\left(\frac{4+18}{35}\right)=\frac{22}{140}$	$\frac{1}{4}\times\frac{4}{35}$ $=\frac{4}{140}$	$\frac{1}{4}\times\frac{4}{35}$ $=\frac{4}{140}$

앞선 표로부터 확률변수 W의 기댓값은 다음과 같다.

$$\mathrm{E}(W)=\frac{1}{140}\left(1\times\frac{1}{4}+12\times\frac{1}{3}+19\times\frac{1}{2}+12\times\frac{2}{3}+1\times\frac{3}{4}+\right.$$
$$\left.+35\times1+12\times\frac{4}{3}+18\times\frac{3}{2}+22\times2+4\times3+4\times4\right)=\frac{69}{56}$$

2. 제시문 <가>에서 주어진 k, l에 대하여 가로의 길이가 k이고 세로의 길이가 l인 직사각형을 한 변의 길이가 1인 $k\times l$개의 정사각형으로 나눈 도형이 있다. 이 도형의 왼쪽 아래 꼭짓점을 A, 오른쪽 위 꼭짓점을 B라 하자. 예를 들어, 그림은 $k=3$, $l=4$인 경우이다. 한 변의 길이가 1인 정사각형의 변을 따라 점 A에서 점 B까지 최단거리로 이동하는 경우의 수를 확률변수 U라 할 때, $\mathrm{P}(U\le 10)$을 구하시오.

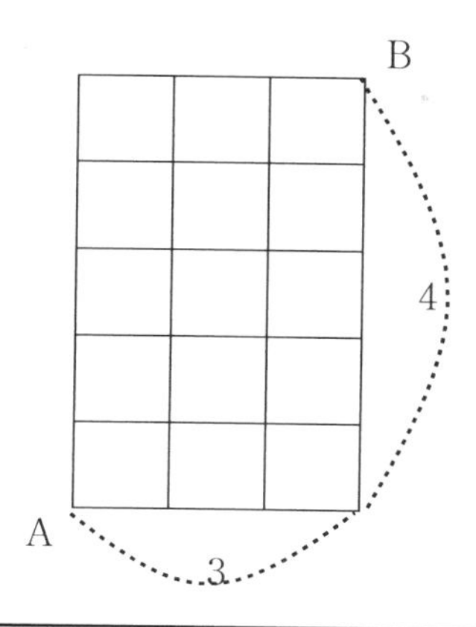

k, l에 대하여 점 A에서 점 B까지 최단거리로 이동하는 경우의 수는 다음과 같다.

k \ l	1	2	3	4
1	$\frac{2!}{1!1!}=2$	$\frac{3!}{1!2!}=3$	$\frac{4!}{1!3!}=4$	$\frac{5!}{1!4!}=5$
2	$\frac{3!}{2!1!}=3$	$\frac{4!}{2!2!}=6$	$\frac{5!}{2!3!}=10$	$\frac{6!}{2!4!}=15$
3	$\frac{4!}{3!1!}=4$	$\frac{5!}{3!2!}=10$	$\frac{6!}{3!3!}=20$	$\frac{7!}{3!4!}=35$
4	$\frac{5!}{4!1!}=5$	$\frac{6!}{4!2!}=15$	$\frac{7!}{3!4!}=35$	$\frac{8!}{4!4!}=70$

그리고 k, l에 대하여 확률변수 U의 확률분포를 표로 나타내면 다음과 같다.

U	2	3	4	5	6
$(k,\ l)$	$(1,\ 1)$	$(1,\ 2)$, $(2,\ 1)$	$(1,\ 3)$, $(3,\ 1)$	$(1,\ 4)$, $(4,\ 1)$	$(2,\ 2)$
$\mathrm{P}(U=u)$	$\frac{1}{4}\times\frac{4}{35}=\frac{4}{140}$	$\frac{1}{4}\left(\frac{4}{35}+\frac{18}{35}\right)=\frac{22}{140}$	$\frac{1}{4}\left(\frac{4}{35}+\frac{12}{35}\right)=\frac{16}{140}$	$\frac{1}{4}\left(\frac{4}{35}+\frac{1}{35}\right)=\frac{5}{140}$	$\frac{1}{4}\times\frac{18}{35}=\frac{18}{140}$

10	15	20	35	70
$(2,\ 3)$, $(3,\ 2)$	$(2,\ 4)$, $(4,\ 2)$	$(3,\ 3)$	$(3,\ 4)$, $(4,\ 3)$	$(4,\ 4)$
$\frac{1}{4}\left(\frac{18}{35}+\frac{12}{35}\right)=\frac{30}{140}$	$\frac{1}{4}\left(\frac{18}{35}+\frac{1}{35}\right)=\frac{19}{140}$	$\frac{1}{4}\times\frac{12}{35}=\frac{12}{140}$	$\frac{1}{4}\left(\frac{12}{35}+\frac{1}{35}\right)=\frac{13}{140}$	$\frac{1}{4}\times\frac{1}{35}=\frac{1}{140}$

이를 근거로 하여 $(k,\ l)$이

$(1,\ 1)$, $(1,\ 2)$, $(1,\ 3)$, $(1,\ 4)$, $(2,\ 1)$, $(2,\ 2)$, $(2,\ 3)$, $(3,\ 1)$, $(3,\ 2)$, $(4,\ 1)$일 때

$U\le 10$을 만족함을 알 수 있다. 따라서

$$\mathrm{P}(U\le 10)=\frac{4+4+18+4+12+4+1+18+18+12}{140}=\frac{4\times4+18\times3+12\times2+1\times1}{35\times4}=\frac{19}{28}$$

이다.

3. 제시문 <나>를 읽고 두 부등식 $1 < b-a$와 $d-c < \frac{6}{5}$을 만족시키는 자연수 n의 최댓값과 최솟값을 구하시오.

$Y = -0.5X + 5$**이므로** $m = \mathrm{E}(Y) = -0.5\mathrm{E}(X) + 5 = 0$, $\sigma = \sigma(Y) = \lvert -0.5 \rvert \sigma(X) = 2$**이다.** **표본평균을** $\bar{y}$**라고 하면 모평균** m**에 대한 신뢰도** 98.76%**의 신뢰구간은** $\bar{y} - 2.5\frac{\sigma}{\sqrt{n}} \le m \le \bar{y} + 2.5\frac{\sigma}{\sqrt{n}}$**이다. 여기서** $b - a = 2 \times 2.5\frac{\sigma}{\sqrt{n}} = \frac{5\sigma}{\sqrt{n}}$**이므로** $1 < \frac{5\sigma}{\sqrt{n}}$, $\sqrt{n} < 10$, $n < 100$**가 성립한다.** **모평균** m**에 대한 신뢰도** 86.64%**의 신뢰구간은** $\bar{y} - 1.5\frac{\sigma}{\sqrt{n}} \le m \le \bar{y} + 1.5\frac{\sigma}{\sqrt{n}}$**이다.** $d - c = 2 \times 1.5\frac{\sigma}{\sqrt{n}} = \frac{3\sigma}{\sqrt{n}}$**이므로** $\frac{3\sigma}{\sqrt{n}} < \frac{6}{5}$, $\sqrt{n} > 5$, $n > 25$**가 성립한다.** **따라서 두 부등식** $1 < b-a$**와** $d-c < \frac{6}{5}$**를 만족시키는 자연수** n**의 최댓값과 최솟값은 각각** 99**와** 26**이다.**

2. 2024학년도 한양대 수시 논술 (오후 1)

[문제 1] 다음 물음에 답하시오. (50점)

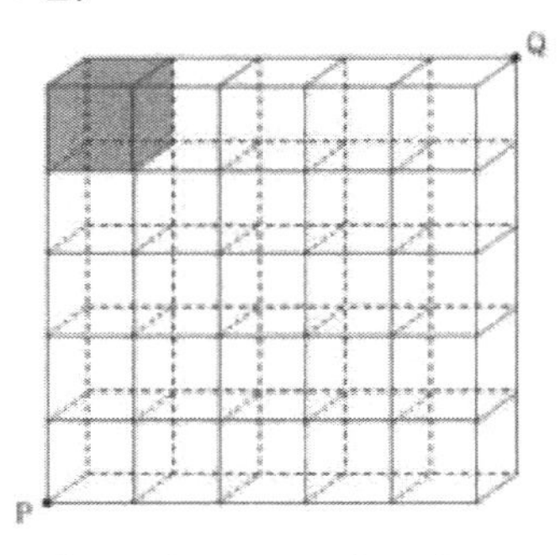

1. 그림은 크기가 같은 정육면체 25개를 가로로 5개, 세로로 5개씩 쌓아 만든 직육면체이다. 정육면체의 모서리를 따라 꼭짓점 P에서 꼭짓점 Q까지 최단거리로 이동할 때, 색칠된 정육면체의 꼭짓점을 지나지 않고 이동하는 경우의 수를 구하시오.

전체 직육면체에서 꼭짓점 P를 포함하고 정사각형 25개로 이루어진 면을 면 X, 꼭짓점 Q를 포함하고 정사각형 25개로 이루어진 면을 면 Y라고 하자. 꼭짓점 P에서 꼭짓점 Q까지 최단거리로 가려면 가로, 세로 방향으로 정육면체의 모서리를 5개씩 지나고 면 X와 면 Y를 동시에 만나는 정육면체의 모서리를 1개 지난다. 면 X 또는 면 Y에 포함된 정사각형에서 가로 방향으로 이동하는 것을 d**, 세로 방향으로 이동하는 것을** e**, 면 X와 면 Y를 동시에 만나는 정육면체의 모서리를 따라 이동하는 것을** f**라고 하자.** **꼭짓점 Q와 모서리로 연결된 면 X의 꼭짓점을 꼭짓점 R라고 하자. P에서 R까지 최단거리로 이동하는 총 경우의 수는 10개의 문자** $d, d, d, d, d, e, e, e, e, e$**를 일렬로 나열한 경우의 수로** $\frac{10!}{5! \times 5!} = 252$**이다. 이 중 색칠된 정육면체의 꼭짓점을 지나서 가는 경우의 수는** $1 + 5^2 = 26$**이다. 그러므로 색칠된 정육면체의 꼭짓점을 지나지 않고 P에서 R까지 최단거리로 이동하는 총 경우의 수는** $252 - 26 = 226$**이다.**

색칠된 정육면체의 꼭짓점을 지나지 않고 P에서 Q까지 최단거리로 이동하는 경우의 수는 $d, d, d, d, d, e, e, e, e, e, f$를 나열하는 경우의 수와 같다. 이러한 나열은 색칠된 정육면체의 꼭짓점을 지나지 않고 P에서 R까지 최단거리로 이동하는 경우인 $d, d, d, d, d, e, e, e, e, e$ 문자의 나열에 f를 하나 넣어서 얻어진다. 각 $d, d, d, d, d, e, e, e, e, e$문자의 나열에 f를 넣는 방법의 수는 11이므로 총 경우의 수는 $226 \times 11 = 2486$이다.

2. 주머니 A에는 숫자 4가 적힌 공이 세 개, 숫자 6이 적힌 공이 두 개, 숫자 8이 적힌 공이 한 개 들어 있고, 주머니 B에는 숫자 0이 적힌 공이 여섯 개, 숫자 1이 적힌 공이 네 개 들어 있다.
주머니 A에서 한 개의 공을 임의로 꺼낼 때 공에 적힌 수를 a, 주머니 B에서 한 개의 공을 임의로 꺼낼 때 공에 적힌 수를 b라 하자. 곡선 $y=(x+7)\left(x^2-abx+\frac{a}{2}-6\right)$이 x축과 만나는 세 점 중에서 가장 가까운 두 점 사이의 거리를 확률변수 X라 할 때, X의 기댓값 $\mathrm{E}(X)$를 구하시오.

$c=ab,\ d=\frac{a}{2}-6$라 하자. 순서쌍 (a, b)가 가질 수 있는 값이 $(4, 0), (4, 1), (6, 0), (6, 1), (8, 0), (8, 1)$이므로 순서쌍 (c, d)가 가질 수 있는 값은 $(0,-4), (4,-4), (0,-3), (6,-3), (0,-2), (8,-2)$이다.

$$(ab)^2-4\left(\frac{a}{2}-6\right)=c^2-4d \geq 8>0$$

이다. 따라서

$$(x+7)\left(x^2-abx+\frac{a}{2}-6\right)=(x+7)(x^2-cx+d)=0$$

은 세 근 $x_1=-7,\ x_2=\frac{c-\sqrt{c^2-4d}}{2},\ x_3=\frac{c+\sqrt{c^2-4d}}{2}$을 가진다.

(c, d)	$(0, -4)$	$(4, -4)$	$(0, -3)$	$(6, -3)$	$(0, -2)$	$(8, -2)$
x_2	-2	$2-2\sqrt{2}$	$-\sqrt{3}$	$3-2\sqrt{3}$	$-\sqrt{2}$	$4-3\sqrt{2}$

$x_1<-2 \leq x_2$이므로 $x_1<x_2<x_3$이다. 세 점 중에서 가장 가까운 두 점 사이의 거리는

$$x_2-x_1=\frac{c-\sqrt{c^2-4d}}{2}+7,\quad x_3-x_2=\sqrt{c^2-4d}$$

를 비교하면 된다.

$x_2-x_1<x_3-x_2 \Leftrightarrow \frac{c-\sqrt{c^2-4d}}{2}+7<\sqrt{c^2-4d} \Leftrightarrow c+14<3\sqrt{c^2-4d}$ 이므로

$$\Leftrightarrow c^2+28c+196<9(c^2-4d) \Leftrightarrow 9d+49<c(2c-7)$$

순서쌍 (c, d)가 가질 수 있는 값은 $(6,-3), (8,-2)$, 즉, 순서쌍 (a, b)가 가질 수 있는 값은 $(6, 1), (8, 1)$이다.

한편, $x_2-x_1>x_3-x_2 \Leftrightarrow 9d+49>c(2c-7)$이고, 순서쌍 (c, d)가 가질 수 있는 값은 $(0,-4), (4,-4), (0,-3), (0,-2)$이므로, 순서쌍 (a, b)가 가질 수 있는 값은 $(4,0), (4,1), (6,0), (8,0)$이다.

a	4		6		8	
b	0	1	0	1	0	1
(c, d)	$(0, -4)$	$(4, -4)$	$(0, -3)$	$(6, -3)$	$(0, -2)$	$(8, -2)$
X	4	$4\sqrt{2}$	$2\sqrt{3}$	$10-2\sqrt{3}$	$2\sqrt{2}$	$11-3\sqrt{2}$
$\mathrm{P}(X=x)$	$\frac{3}{6}\times\frac{6}{10}=\frac{3}{10}$	$\frac{3}{6}\times\frac{4}{10}=\frac{1}{5}$	$\frac{2}{6}\times\frac{6}{10}=\frac{1}{5}$	$\frac{2}{6}\times\frac{4}{10}=\frac{2}{15}$	$\frac{1}{6}\times\frac{6}{10}=\frac{1}{10}$	$\frac{1}{6}\times\frac{4}{10}=\frac{1}{15}$

확률변수 X의 기댓값은

$$\mathrm{E}(X)=4\times\frac{3}{10}+4\sqrt{2}\times\frac{1}{5}+2\sqrt{3}\times\frac{1}{5}+(10-2\sqrt{3})\times\frac{2}{15}+2\sqrt{2}\times\frac{1}{10}+(11-3\sqrt{2})\times\frac{1}{15}$$
$$=\frac{49}{15}+\frac{4}{5}\sqrt{2}+\frac{2}{15}\sqrt{3}$$

3. $0<x<\frac{\pi}{2}$**에서 정의된 함수** $f(x)=\frac{1}{\sin^2 2x}$**에 대하여 두 함수** $g(x)$**와** $h(x)$**를**

$$g(x)=\int_{\frac{\pi}{6}}^{x} f(t)dt,\quad h(x)=\int_{\frac{\pi}{6}}^{x} g(t)dt\ \left(0<x<\frac{\pi}{2}\right)$$

라 하자. 극한값 $\lim_{x\to 0^+}\frac{h(x)+\{g(x)\}^2}{f(x)}$ **을 구하시오. (단,** $\lim_{t\to 0+} t^2\ln t=0$**이다.)**

함수 $p(x)=\frac{\cos x}{\sin x}$**에 대해서** $p'(x)=\frac{d}{dx}\frac{\cos x}{\sin x}=-\frac{1}{\sin^2 x}$**이다.**

$\frac{d}{dx}p(2x)=2p'(2x)=-2\frac{1}{\sin^2 2x}$**을 이용하면**

$$g(x)=\int_{\frac{\pi}{6}}^{x} f(t)dt=\int_{\frac{\pi}{6}}^{x}\frac{1}{\sin^2 2t}dt=\left[-\frac{1}{2}p(2t)\right]_{\frac{\pi}{6}}^{x}=-\frac{\cos 2x}{2\sin 2x}+\frac{\cos\frac{\pi}{3}}{2\sin\frac{\pi}{3}}=-\frac{1}{2}\frac{\cos 2x}{\sin 2x}+\frac{1}{2\sqrt{3}}$$

을 얻는다. 한편, $\frac{d}{dx}\ln|q(2x)|=\frac{2q'(2x)}{q(2x)}$**를 이용하면**

$$h(x)=\int_{\frac{\pi}{6}}^{x} g(t)dt=-\frac{1}{2}\int_{\frac{\pi}{6}}^{x}\left(\frac{\cos 2t}{\sin 2t}-\frac{1}{\sqrt{3}}\right)dt=-\frac{1}{2}\left[\frac{1}{2}\ln|\sin 2t|-\frac{1}{\sqrt{3}}t\right]_{\frac{\pi}{6}}^{x}$$
$$=-\frac{1}{4}\ln|\sin 2x|+\frac{1}{4}\ln\sin\frac{\pi}{3}+\frac{1}{2\sqrt{3}}x-\frac{\pi}{12\sqrt{3}}$$

$$\lim_{x\to 0+}\frac{\{g(x)\}^2}{f(x)}=\lim_{x\to 0+}\frac{\left(-\frac{1}{2}\frac{\cos 2x}{\sin 2x}+\frac{1}{2\sqrt{3}}\right)^2}{\frac{1}{\sin^2 2x}}=\lim_{x\to 0+}\left(-\frac{1}{2}\cos 2x+\frac{1}{2\sqrt{3}}\sin 2x\right)^2=\frac{1}{4}$$

이고

$$\lim_{x\to 0+}\frac{h(x)}{f(x)}=\lim_{x\to 0+}\left(-\frac{1}{4}\sin^2 2x\ln|\sin 2x|+\frac{1}{4}\ln\left(\frac{\sqrt{3}}{2}\right)\sin^2 2x+\frac{1}{2\sqrt{3}}x\sin^2 2x-\frac{\pi}{12\sqrt{3}}\sin^2 2x\right)$$
$$=\lim_{t\to 0+}-\frac{1}{4}t^2\ln|t|=0$$

이므로

$$\lim_{x\to 0+}\frac{h(x)+\{g(x)\}^2}{f(x)}=\lim_{x\to 0+}\frac{h(x)}{f(x)}+\lim_{x\to 0+}\frac{\{g(x)\}^2}{f(x)}=\frac{1}{4}$$

이다.

[문제 2] 다음 제시문을 읽고 물음에 답하시오. (50점)

1. 제시문 <가>에서 주어진 각의 크기 θ에 대하여, $\cos\theta$와 $\sin\theta$의 값을 구하시오.

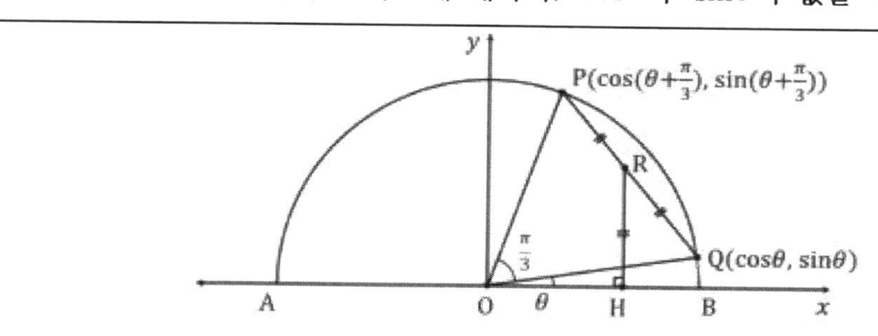

그림과 같이 반원을 좌표평면 위에 두면 Q**의 좌표는** $(\cos\theta,\ \sin\theta)$**이고,** P**의 좌표는** $\left(\cos\left(\theta+\frac{\pi}{3}\right),\ \sin\left(\theta+\frac{\pi}{3}\right)\right)$**이다. 선분** PQ**의 중점을** R**이라 하면, 선분** RH**는 선분** PQ**가 지름인 반원의 반지름이므로** $\overline{\mathrm{RH}}=\frac{1}{2}$**이다.**

따라서 $\frac{1}{2}=\overline{\mathrm{RH}}=\frac{1}{2}\left(\sin\left(\theta+\frac{\pi}{3}\right)+\sin\theta\right)$**이고, 삼각함수의 덧셈정리를 사용해서 정리하면**

$$3\sin\theta+\sqrt{3}\cos\theta=2$$

이다.

$$\sin^2\theta+\cos^2\theta=1$$

이므로,

두 식으로부터 $\cos\theta=\frac{3\sqrt{2}+\sqrt{3}}{6}$, $\sin\theta=\frac{3-\sqrt{6}}{6}$**을 얻는다** $\left(0<\theta<\frac{\pi}{2}\right)$**.**

2. 제시문 <가>에서 주어진 두 점 S와 T에 대하여, 선분 ST의 길이의 최댓값을 구하시오.

호 PQ**위의 점** S**의 좌표는** $(\cos(\theta+t),\ \sin(\theta+t))$**라 할 수 있다** $\left(0\le t\le\frac{\pi}{3}\right)$**.**

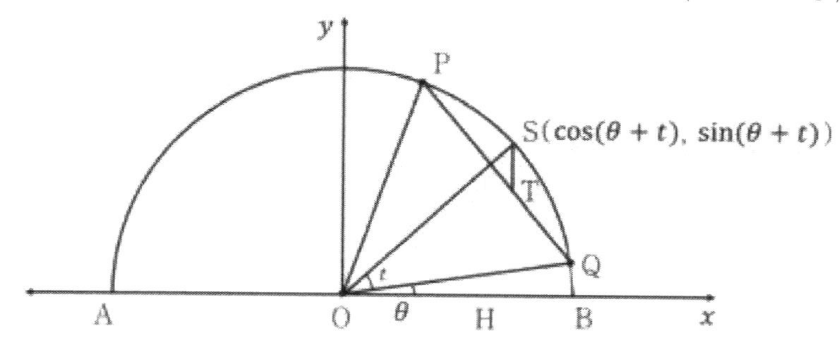

선분 PQ**의 중점** R**의 좌표는** $\left(\frac{1}{2}\left(\cos\left(\theta+\frac{\pi}{3}\right)+\cos\theta\right),\ \frac{1}{2}\left(\sin\left(\theta+\frac{\pi}{3}\right)+\sin\theta\right)\right)=\left(\frac{\sqrt{2}}{2},\ \frac{1}{2}\right)$**이므로 직선** OR**의 기울기는** $\frac{1}{\sqrt{2}}$**이고, 직선** PQ**는 직선** OR**과 수직이므로 직선** PQ**의 기울기는** $-\sqrt{2}$**이다.**

따라서 직선 PQ의 방정식은 $y-\frac{1}{2}=-\sqrt{2}\left(x-\frac{\sqrt{2}}{2}\right)$**이 되고 정리하면** $y=-\sqrt{2}x+\frac{3}{2}$**이다.**

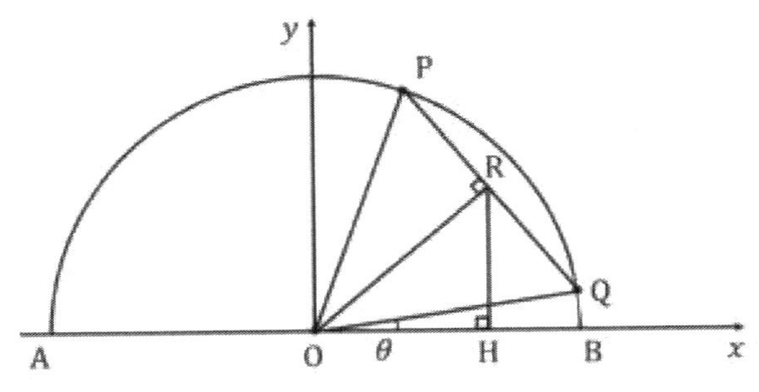

이로부터 T의 좌표는 $\left(\cos(\theta+t),\ -\sqrt{2}\cos(\theta+t)+\frac{3}{2}\right)$**이고,**

따라서

$$\overline{ST}=f(t)=\sin(\theta+t)-\left(-\sqrt{2}\cos(\theta+t)+\frac{3}{2}\right)=\frac{3}{2}\cos t+\frac{\sqrt{3}}{2}\sin t-\frac{3}{2}$$

이다.

$f'(t)=-\frac{3}{2}\sin t+\frac{\sqrt{3}}{2}\cos t$**이므로, 아래 증가와 감소를 나타내는 표에 따라** $\overline{ST}$**의 최댓값은** $\sqrt{3}-\frac{3}{2}$**이다.**

t	0		$\frac{\pi}{6}$		$\frac{\pi}{3}$
$f'(t)$		+	0	−	
$f(t)$	0	↗	$\sqrt{3}-\frac{3}{2}$	↘	0

3. 제시문 <나>에서 주어진 원 C의 평면 α 위로의 정사영의 넓이를 구하시오.

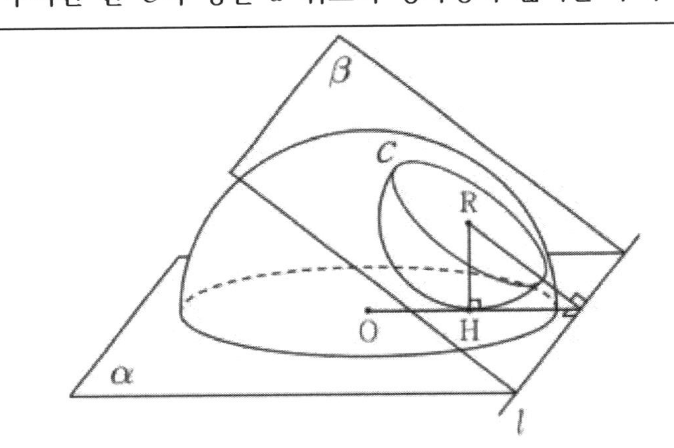

그림에서 직선 l**과 수직이고 원의 중심 O를 포함하는 평면을 생각하면, 지름이 2인 반구와 지름이 1인 반구가 이 평면과 만나서 생기는 도형은 각각 아래 그림과 같이** $\overline{AB}=2$**인 선분 AB를 지름으로 하는 지름이 2인 반구와** $\overline{PQ}=1$**인 선분 PQ를 지름으로 하는 반구이다.**

평면 α**와 평면** β**가 이루는 각을** a**라 하면,**

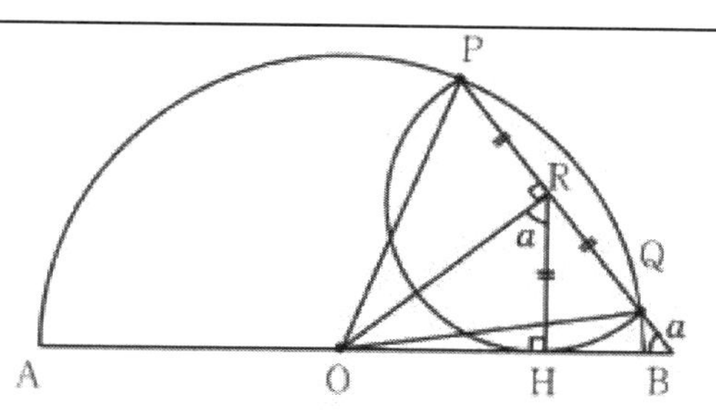

그림에서 $a = \angle \text{RBH} = \angle \text{ORH}$**이므로** $\cos a = \dfrac{\overline{\text{RH}}}{\overline{\text{OR}}}$**이다.**

$\overline{\text{RH}} = \dfrac{1}{2}$**이고,** $\overline{\text{OR}}$**은 한 변의 길이가** 1**인 정삼각형** OPQ**의 높이이므로**

$\overline{\text{OR}} = \dfrac{\sqrt{3}}{2}$**이다. 따라서** $\cos a = \dfrac{\frac{1}{2}}{\frac{\sqrt{3}}{2}} = \dfrac{1}{\sqrt{3}}$**이다.**

원 C **의 넓이는** $\dfrac{\pi}{4}$**이므로, 구하는 정사영의 넓이는** $\dfrac{\pi}{4}\cos a = \dfrac{\pi}{4\sqrt{3}}$**이다.**

3. 2024학년도 한양대 수시 논술 (오후 2)

[문제 1] 다음 물음에 답하시오. (50점)

1. 그림과 같이 넓이가 1인 정사각형 11개로 이루어진 도형이 있다.

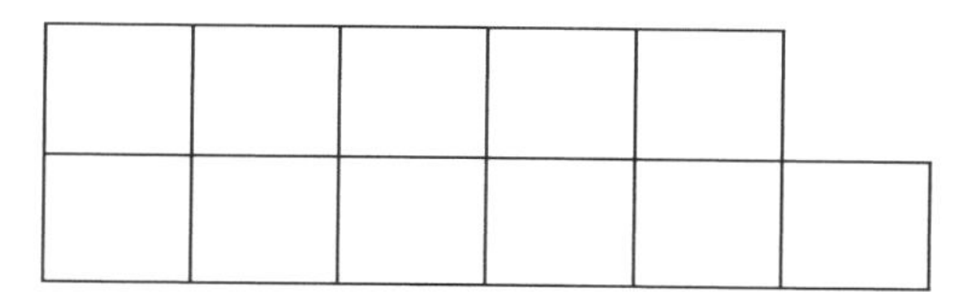

넓이가 1인 각각의 정사각형 내부를 빨간색, 파란색, 노란색의 세 가지 색 중 한 가지 색으로 칠한다. 각각의 가로 행에 빨간색으로 칠해진 정사각형의 개수가 파란색으로 칠해진 정사각형의 개수보다 크고, 각각의 가로 행에 노란색으로 칠해진 정사각형이 2개 이하가 되는 경우의 수를 구하시오.

첫 번째 가로 행에서 조건에 맞게 빨간색, 파란색, 노란색으로 칠해진 정사각형의 개수를 a, b, c **라 하면** $a > b$, $c \le 2$, $a+b+c=5$**를 만족한다. 이 세 가지 식을 만족하는 자연수** a, b, c**에 대해 첫 번째 가로 행에서 빨간색, 파란색, 노란색으로 칠할 수 있는 경우의 수는 같은 것이 있는 순열의 수에 의해** $\dfrac{5!}{a!b!c!}$**이다. 노란색이 칠해진 개수가** 0, 1, 2**인 경우를 나누어 계산하여 합하면**

$$\left(\frac{5!}{5!0!0!}+\frac{5!}{4!1!0!}+\frac{5!}{3!2!0!}\right)+\left(\frac{5!}{4!0!1!}+\frac{5!}{3!1!1!}\right)+\left(\frac{5!}{3!0!2!}+\frac{5!}{2!1!2!}\right)=16+25+40=81$$

이다.

두 번째 가로 행에서 조건에 맞게 빨간색, 파란색, 노란색으로 칠해진 정사각형의 개수를 d, e, f **라 하면** $d > e$, $f \le 2$, $a+b+c=6$**를 만족한다. 이 세 가지 식을 만족하는 자연수** d, e, f**에 대해 두 번째 가로 행에서 빨간색, 파란색, 노란색으로 칠할 수 있는 경우의 수는 같은 것이 있는 순열의 수에 의해** $\dfrac{6!}{d!e!f!}$**이다. 노란색이 칠해진 개수가** 0, 1, 2**인 경우를 나누어 계산하여 합하면**

$$\left(\frac{6!}{6!0!0!}+\frac{6!}{5!1!0!}+\frac{6!}{4!2!0!}\right)+\left(\frac{6!}{5!0!1!}+\frac{6!}{4!1!1!}+\frac{6!}{3!2!1!}\right)+\left(\frac{6!}{4!0!2!}+\frac{6!}{3!1!2!}\right)=22+96+75=193$$

이다.

그러므로 구하고자하는 총 경우의 수는 $81\times193=15633$이다.

2. 그림과 같이 자연수 n에 대하여 가로의 길이가 n이고 세로의 길이가 10인 직사각형을 한 변의 길이가 1인 $10\times n$개의 정사각형으로 나눈 도형이 있다. 한 변의 길이가 1인 각각의 정사각형 내부를 빨간색, 파란색, 노란색의 세 가지 색 중 한 가지 색으로 칠한다. 이 도형의 각 세로 열마다 세 가지 색이 적어도 한 번씩 나타나게 칠할 때, 넓이가 $10n$인 직사각형에서 빨간색, 파란색, 노란색으로 칠해진 부분의 넓이를 각각 p, q, r이라 하자. p, q, r의 모든 순서쌍 $(p,\ q,\ r)$의 개수를 $f(n)$이라 할 때, $f(5)+f(7)$의 값을 구하시오.

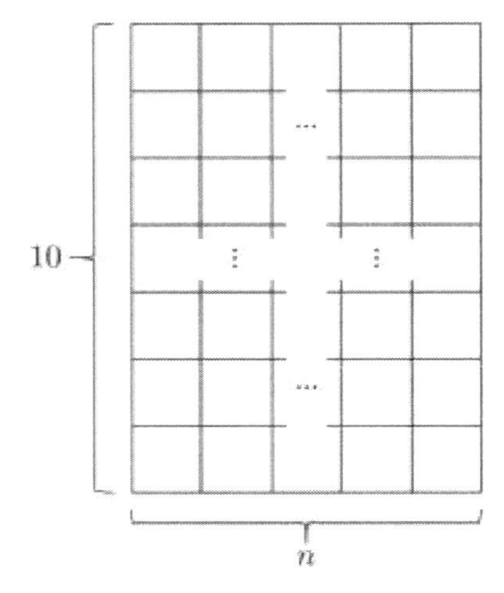

전체 $10\times n$개의 정사각형 중 빨간색, 파란색, 노란색으로 칠해진 부분의 넓이를 각각 p, q, r라고 하자. 각 세로 열마다 세 가지 색이 적어도 한 번씩 나타나는 경우를 세기 위해서 각 세로 열에서 빨간색, 파란색, 노란색으로 색칠된 것을 하나씩 미리 제외하고 경우를 세면 충분하다. 그러므로 구하고자 하는 순서쌍 $(p,\ q,\ r)$의 개수는 $p+q+r=7n$을 만족하는 음이 아닌 세 정수 p, q, r의 모든 순서쌍의 개수와 같다. 이는 3개의 문자 중에서 $7n$개를 택하는 중복조합의 수

$${}_3\mathrm{H}_{7n}={}_{7n+3-1}\mathrm{C}_2=\frac{(7n+2)(7n+1)}{2}$$

이다. 그러므로

$$f(5)+f(7)=\frac{37\times36}{2}+\frac{51\times50}{2}=666+1275=1941$$

이다.

3. 주머니에 숫자 1이 적힌 공이 한 개, 숫자 2가 적힌 공이 두 개, 숫자 3이 적힌 공이 세 개 들어 있다. 이 주머니에서 한 개의 공을 임의로 꺼낼 때 공에 적힌 수를 c라 하자. 다음 조건을 만족시키는 삼차함수 $f(x)$의 -1에서 c까지의 정적분의 값을 확률변수 Y라 할 때, Y의 기댓값 $\mathrm{E}(Y)$를 구하시오.

< 가 > $f(-1)=0$, $f(3)=0$, $f'(0)=18$
< 나 > 모든 실수 x에 대하여 $f'(x)\le f'\left(\frac{2}{3}\right)$이다.

$f(-1)=f(3)=0$**이므로** $f(x)=r(x+1)(x-3)(x-s)$**꼴을 가진다.**

$$\begin{aligned} f'(x) &= r(x+1)(x-3)+r(x+1)(x-s)+r(x-3)(x-s) \\ &= r(3x^2-(4+2s)x-3+2s) \\ &= r\left(3\left(x-\frac{2+s}{3}\right)^2-\frac{(2+s)^2}{3}-3+2s\right) \end{aligned}$$

$f'(x)$**가** $x=\frac{2}{3}$**에서 최댓값을 가지려면,** $s=0$**이고** $r<0$**이어야 한다.**

한편, $f'(0)=-3r=18$**으로부터** $r=-6$**을 얻고**

$$f(x)=-6x(x+1)(x-3)=-6x^3+12x^2+18x$$

이다. 확률변수 Y**는** $\int_{-1}^{c} f(x)dx$**를 계산하여 얻을 수 있다.**

$$\int_{-1}^{c} f(x)dx=\left[-\frac{3}{2}x^4+4x^3+9x^2\right]_{-1}^{c}=-\frac{3}{2}c^4+4c^3+9c^2-\frac{7}{2}$$

c	1	2	3
Y	8	$\frac{81}{2}$	64
$\mathrm{P}(Y=y)$	$\frac{1}{6}$	$\frac{2}{6}$	$\frac{3}{6}$

확률변수 Y**의 기댓값은** $\mathrm{E}(Y)=8\times\frac{1}{6}+\frac{81}{2}\times\frac{2}{6}+64\times\frac{3}{6}=\frac{281}{6}$**이다.**

[문제 2] 다음 물음에 답하시오. (50점)

1. 타원 $\frac{x^2}{3}+\frac{y^2}{2}=1$ 위의 점 P와 타원 $\frac{x^2}{2}+\frac{y^2}{3}=1$ 위의 점 Q가 직선 $y=x$에 대하여 대칭이다. 두 점 $\mathrm{A}(-1,\ 0)$, $\mathrm{B}(0,\ -1)$에 대하여 $\overrightarrow{\mathrm{AP}}\cdot\overrightarrow{\mathrm{BQ}}$의 최댓값을 구하시오.

점 P의 좌표를 $(a,\ b)$**라 두면 점 Q의 좌표는** $(b,\ a)$**이고,** $a,\ b$**의 관계식** $\frac{a^2}{3}+\frac{b^2}{2}=1$**로부터**

$$\overrightarrow{\mathrm{AP}}\cdot\overrightarrow{\mathrm{BQ}}=(a+1,\ b)\cdot(b,\ a+1)=2b(a+1)=\pm2\sqrt{2}(a+1)\sqrt{1-\frac{a^2}{3}}$$

를 얻는다. 따라서, 닫힌구간 $[-\sqrt{3},\ \sqrt{3}]$**에서 함수** $f(a)=2\sqrt{2}(a+1)\sqrt{1-\frac{a^2}{3}}$ **의 최댓값과 함수** $-f(a)$**의 최댓값 중 큰 값이** $\overrightarrow{\mathrm{AP}}\cdot\overrightarrow{\mathrm{BQ}}$**의 최댓값이다. 함수** $f(a)$**를 미분하면** $f'(a)=-\frac{2\sqrt{2}(2a+3)(a-1)}{\sqrt{3(3-a^2)}}$**이고** $f'(a)=0$**으로부터** $a=-\frac{3}{2}$, 1**을 얻는다. 함수의 증가와 감소를 표로 나타내면 다음과 같다.**

a	$-\sqrt{3}$	$\cdots$	$-\frac{3}{2}$	$\cdots$	1	$\cdots$	$\sqrt{3}$
$f'(a)$		$-$	0	$+$	0	$-$	
$f(a)$	0	$\searrow$	$-\frac{\sqrt{2}}{2}$	$\nearrow$	$\frac{8\sqrt{3}}{3}$	$\searrow$	0

함수 $f(a)$**의 최댓값은** $\frac{8\sqrt{3}}{3}$**이고 함수** $-f(a)$**의 최댓값은** $\frac{\sqrt{2}}{2}$**이므로** $\overrightarrow{\mathrm{AP}}\cdot\overrightarrow{\mathrm{BQ}}$**의 최댓값은** $\frac{8\sqrt{3}}{3}$**이다.**

2. 그림과 같이 길이가 $\sqrt{2}$인 선분 AC를 지름으로 하고 중심이 O인 원이 있다. 이 원 위에 $\angle \mathrm{AOE}=\theta\left(0<\theta<\frac{\pi}{2}\right)$가 되도록 점 E를 잡고, 직선 EO가 원과 만나는 점 중 E가 아닌 점을 G라 하자. 대각선이 선분 AC인 정사각형 ABCD의 내부와 대각선이 선분 EG인 정사각형 EFGH의 내부의 공통부분의 넓이를 $S(\theta)$라 하자. 함수 $S(\theta)$에 대하여 $\theta=\frac{\pi}{3}$에서의 미분계수 $S'\left(\frac{\pi}{3}\right)$를 구하시오.

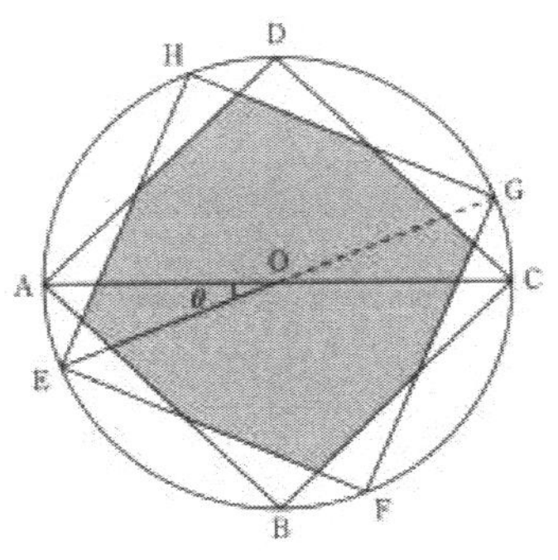

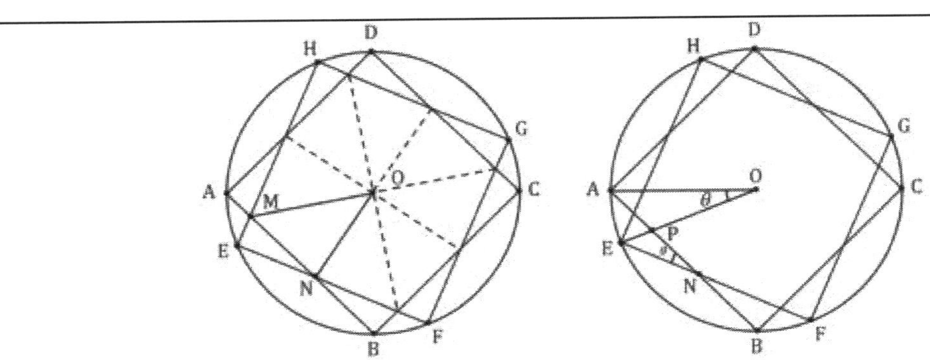

$0<\theta<\frac{\pi}{2}$**일 때** $S(\theta)$**를 구해보자. 선분** AB**와 선분** EH**가 만나는 점을** M, **선분** AB**와 선분** EF**가 만나는 점을** N**이라 두면** $S(\theta)$**는 삼각형** OMN**의 넓이의** 8**배이다. 선분** AN**과 선분** EO **가 만나는 점을** P**라 두면,**

$\angle \mathrm{PEN}=\angle \mathrm{OAP}=\frac{\pi}{4}$**이고** $\angle \mathrm{EPN}=\angle \mathrm{APO}$**이므로** $\angle \mathrm{PNE}=\angle \mathrm{AOP}=\theta$**이다.**

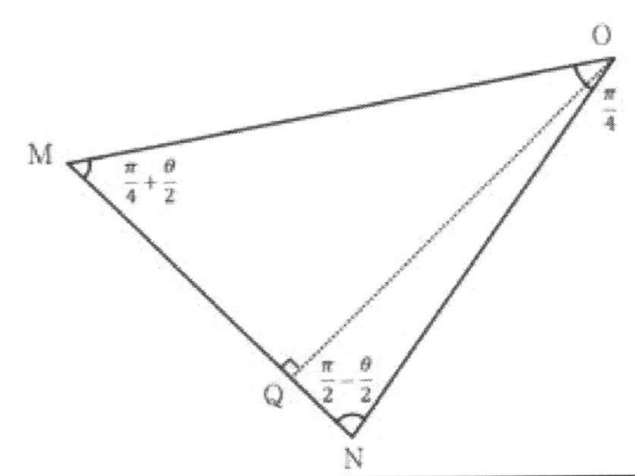

따라서, $\pi = \angle\text{PNE} + \angle\text{PNO} + \angle\text{ONF} = \theta + 2\angle\text{PNO}$로부터 $\angle\text{PNO} = \frac{\pi}{2} - \frac{\theta}{2}$를 얻고, $\angle\text{MON} = \frac{\pi}{4}$로부터 $\angle\text{OMN} = \frac{\pi}{4} + \frac{\theta}{2}$를 얻는다. 점 O에서 선분 MN에 내린 수선의 발을 Q라 하면 선분 OQ의 길이는 $\frac{1}{2}$이므로

$$S(\theta) = 8 \times \frac{1}{2} \times \left(\frac{1}{2}\cot\left(\frac{\pi}{4} + \frac{\theta}{2}\right) + \frac{1}{2}\cot\left(\frac{\pi}{2} - \frac{\theta}{2}\right)\right) \times \frac{1}{2} = \frac{1 - \tan(\theta/2)}{1 + \tan(\theta/2)} + \tan\frac{\theta}{2}$$

이다. 함수 $S(\theta)$를 미분하면

$$S'(\theta) = -\frac{\sec^2(\theta/2)}{(1 + \tan(\theta/2))^2} + \frac{1}{2}\sec^2\frac{\theta}{2}$$

이므로 $S'\left(\frac{\pi}{3}\right) = -\frac{(2/\sqrt{3})^2}{(1 + 1/\sqrt{3})^2} + \frac{1}{2}\left(\frac{2}{\sqrt{3}}\right)^2 = 2\sqrt{3} - \frac{10}{3}$이다.

답 : $2\sqrt{3} - \frac{10}{3}$

3. 자연수 n에 대하여 두 곡선 $y = \cos x$와 $y = 1 - ax^2$이 만나는 점의 개수가 $4n+1$이 되도록 하는 양수 a를 a_n이라 하자. 예를 들어, 아래 그림은 $n = 1$인 경우이다. 극한값 $\lim_{n\to\infty} \cos\sqrt{\frac{2}{a_n} - 4}$를 구하시오.

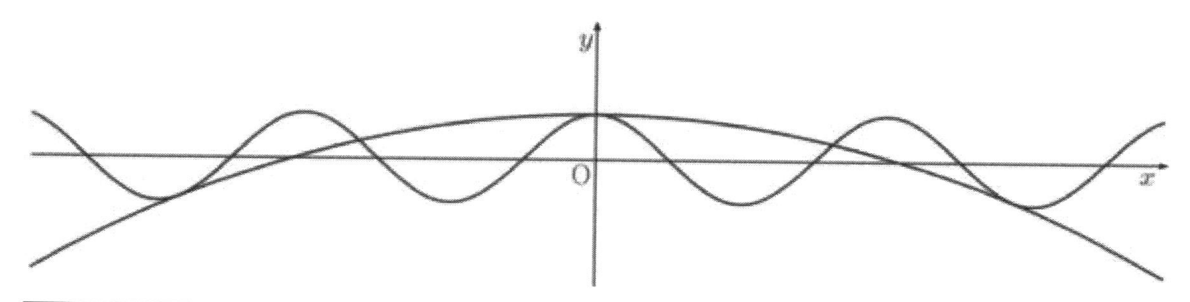

두 곡선 $y = \cos x$와 $y = 1 - ax^2$이 $4n+1$개의 점에서 만나려면 구간 $(2n\pi,\ (2n+1)\pi)$에서 교점의 개수가 1이고 그 점에서 접선의 기울기가 같아야 한다. 이 구간에서 두 곡선이 만나는 점의 x좌표를 x_n이라 두면, $\cos x_n = 1 - a_n x_n^2$과 $-\sin x_n = -2a_n x_n$이 성립한다.

식 $1 = \cos^2 x_n + \sin^2 x_n = \left(1 - a_n x_n^2\right)^2 + (2a_n x_n)^2$을 정리하면 $a_n^2 x_n^2\left(x_n^2 - \frac{2}{a_n} + 4\right) = 0$인데, a_n과 x_n은 모두 양수이므로 $x_n^2 = \frac{2}{a_n} - 4$를 얻는다. 따라서

$$\cos\sqrt{\frac{2}{a_n} - 4} = \cos x_n = 1 - a_n x_n^2 = 1 - \frac{2x_n^2}{x_n^2 + 4}$$

이고 $\lim_{n\to\infty} x_n = \infty$이므로

$$\lim_{n\to\infty} \cos\sqrt{\frac{2}{a_n} - 4} = \lim_{n\to\infty}\left(1 - \frac{2x_n^2}{x_n^2 + 4}\right) = -1$$

이다.

답 : -1

4. 2024학년도 한양대 모의 논술

[문제 1] 다음 물음에 답하시오. (50점)

1. 집합 $A=\{k|k$는 $4n+2$이하의 자연수 $\}$의 부분집합 중에서 $n+1$개 이상의 짝수를 포함하고 n개 이하의 홀수를 포함하는 부분집합의 개수는? 단, n은 자연수이다.

$2n+1$개의 홀수 중에서 n개 이하의 홀수를 선택하는 경우의 수는

$$_{2n+1}C_0+{}_{2n+1}C_1+\cdots+{}_{2n+1}C_n=\frac{1}{2}({}_{2n+1}C_0+{}_{2n+1}C_1+\cdots+{}_{2n+1}C_n+\cdots+{}_{2n+1}C_{2n+1})$$
$$=\frac{1}{2}2^{2n+1}=2^{2n}.$$

$2n+1$개의 짝수 중에서 t개의 짝수를 선택하는 경우의 수는 $_{2n+1}C_t$이다. 따라서 문제에 제시된 조건을 만족하는 A의 부분집합들의 개수는

$$2n+1C_{n+1}\times 2^{2n}+{}_{2n+1}C_{n+2}\times 2^{2n}+\cdots+{}_{2n+1}C_{2n+1}\times 2^{2n}$$
$$=\frac{1}{2}({}_{2n+1}C_0+{}_{2n+1}C_1+\cdots+{}_{2n+1}C_n+\cdots+{}_{2n+1}C_{2n+1})\times 2^{2n}=\frac{1}{2}2^{2n+1}\times 2^{2n}=2^{4n}.$$

2. 미분가능한 함수 $f(x)$는 다음 조건을 만족시킨다.

(i) 임의의 실수 a, b에 대하여 $f(a+b)=f(a)+f(b)$이다.
(ii) $f(3)=6$이다.

정적분 $\int_0^2\{f(x)\}^9\{f(2-x)\}^{10}f'(x)dx$의 값을 k라 할 때, $_{20}C_{10}\times k$의 값을 구하시오.

임의의 실수 a, b에 대하여 $f(a+b)=f(a)+f(b)$이므로,
$f(0)=f(0+0)=f(0)+f(0)$**이고**

$$6=f(3)=f(2+1)=f(2)+f(1)=f(1+1)+f(1)=f(1)+f(1)+f(1).$$

따라서 $f(0)=0$, $f(1)=2$, $f(2)=4$. **또한,** $f(2-x)=f(2)-f(x)$**이므로**
$f(x)=t$**로 치환해서 적분하면**

$$_{20}C_{10}\int_0^2 f(x)^9 f(2-x)^{10}f'(x)dx={}_{20}C_{10}\int_0^4 t^9(4-t)^{10}dt$$

이고

$I=\int_0^4 t^9(4-t)^{10}dt$**에 부분적분을 적용하면**

$$I=\int_0^4 t^9(4-t)^{10}dt=\left[\frac{1}{10}t^{10}(4-t)^{10}\right]_0^4+\int_0^4 t^{10}(4-t)^9dt$$
$$=\int_0^4 t^{10}(4-t)^9dt=\left[\frac{1}{11}t^{11}(4-t)^9\right]_0^4+\frac{9}{11}\int_0^4 t^{11}(4-t)^8dt$$
$$=\frac{9}{11}\int_0^4 t^{11}(4-t)^8dt=\frac{9}{11}\frac{8}{12}\int_0^4 t^{12}(4-t)^7dt$$
$$=\cdots=\frac{9}{11}\frac{8}{12}\frac{7}{13}\cdots\frac{1}{19}\int_0^4 t^{19}(4-t)^0dt$$
$$=\frac{9}{11}\frac{8}{12}\frac{7}{13}\cdots\frac{1}{19}\frac{4^{20}}{20}$$

따라서

$$_{20}C_{10}I={}_{20}C_{10}\frac{9}{11}\frac{8}{12}\cdots\frac{1}{19}\frac{4^{20}}{20}=\frac{2^{40}}{10}=\frac{2^{39}}{5}.$$

3. 좌표평면에서 선분 AB를 아랫변으로 하는 사다리꼴 ABCD가 다음 조건을 만족시킨다.

> (i) $\overline{CD}=1$, $\overline{DA}=5$
>
> (ii) $\cos\angle DAB=\frac{3}{5}$, $\cos\angle BCD=-\frac{1}{\sqrt{5}}$

점 P가 $(\overrightarrow{AP}+\overrightarrow{CP})\cdot(2\overrightarrow{BP}+\overrightarrow{DP})=\frac{67}{8}$을 만족시킬 때, $|\overrightarrow{AP}|$의 최댓값을 구하시오.

점 D에서 선분 AB에 내린 수선의 발을 H라 하고, 점 C에서 선분 AB에 내린 수선의 발을 H′라 하면

$$\overline{AH}=\overline{DA}\cos\angle DAB=5\times\frac{3}{5}=3,\ \overline{DH}=\overline{DA}\sin\angle DAB=5\times\frac{4}{5}=4$$

$$4=\overline{DH}=\overline{CH'}=\overline{BC}\sin(\pi-\angle BCD)=\overline{BC}\sin\angle BCD=\overline{BC}\times\frac{2}{\sqrt{5}}$$

즉, $\overline{BC}=2\sqrt{5}$

따라서

$$\overline{H'B}=\overline{BC}\cos(\pi-\angle BCD)=-2\sqrt{5}\cos\angle BCD=2\sqrt{5}\times\frac{1}{\sqrt{5}}=2$$

이고

$$\overline{AB}=\overline{AH}+\overline{CD}+\overline{H'B}=3+1+2=6.$$

점 A가 원점, 선분 AB가 x축에 놓여있다고 하면, 점 A의 좌표는 $(0,\ 0)$, 점 B의 좌표는 $(6,\ 0)$, 점 C의 좌표는 $(4,\ 4)$, 점 D의 좌표는 $(3,\ 4)$이다. 점 P의 좌표를 $(x,\ y)$라 하면, $(\overrightarrow{AP}+\overrightarrow{CP})\cdot(2\overrightarrow{BP}+\overrightarrow{DP})=\frac{67}{8}$로부터

$$((x,\ y)+(x-4,\ y-4))\cdot(2(x-6,\ y)+(x-3,\ y-4))$$

$$=(2x-4,\ 2y-4)\cdot(3x-15,\ 3y-4)$$

$$=(2x-4)(3x-15)+(2y-4)(3y-4)=\frac{67}{8}$$

즉, $\left(x-\frac{7}{2}\right)^2+\left(y-\frac{5}{3}\right)^2=\frac{541}{144}$**이다. 따라서 점 P는 중심이 점 $Q\left(\frac{7}{2},\ \frac{5}{3}\right)$이고 반지름이 $\frac{\sqrt{541}}{12}$인 원 위에 있다.**

$|\overrightarrow{AP}|$**의 최댓값은**

$$\overline{AQ}+\frac{\sqrt{541}}{12}=\sqrt{\left(\frac{7}{2}\right)^2+\left(\frac{5}{3}\right)^2}+\frac{\sqrt{541}}{12}=\frac{\sqrt{541}}{6}+\frac{\sqrt{541}}{12}=\frac{\sqrt{541}}{4}$$

[문제 2번] 다음 물음에 답하시오. (50점)

1. 그림과 같이 반지름의 길이가 1인 구와 구의 중심 O를 지나는 평면 α가 있다. 구와 평면이 만나서 생기는 원 위에 $\overline{AB}=\sqrt{3}$을 만족시키는 두 점 A, B가 있다. 구면 위의 한 점 P에 대하여, 삼각형 ABP의 평면 α 위로의 정사영을 삼각형 ABH라 하자. 사면체 ABHP의 부피가 최대일 때, 삼각형 ABH의 넓이를 구하시오.

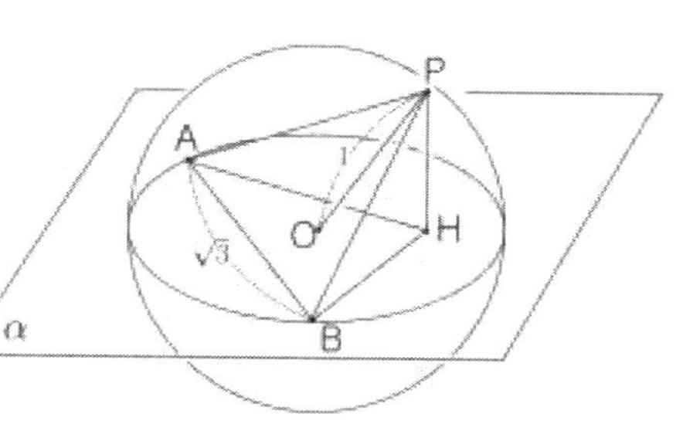

점 H는 점 P의 평면 α 위로의 정사영이므로 점 P에서 평면 α에 내린 수선의 발이다. 따라서 사면체의 부피는 $\frac{1}{3}\times$(삼각형 ABH의 넓이)$\times\overline{\mathrm{PH}}$이다. 현 AB와 수직인 원의 지름을 CD라 하자. 단, 현 AB와 지름 CD의 교점 M은 선분 CO위에 있다고 하자.

먼저 사면체 ABPH의 부피가 최대이면 수선의 발 H는 적어도 지름 CD 위에 있어야 한다. 만약 수선의 발 H가 지름 CD 위에 있지 않으면, 점 H를 지나고 현 AB와 평행한 직선과 지름 CD의 교점 H′이라 하고, H′을 수선의 발로 하는 구면 위의 점을 P′이라 할 때, 사면체 ABP′H′의 부피는 사면체 ABPH의 부피보다 크게 되어 모순이다 (아래 첫 번째 그림 참조).

더욱이 수선의 발 H는 선분 OD위에 있어야 한다. 만약 수선의 발 H가 선분 CO위에 있다면, $\overline{\mathrm{DH''}}=\overline{\mathrm{CH}}$를 만족시키는 선분 OD위의 점을 H″이라 하고, 점 H″를 수선의 발로 하는 구면 위의 점을 P″이라 할 때, 사면체 ABP″H″의 부피는 사면체 ABPH의 부피보다 크게 되어 모순이다 (아래 두 번째 그림 참조).

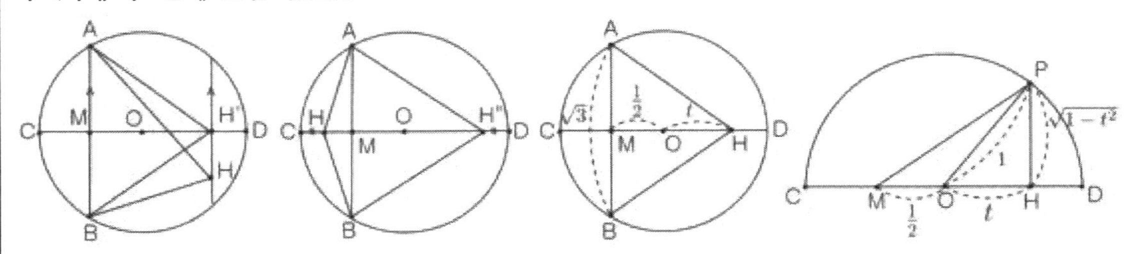

이제 수선의 발 H는 선분 OD위에 있으므로, $\overline{\mathrm{OH}}=t$(단, $0<t<1$)라 하고, 사면체의 부피를 $f(t)$라 하면

$f(t)=\frac{1}{3}\times$(삼각형 ABH의 넓이)$\times\overline{\mathrm{PH}}$이므로, 위 세 번째, 네 번째 그림에서,

$$f(t)=\frac{1}{3}\times\frac{1}{2}\times\sqrt{3}\times\left(\frac{1}{2}+t\right)\times\sqrt{1-t^2}=\frac{\sqrt{3}}{12}(2t+1)\sqrt{1-t^2}$$

이고

$f'(t)=-\frac{\sqrt{3}(4t^2+t-2)}{12\sqrt{1-t^2}}=0$일 때, $t=\frac{-1+\sqrt{33}}{8}$이다.

t	0	$\cdots$	$\frac{-1+\sqrt{3}}{8}$	$\cdots$	1
$f'(t)$		+	0	−	
$f(t)$		↗		↘	

변화표에서 사면체 ABPH의 부피 $f(t)$는 $t=\frac{-1+\sqrt{33}}{8}$일 때 최대임을 알 수 있다.

이때 삼각형 ABH의 넓이는 $\frac{1}{2}\times\sqrt{3}\times\left(\frac{1}{2}+\frac{-1+\sqrt{33}}{8}\right)=\frac{3}{16}(\sqrt{3}+\sqrt{11})$이다.

2. 닫힌구간 $[0,\ 1]$에서 두 함수 $f(x)=\frac{1}{m}x^m$과 $g(x)=1-\sqrt{1-x^2}$이 주어져 있다. 곡선 $y=f(x)$와 곡선 $y=g(x)$가 오직 한 개의 점에서만 만나기 위한 양의 실수 m의 범위를 구하시오.

양의 실수 m의 값과 상관없이 항상 $f(0)=0=g(0)$이므로, 두 곡선 $y=f(x)$와 $y=g(x)$가 $0<x\le 1$의 범위에서 만나지 않도록 하는 m의 범위를 구하면 된다. 다음과 같이 네 가지 경우로 나누어 조사해보자.

$0<m<1$: 이 경우 $0<x\le 1$일 때,

$g(x)=1-\sqrt{1-x^2}\le x<\frac{1}{m}x^m=f(x)$**이므로 두 곡선은 만나지 않는다.**

$m=1$: 이 경우 $f(1)=1=g(1)$이므로
두 곡선은 점 $(1,\ 1)$에서 만난다.

$1<m<2$: 이 경우 $0<x\le 1$일 때, $1-\frac{1}{m}x^m\ge 0$이므로

$$f(x)=g(x)\ \Leftrightarrow\ \sqrt{1-x^2}=1-\frac{1}{m}x^m\ \Leftrightarrow\ 1-x^2=\left(1-\frac{1}{m}x^m\right)^2$$
$$\Leftrightarrow\ -x^2=-\frac{2}{m}x^m+\frac{1}{m^2}x^{2m}\ \Leftrightarrow\ x^{2m-1}-2mx^{m-1}+m^2x=0$$

이다. 함수 $h(x)=x^{2m-1}-2mx^{m-1}+m^2x$는 $h(0)=0,\ \lim_{x\to 0^+}h'(x)=-\infty$를 만족하므로 $h(a)<0$인 $a\in(0,\ 1)$가 존재한다.
함수 $h(x)$는 닫힌구간 $[a,\ 1]$에서 연속이고 $h(a)<0<(m-1)^2=h(1)$이므로 사잇값 정리에 의해 $h(c)=0$인 c가 열린구간 $(a,\ 1)$에 적어도 하나 존재한다.
따라서 두 곡선 $y=f(x)$와 $y=g(x)$는 $0<x\le 1$의 범위에서 만난다.

$m\ge 2$: 이 경우 $0<x\le 1$일 때, $1-\frac{1}{m}x^m\ge 0$이므로

$$f(x)=g(x)\ \Leftrightarrow\ \sqrt{1-x^2}=1-\frac{1}{m}x^m\ \Leftrightarrow\ 1-x^2=\left(1-\frac{1}{m}x^m\right)^2$$
$$\Leftrightarrow\ -x^2=-\frac{2}{m}x^m+\frac{1}{m^2}x^{2m}\ \Leftrightarrow\ \frac{2}{m}x^{m-2}=1+\frac{1}{m^2}x^{2m-2}$$

이다. 마지막 식의 좌변은 1보다 작거나 같고 우변은 1보다 크기 때문에 등식이 성립할 수 없으므로, $0<x<1$에서 두 곡선 $y=f(x)$와 $y=g(x)$는 만나지 않는다.
따라서, 곡선 $y=f(x)$와 $y=g(x)$가 한 점에서 만나도록 하는 양의 실수 m의 범위는 $0<m<1,\ m\ge 2$이다.

3. 각 면에 1, 2, 3, 4 네 개의 수가 각각 하나씩 적혀있는 정사면체 주사위 A와 각 면에 1, 2, 3, 4, 5, 6 여섯 개의 수가 각각 하나씩 적혀있는 정육면체 주사위 B를 한 번씩 던질 때마다, 다음과 같은 규칙으로 수직선 위의 점 P를 이동시킨다.

(ⅰ) 주사위 A를 던져 바닥에 닿는 면에 적혀있는 수를 3으로 나눈 나머지가 1이면 양의 방향으로 1만큼 이동하고, 3으로 나눈 나머지가 2이면 음의 방향으로 2만큼 이동하고, 적혀있는 수가 3의 배수이면 양의 방향으로 3만큼 이동한다.
(ⅱ) 주사위 B를 던져 바닥에 닿는 면에 적혀있는 수가 3의 배수이면 양의 방향으로 1만큼 이동하고, 3의 배수가 아니면 음의 방향으로 2만큼 이동한다.

주사위 A와 주사위 B를 함께 던지는 시행을 세 번 반복한 후, 수직선의 원점에서 출발한 점 P가 규칙대로 이동하여 도착한 점이 나타내는 수의 기댓값을 구하시오.

정사면체 주사위 A와 정육면체 주사위 B를 함께 한 번 던지는 시행을 했을 때, 다음과 같은 경우의 수를 갖는다.

주사위 A	1,4		2		3	
주사위 B	3,6	1, 2, 4, 5	3,6	1, 2, 4, 5	3,6	1, 2, 4, 5
점P의 위치변화	$+1+1=+2$	$+1-2=-1$	$-2+1=-1$	$-2-2=-4$	$+3+1=+4$	$+3-2=+1$

주사위 A와 주사위 B의 눈이 나오는 사건은 독립사건이므로 각 확률의 곱을 통해 확률을 구할 수 있다. 주사위 A와 주사위 B를 함께 한 번 던지는 시행을 했을 때 점 P의 위치변화를 확률변수 X라고 하면, 확률분포는 다음과 같다.

X	-4	-1	$+1$	$+2$	$+4$
$\mathrm{P}(X=x)$	$\frac{1}{4}\times\frac{4}{6}=\frac{1}{6}$	$\frac{2}{4}\times\frac{4}{6}+\frac{1}{4}\times\frac{2}{6}=\frac{5}{12}$	$\frac{1}{4}\times\frac{4}{6}=\frac{1}{6}$	$\frac{2}{4}\times\frac{2}{6}=\frac{1}{6}$	$\frac{1}{4}\times\frac{2}{6}=\frac{1}{12}$

기댓값 $\mathrm{E}(X)$는 다음과 같이 구할 수 있다.

$$\mathrm{E}(X)=(-4)\times\frac{1}{6}+(-1)\times\frac{5}{12}+1\times\frac{1}{6}+2\times\frac{1}{6}+4\times\frac{1}{12}=-\frac{1}{4}$$

정사면체 주사위 A와 정육면체 주사위 B를 함께 던지는 시행을 세 번 반복했을 때, 원점에서 시작한 점 P의 위치의 기댓값은 $\mathrm{E}(3X)$이므로 $\mathrm{E}(3X)=3\mathrm{E}(X)=-\frac{3}{4}$이다.

5. 2023학년도 한양대 수시 논술 (오전)

[문제 1] 다음 제시문을 읽고 물음에 답하시오. (50점)

그림과 같이 길이가 2인 선분 AB를 지름으로 하는 반원이 있다. 점 O는 선분 AB의 중점이다. 호 AB위의 한 점 R에서 선분 AB에 내린 수선의 발을 H라 하고, 점 H에서 선분 AR에 내린 수선의 발을 P라 하자.

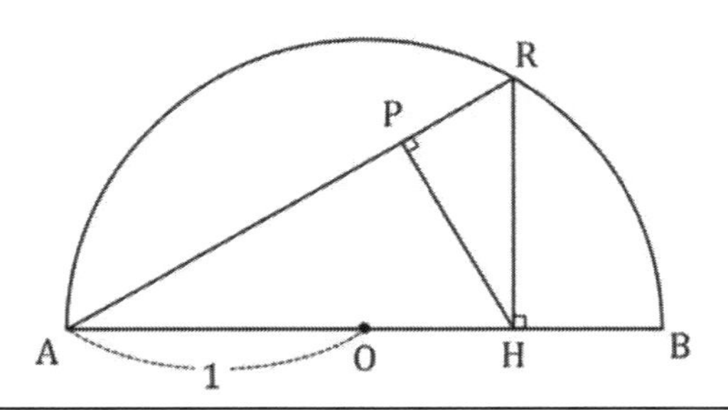

1. $\angle \mathrm{ROB}=\frac{\pi}{3}$일 때, $\overline{\mathrm{OP}}^2+\overline{\mathrm{BP}}^2$의 값을 구하시오.

오른쪽 그림에서

$\overline{\mathrm{AR}}^2=1^2+1^2-2\times1\times1\times\cos\frac{2\pi}{3}=3$**이다.**

$$\overline{\mathrm{AR}}=\sqrt{3},\ \overline{\mathrm{RH}}=\frac{\sqrt{3}}{2},\ \overline{\mathrm{PR}}=\frac{\sqrt{3}}{4}$$

이고 따라서

$\overline{\mathrm{AP}}=\sqrt{3}-\frac{\sqrt{3}}{4}=\frac{3}{4}\sqrt{3}$ **이다.**

$$\overline{\mathrm{OP}}^2=\overline{\mathrm{AP}}^2+\overline{\mathrm{OA}}^2-2\overline{\mathrm{AP}}\times\overline{\mathrm{OA}}\times\cos\frac{\pi}{6}=\left(\frac{3}{4}\sqrt{3}\right)^2+1^2-2\times\frac{3}{4}\sqrt{3}\times1\times\frac{\sqrt{3}}{2}=\frac{7}{16}$$

$$\overline{\mathrm{BP}}^2=\overline{\mathrm{AP}}^2+\overline{\mathrm{AB}}^2-2\overline{\mathrm{AP}}\times\overline{\mathrm{AB}}\times\cos\frac{\pi}{6}=\left(\frac{3}{4}\sqrt{3}\right)^2+2^2-2\times\frac{3}{4}\sqrt{3}\times2\times\frac{\sqrt{3}}{2}=\frac{19}{16}$$

따라서 $\overline{\mathrm{OP}}^2+\overline{\mathrm{BP}}^2=\frac{7}{16}+\frac{19}{16}=\frac{13}{8}$

답 : $\frac{13}{8}$

2. 점 R가 A에서 B까지 호 AB위를 움직일 때, 선분 OP의 길이의 최솟값을 구하시오.

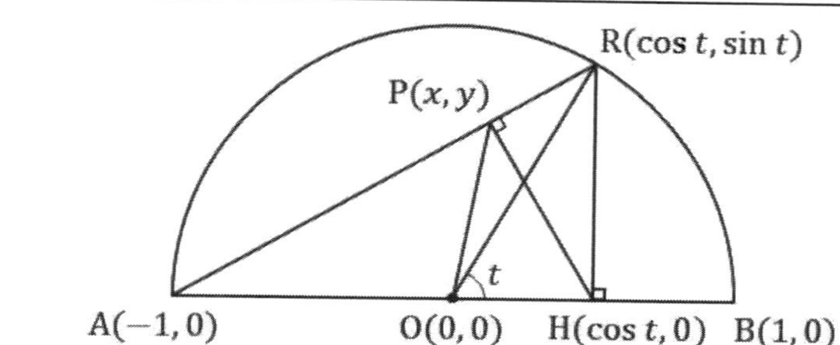

지름의 양 끝점이 A(−1, 0), B(1, 0)**가 되고, 호** AB**가** x**축 윗부분에 오도록 반원을 좌표평면에 두자.** $\angle \mathrm{ROB}=t\ (0 \le t \le \pi)$**라 하면,** R(cos$t$, sin$t$), H(cos$t$, 0)**이라 할 수 있다.**

$0<t<\pi$**일 때, 두 점** A(−1, 0), R(cos$t$, sin$t$)**를 지나는 직선의 방정식은**

$$y-0=\frac{\sin t-0}{\cos t-(-1)}(x-(-1))$$

이고, 점 H**를 지나고 선분** AR**에 수직인 직선의 방정식은**

$$y-0=-\frac{1+\cos t}{\sin t}(x-\cos t)$$

이다. 점 P**는 이 두 직선의 교점이므로 두 직선의 방정식을 연립해서 풀면, 점** P(x, y)**의 좌표는 아래와 같이 주어진다.**

$$\begin{cases} x=\frac{1}{2}(\cos^2 t+2\cos t-1) \\ y=\frac{1}{2}\sin t(1+\cos t) \end{cases}$$

($t=0$**이면** P=B, $t=\pi$**이면** P=A**이다.)**

따라서

$$\overline{\mathrm{OP}}=\sqrt{x^2+y^2}=\sqrt{\left(\frac{1}{2}(\cos^2 t+2\cos t-1)\right)^2+\left(\frac{1}{2}\sin t(1+\cos t)\right)^2}$$

$$=\sqrt{\frac{1}{2}(\cos^3 t+\cos^2 t-\cos t+1)}$$

이고, $f(t)=\cos^3 t+\cos^2 t-\cos t+1$**이라 하면,** $f'(t)=-\sin t(\cos t+1)(3\cos t-1)$**이고,**

$0 \le t \le \pi$**일 때** $-1 \le \cos t \le 1$**이므로, 오른쪽 표에서** $f(t)$**의 최솟값은** $t=\alpha$, $\cos\alpha=\frac{1}{3}$**일 때,**

$f(t)=\frac{22}{27}$**이다.**

따라서 구하는 $\overline{\mathrm{OP}}$**의 최솟값은** $\sqrt{\frac{1}{2}\times\frac{22}{27}}=\frac{\sqrt{11}}{3\sqrt{3}}=\frac{\sqrt{33}}{9}$ **이다**

t	0	$\cdots$	α	$\cdots$	π
$\cos t$	1	$\cdots$	$\frac{1}{3}$	$\cdots$	-1
$f'(t)$	0	-	0	+	0
$f(t)$	2	↘	$\frac{22}{27}$	↗	2

답 : $\frac{\sqrt{33}}{9}$

3.점 R가 A에서 B까지 호 AB위를 움직일 때, 점 P가 이루는 곡선과 선분 AB로 둘러싸인 도형을 밑면으로 하는 입체도형이 있다. 이 입체도형을 선분 AB에 수직인 평면으로 자른 단면이 모두 정사각형일 때, 이 입체도형의 부피를 구하시오.

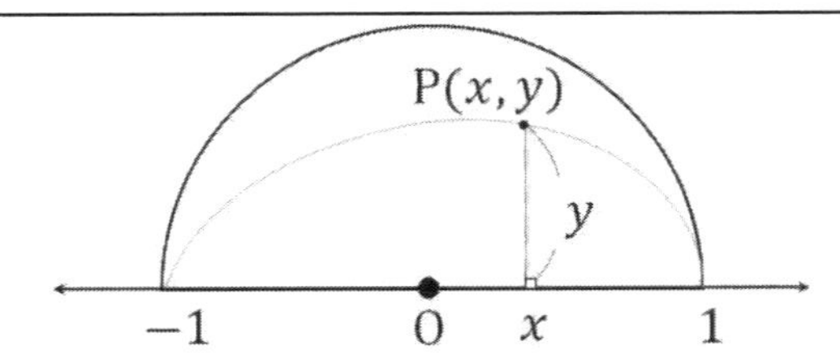

$2\int_{-1}^{1} y^2 dx = \int_{-1}^{1} \sqrt{2}(1+x)^{\frac{3}{2}} dx - \int_{-1}^{1}(1+x)^2 dx = \left[\frac{2\sqrt{2}}{5}(1+x)^{\frac{5}{2}} - \frac{1}{3}(1+x)^3\right]_{-1}^{1} = \frac{8}{15}$ **번에서 구한** $\mathrm{P}(x,\ y)$**의 좌표로부터,** $\cos t = -1+\sqrt{2+2x}$ **이고,**

이다. $-1 \le x \le 1$**이므로 구하는 부피는**

$$y^2 = \left(\frac{1}{2}\sin t(1+\cos t)\right)^2 = \frac{1}{4}(1-\cos t)(1+\cos t)^3$$
$$= \frac{1}{4}(2-\sqrt{2+2x})(\sqrt{2+2x})^3 = \sqrt{2}(1+x)^{\frac{3}{2}} - (1+x)^2$$

이다.

답 : $\frac{8}{15}$

[문제 2] 다음 물음에 답하시오. (50점)

1.수열 $\{a_n\}$은 모든 자연수 n에 대하여 $\frac{a_n}{n+1} = \int_0^{\beta} \sin^n x \cos x dx$를 만족시킨다. $\sum_{n=1}^{\infty} a_n = \frac{1}{6}$일 때, $\tan\beta$의 값을 구하시오. (단, $0 < \beta < \frac{\pi}{2}$)

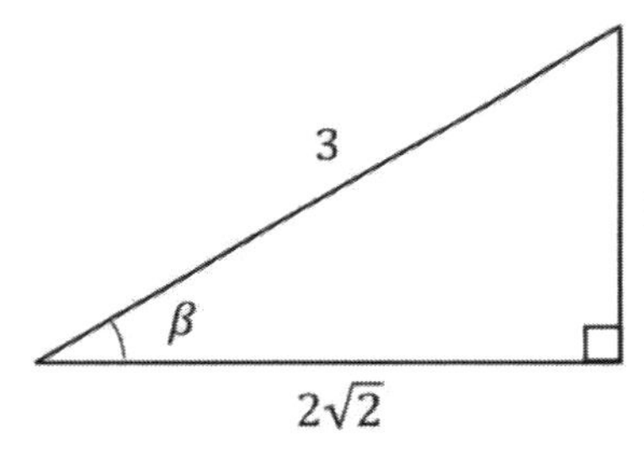

$t = \sin x$**로 놓으면** $\frac{dt}{dx} = \cos x$**이고,** $x=0$**일 때** $t=0$, $x=\beta$**일 때** $t=\sin\beta$**이므로**

$\frac{a_n}{n+1} = \int_0^{\beta}(\sin x)^n \cos x dx = \int_0^{\sin\beta} t^n dt = \frac{(\sin\beta)^{n+1}}{n+1}$ **이기에** $a_n = (\sin\beta)^{n+1}$**을 얻는다. 수열** $\{a_n\}$**은 첫째항이** $(\sin\beta)^2$**이고 공비가** $\sin\beta$**인 등비수열이다. 주어진** $0<\beta<\pi/2$**에서**

$0 < \sin\beta < 1$**이므로 주어진 등비급수는 수렴하고, 그 합은** $\frac{(\sin\beta)^2}{1-\sin\beta}$**이다.**

$\frac{(\sin\beta)^2}{1-\sin\beta} = \frac{1}{6} \Rightarrow 6(\sin\beta)^2 = 1-\sin\beta$, $y=\sin\beta$**라고 할 때,** $6y^2+y-1=(3y-1)(2y+1)=0$**이 성립하는** $y=\frac{1}{3}$**, 즉,** $\sin\beta = \frac{1}{3}$.

그러므로 $\tan\beta = \frac{1}{2\sqrt{2}} = \frac{\sqrt{2}}{4}$.

답 : $\frac{\sqrt{2}}{4}$

2. 평균이 m, 표준편차가 σ인 정규분포를 따르는 모집단에서 크기가 n인 표본을 임의추출할 때, 표본평균을 $\overline{X}$라 하자. 이 모집단의 확률변수를 X라 할 때, 두 확률변수 X, $\overline{X}$가 다음 세 조건을 만족시킨다. 이때, $m+\sigma+n$의 값을 구하시오. (단, Z가 표준정규분포를 따르는 확률변수일 때,

$\mathrm{P}(0 \le Z \le 1.5)=0.4332$, $\mathrm{P}(0 \le Z \le 2.0)=0.4772$, $\mathrm{P}(0 \le Z \le 2.5)=0.4938$로 계산한다.)

(가) $\mathrm{P}(X \ge 8)+\mathrm{P}(\overline{X} \ge 8)=1$

(나) $\mathrm{P}(X \ge 12)+\mathrm{P}(\overline{X} \ge 7.5)=1$

(다) 표본평균의 값이 $\overline{x}$일 때, m에 대한 신뢰도 95.44%의 신뢰구간이 $\overline{x}-1 \le m \le \overline{x}+1$이다.

모집단의 확률변수 X가 정규분포 $\mathrm{N}(m,\ \sigma^2)$을 따르므로 크기가 n인 표본의 표본평균 $\overline{X}$는 $\mathrm{N}\left(m,\ \dfrac{\sigma^2}{n}\right)$을 따른다. 정규분포의 확률밀도함수 $f(x)$의 그래프는 직선 $x=m$에 대하여 좌우 대칭인 종 모양의 곡선이다. 조건 (가)에서 $\mathrm{P}(X \ge 8)+\mathrm{P}(\overline{X} \ge 8)=1$이므로 $m=8$이다.

두 확률변수 $Z_1=\dfrac{X-8}{\sigma}$, $Z_2=\dfrac{\overline{X}-8}{\sigma/\sqrt{n}}$은 모두 표준정규분포 $\mathrm{N}(0,\ 1)$을 따르고 확률밀도함수 $f(z)$의 그래프는 직선 $z=0$에 대하여 좌우 대칭인 종 모양의 곡선이다. 조건 (나)에서 $\mathrm{P}(X \ge 12)+\mathrm{P}(\overline{X} \ge 7.5)=1$이므로 $\mathrm{P}\left(Z_1 \ge \dfrac{12-8}{\sigma}\right)+\mathrm{P}\left(Z_2 \ge \dfrac{7.5-8}{\sigma/\sqrt{n}}\right)=1$이다. 즉, $\dfrac{4}{\sigma}=\dfrac{0.5\sqrt{n}}{\sigma}$이므로 $n=64$이다.

m에 대한 신뢰도 95.44%의 신뢰구간은 $\overline{x}-2\times\dfrac{\sigma}{\sqrt{64}} \le m \le \overline{x}+2\times\dfrac{\sigma}{\sqrt{64}}$이고 조건 (다)에서 $\overline{x}-1 \le m \le \overline{x}+1$이므로 $2\times\dfrac{\sigma}{\sqrt{64}}=1$이 다. 즉, $\sigma=4$이다. 따라서 $m+\sigma+n=8+4+64=76$이다.

답 : 76

3. 평평한 면과 둥근 면이 나올 확률이 각각 p, $1-p$인 윷짝 한 개를 2023번 던졌을 때, 평평한 면이 나온 횟수가 짝수일 확률을 p에 대한 식으로 나타내시오. (단, 0은 짝수이다.)

이항정리를 이용하여 $\{p+(1-p)\}^{2023}$와 $\{p+(p-1)\}^{2023}$을 각각 전개하면 다음과 같다.

$$\{p+(1-p)\}^{2023}=\sum_{k=0}^{2023} {}_{2023}\mathrm{C}_k p^k (1-p)^{2023-k}$$

$$\{p+(p-1)\}^{2023}=\sum_{k=0}^{2023} {}_{2023}\mathrm{C}_k p^k (p-1)^{2023-k}=\sum_{k=0}^{2023} {}_{2023}\mathrm{C}_k p^k (1-p)^{2023-k}(-1)^{2023-k}$$

여기서 $(-1)^{2023-k}$의 값은 k가 홀수이면 1, k가 짝수이면 -1을 가진다.

이 때 $\{p+(1-p)\}^{2023}-\{p+(p-1)\}^{2023}$을 계산하면

$$1-(2p-1)^{2023}=\sum_{k=0}^{2023} {}_{2023}\mathrm{C}_k p^k (1-p)^{2023-k}-\sum_{k=0}^{2023} {}_{2023}\mathrm{C}_k p^k (1-p)^{2023-k}(-1)^{2023-k}$$

$$=2\sum_{j=0}^{1011} {}_{2023}\mathrm{C}_{2j} p^{2j} (1-p)^{2023-2j}$$

이 된다. 즉, $1-(2p-1)^{2023}=2\sum_{j=0}^{1011}{}_{2023}\mathrm{C}_{2j}p^{2j}(1-p)^{2023-2j}$는 윷짝 한 개를 2023번을 던졌을 때 평평한 면이 나온 횟수가 짝수일 확률의 2배와 같다. 따라서 구하고자 하는 확률은 $\frac{1}{2}-\frac{(2p-1)^{2023}}{2}$ 또는 $\frac{1}{2}+\frac{(1-2p)^{2023}}{2}$이다.

답 : $\frac{1}{2}-\frac{(2p-1)^{2023}}{2}$ 또는 $\frac{1}{2}+\frac{(1-2p)^{2023}}{2}$

6. 2023학년도 한양대 수시 논술 (오후 1)

[문제 1] 다음 제시문을 읽고 물음에 답하시오. (50점)

<가> 함수 $f(x)$는 다음 조건을 만족시킨다.

$$f(x)=\int_0^x (xt-t^2)e^{x-t}dt$$

<나> 함수 $g(x)$는 다음 조건을 만족시킨다.

① $g(0)=0$

② $e^{-x}\int_0^x g'(t)dt=\int_0^x e^{-t}g'(t)dt-x\sin(2\pi x)$

1. 제시문 <가>에서 주어진 곡선 $y=f(x)$의 오목과 볼록을 조사하고 변곡점의 좌표를 구하시오.

$f(0)=0$이다. $s=x-t$라 놓으면, $\frac{ds}{dt}=-1$이고,

$$f(x)=\int_x^0 (x-s)se^s(-1)ds=\int_0^x (x-s)se^s ds=\int_0^x xse^s ds-\int_0^x s^2e^s ds.$$

$f(x)$를 x로 미분을 하면,

$$f'(x)=\frac{d}{dx}\left[x\int_0^x se^s ds-\int_0^x s^2e^s ds\right]=\int_0^x se^s ds+x^2e^x-x^2e^x=\int_0^x se^s ds$$

이고 $f'(0)=0$이다.

$f'(x)$를 한번 더 x에 대하여 미분하면, $f''(x)=xe^x$이고 $f''(0)=0$이다. 함수의 오목과 볼록을 조사하기 위해서, $x<0$일 때 $f''(x)<0$이고 $x>0$일 때 $f''(x)>0$이다. 따라서, 열린구간 $(-\infty,\ 0)$에서 위로 볼록하고, 열린구간 $(0,\ \infty)$에서 아래로 볼록하다. 변곡점의 판정으로 $f''(0)=0$이고, $x=0$좌 우에서 $f''(x)$의 부호가 달라졌기에 점 $(0,\ f(0))$는 주어진 곡선의 변곡점이다.

2. 제시문 <가>에서 주어진 곡선 $y=f(x)$위의 점 $(0,\ f(0))$에서의 접선을 l_1, 점 $(2,\ f(2))$에서의 접선을 l_2라고 하자. 곡선 $y=f(x)$와 두 직선 l_1, l_2로 둘러싸인 도형의 넓이를 구하시오.

$$f(x)=xe^x\int_0^x te^{-t}dt-e^x\int_0^x t^2e^{-t}dt$$

$$A=xe^x\int_0^x te^{-t}dt,\ B=e^x\int_0^x t^2e^{-t}dt$$

라고 하자.

$$\begin{aligned} A &= xe^x \int_0^x te^{-t}dt = xe^x \left[(-1)te^{-t}\right]_0^x - \int_0^x (-1)e^{-t}dt \\ &= xe^x \left[-xe^{-x} + \int_0^x e^{-t}dx\right] = xe^x\left[-xe^{-x} - e^{-x} + 1\right] \\ &= -x^2 - x + xe^x \end{aligned}$$

이고,

$$\begin{aligned} B &= e^x \int_0^x t^2e^{-t}dt = e^x\left[(-1)t^2e^{-t}\right]_0^x - \int_0^x (2t)(-1)e^{-t}dt \\ &= e^x\left[-x^2e^{-x} + 2\int_0^x te^{-t}dt\right] = e^x\left[-x^2e^{-x} + 2\left\{\left[(-1)te^{-t}\right]_0^x + \int_0^x e^{-t}dt\right\}\right] \\ &= e^x\left[-x^2e^{-x} + 2(-xe^{-x} - e^{-x} + 1)\right] = -x^2 - 2x - 2 + 2e^x \end{aligned}$$

따라서,

$$\begin{aligned} f(x) &= (-x^2 - x + xe^x) - (-x^2 - 2x - 2 + 2e^x) \\ &= xe^x - 2e^x + x + 2 \\ f'(x) &= xe^x - e^x + 1 \end{aligned}$$

이다.

곡선 $y = f(x)$**위의 점** $(0,\ 0)$**에서의 접선의 기울기는** $f'(0) = 0$**이므로 접선** l_1**의 방정식은** $y = 0$ **이다. 곡선** $y = f(x)$**위의 점** $(2,\ 4)$**에서의 접선의 기울기는** $f'(2) = e^2 + 1$**이므로 접선** l_2**의 방정식은** $y = (e^2+1)x - 2(e^2-1)$**이다.**

$$f(x) - \{(e^2+1)x - 2(e^2-1)\} = xe^x - 2e^x + x + 2 - (e^2+1)x + 2(e^2-1) = (x-2)(e^x - e^2) \geq 0$$

이므로 곡선 $f(x)$**는 접선** l_2**보다 항상 위에 있다.**

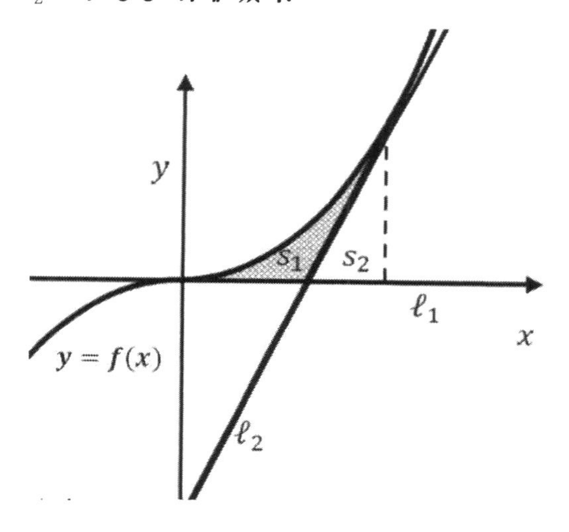

영역 $S_1 + S_2$**는**

$$S_1 + S_2 = \int_0^2 f(x)dx = \int_0^2 (xe^x - 2e^x + x + 2)dx = \left[xe^x - 3e^x + \frac{1}{2}x^2 + 2x\right]_0^2 = 9 - e^2$$

l_2**의** x**절편이** $\dfrac{2(e^2-1)}{e^2+1}$ **이므로 삼각형** S_2**의 넓이는**

$$\left(2 - \frac{2(e^2-1)}{e^2+1}\right) \times 4 \times \frac{1}{2} = 4 - \frac{4(e^2-1)}{e^2+1}$$

따라서 구하고자 하는 영역 S_1의 넓이는

$$(S_1+S_2)-S_2=(9-e^2)-\left(4-\frac{4(e^2-1)}{e^2+1}\right)=5-e^2+\frac{4(e^2-1)}{e^2+1}=9-e^2-\frac{8}{e^2+1}=\frac{-e^4+8e^2+1}{e^2+1}$$

답: $5-e^2+\frac{4(e^2-1)}{e^2+1}$ 또는 $\frac{-e^4+8e^2+1}{e^2+1}$

3. 제시문 <나>에서 주어진 함수 $g(x)$에 대하여, $\int_0^{2023} g(x)dx < 4046\pi e^{2023}$이 성립함을 보이시오.

양변을 x에 대해 미분하면

$$-e^{-x}\int_0^x g'(t)dt+e^{-x}g'(x)=e^{-x}g'(x)-\sin(2\pi x)-2\pi x\cos(2\pi x)$$

$g(0)=0$이고,

$$g(x)-g(0)=e^x[\sin(2\pi x)+2\pi x\cos(2\pi x)]$$

$$\Rightarrow g(x)=e^x[\sin(2\pi x)+2\pi x\cos(2\pi x)]$$

모든 양의 실수 x에 대해 $\sin(2\pi x)\le 1$, $\cos(2\pi x)\le 1$이므로

$$\sin(2\pi x)+2\pi x\cos(2\pi x)\le 1+2\pi x$$

이다. 그러므로 $g(x)=e^x\{\sin(2\pi x)+2\pi x\cos(2\pi x)\}\le e^x(1+2\pi x)$이다.

$$\int_0^{2023} g(x)dx\le\int_0^{2023} e^x(1+2\pi x)dx=\int_0^{2023} e^x dx+2\pi\int_0^{2023} xe^x dx$$

$$=\left[e^x\right]_0^{2023}+2\pi\left(\left[xe^x\right]_0^{2023}-\int_0^{2023} e^x dx\right)$$

$$=e^{2023}-1+2\pi(2023e^{2023}-e^{2023}+1)$$

$$=4046\pi e^{2023}+(1-2\pi)(e^{2023}-1)$$

$(1-2\pi)(e^{2023}-1)<0$이므로

$$\int_0^{2023} g(x)dx\le 4046\pi e^{2023}+(1-2\pi)(e^{2023}-1)<4046\pi e^{2023}$$

[문제 2] 다음 물음에 답하시오. (50점)

1. 아래 그림과 같이 한 모서리의 길이가 1인 정육면체의 모서리 AD위에 $\overline{AP}\le\overline{PD}$를 만족시키는 점 P가 있다. 삼각형 PBH의 넓이가 $\frac{\sqrt{7}}{4}$일 때, 삼각형 PBH의 평면 EFGH위로의 정사영의 넓이를 구하시오.

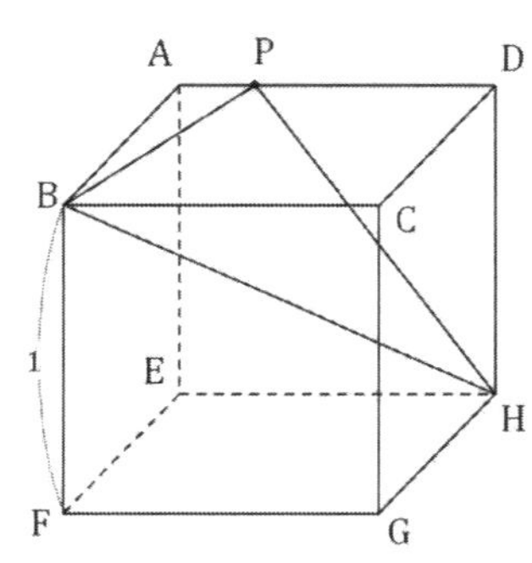

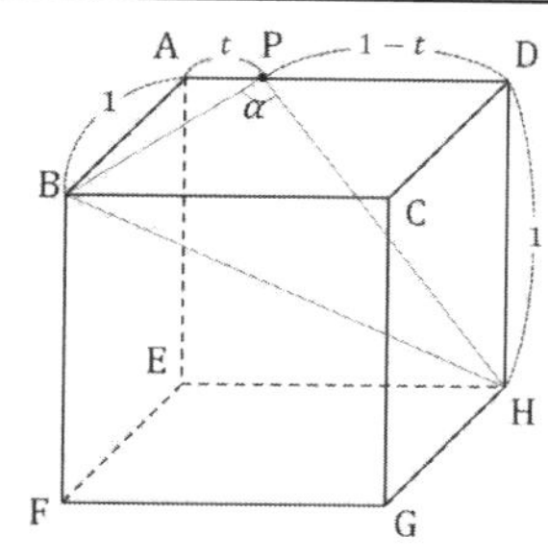

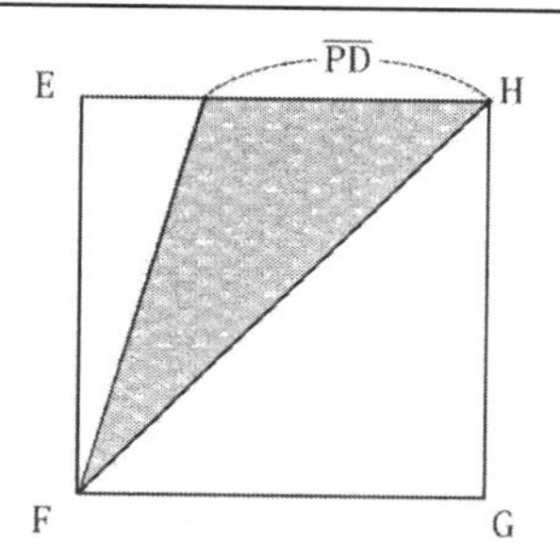

그림과 같이 $\overline{\mathrm{AP}}=t\left(0 \le t \le \frac{1}{2}\right)$**라 하면,**

$\overline{\mathrm{PB}}=\sqrt{t^2+1}$, $\overline{\mathrm{PH}}=\sqrt{(1-t)^2+1}=\sqrt{t^2-2t+2}$ **이다.**

$\angle \mathrm{BPH}=\alpha$**라 하면, 삼각형** BPH**에서**

$\overline{\mathrm{BH}}^2=\overline{\mathrm{PB}}^2+\overline{\mathrm{PH}}^2-2\times\overline{\mathrm{PB}}\times\overline{\mathrm{PH}}\times\cos\alpha$**이고 정리하면**

$\cos\alpha=\dfrac{t^2-t}{\sqrt{t^2+1}\sqrt{t^2-2t+2}}$ **이다. 삼각형** BPH**의 넓이는**

$$\frac{\sqrt{7}}{4}=\frac{1}{2}\times\overline{\mathrm{PB}}\times\overline{\mathrm{PH}}\times\sin\alpha=\frac{1}{2}\sqrt{t^2+1}\sqrt{t^2-2t+2}\sqrt{1-\cos^2\alpha}=\sqrt{\frac{t^2-t+1}{2}}$$

이고, 이로부터 $t=\dfrac{2-\sqrt{2}}{4}\left(0 \le t \le \dfrac{1}{2}\right)$**를 구한다.**

따라서 정사영의 넓이는 $\dfrac{1}{2}\times 1\times\overline{\mathrm{PD}}=\dfrac{2+\sqrt{2}}{8}$ **이다**

답 : $\dfrac{2+\sqrt{2}}{8}$

2. 3개의 바구니 X, Y, Z 각각에 1부터 n까지 자연수가 각각 하나씩 적힌 공 n개가 들어 있다. 각 바구니에서 공을 하나씩 꺼냈을 때, X, Y, Z에서 나온 공에 적힌 세 수를 각각 x, y, z라 하자. x, y, z가 삼각형의 세 변의 길이가 되는 모든 순서쌍 (x, y, z)의 개수를 A_n이라 할 때, $A_{n+1}-A_n$을 n에 대한 식으로 나타내시오.

공을 꺼내어 얻은 세 숫자를 x, y, z**라 하자. 그러면** $A_{n+1}-A_n$**는** x, y, z**가 삼각형의 세 변의 길이가 되면서 그 중 적어도 하나가** $n+1$**인 경우의 수와 같다. 먼저** $x=n+1$**이고** y, $z \le n$**이라 가정하자. 만약** $y=1$**이면 조건을 만족하는** z**를 고를 수 없고,** $a>1$**인 각** $y=a$**마다** z**를** $a-1$**개의 숫자** $n-a+2$, $n-a+3$, $\cdots$, n**중에서 고르면 충분하다.**

따라서 이 경우 $\sum_{a=2}^{n}(a-1)=\sum_{a=1}^{n-1}a=\dfrac{n(n-1)}{2}$**만큼의 가짓수가 있다. 대칭적으로 생각하면** y**만** $n+1$**이거나** z**만** $n+1$**인 경우의 수도 이와 같다. 만약 두 숫자** x, y**가 모두** $n+1$**이고** $z \le n$**이라면,** z**는** 1**부터** n**중 어느 숫자여도** x, y, z**가 삼각형의 세 변이 된다. 이와 대칭적인 경우들도 모두 따져 보면 합쳐서** $3n$**가지 경우의 수가 된다. 마지막으로** $x=y=z=n+1$**의 경우도 세어주면 관계식**

$A_{n+1}-A_n=\dfrac{3n(n-1)}{2}+3n+1=\dfrac{3n(n+1)}{2}+1$**을 얻는다.**

답 : $A_{n+1}-A_n=\dfrac{3n(n+1)}{2}+1$

3. 함수 $f(x) = x^{-\frac{2}{3}}(x+1)$은 $x > 1$인 범위에서 1.9보다 작은 최솟값을 갖는다. 이를 이용하여 3의 배수인 자연수 n에 대해 $\sum_{k=0}^{\frac{n}{3}} {}_{\mathrm{n}}\mathrm{C}_k < 1.9^n$이 성립함을 보이시오.

대칭성에 의해 $\sum_{k=0}^{n/3} {}_nC_k = \sum_{k=0}^{n/3} {}_nC_{n-k} = \sum_{k=2n/3}^{n} {}_nC_k$임을 알 수 있다. 모든 $x > 1$에 대해 $\sum_{k=2n/3}^{n} {}_nC_k \le \sum_{k=2n/3}^{n} {}_nC_k x^{k-2n/3}$이 성립하므로

$\sum_{k=2n/3}^{n} {}_nC_k \le \sum_{k=2n/3}^{n} {}_nC_k x^{k-2n/3} \le \sum_{k=0}^{n} {}_nC_k x^{k-2n/3} = x^{-2n/3} \sum_{k=0}^{n_n} {}_nC_k x^k = \left(\frac{1+x}{x^{2/3}}\right)^n$을 얻는다.

$A = \left(\sum_{k=0}^{n/3} {}_nC_k\right)^{1/n}$라 하자. $f(x)$는 아래 그림과 같이 $x = 2$에서 1.9보다 작은 최솟값을 갖고, $x > 1$범위에서 항상 A보다 크기 때문에 $A < f(2) < 1.9$임을 알 수 있다.

그러므로 $\sum_{k=0_n}^{n/3} C_k < 1.9^n$임이 증명된다.

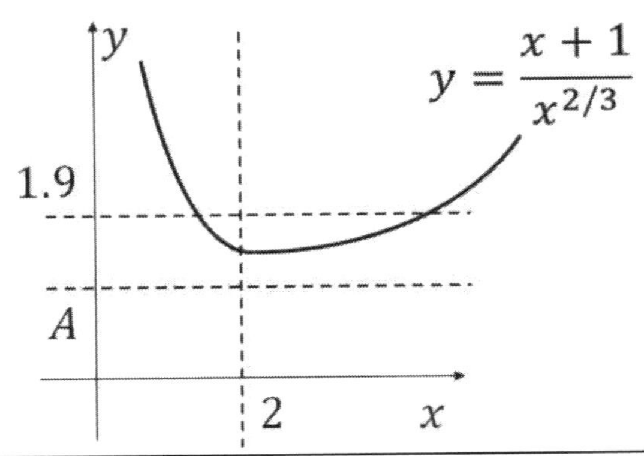

7. 2023학년도 한양대 수시 논술 (오후 2)

[문제 1] 다음 제시문을 읽고 물음에 답하시오. (50점)

<가> 자연수 n에 대하여 $a_n = \sum_{k=0_{3n}}^{n} C_{3k}$이다.

<나> 정수 n과 k가 $0 \le k < n$을 만족시킬 때, ${}_n\mathrm{C}_k + {}_n\mathrm{C}_{k+1} = {}_{n+1}\mathrm{C}_{k+1}$이 성립한다.

1. 정수 n과 k가 $1 \le k \le n$을 만족시킬 때, 제시문 <나>를 이용하여

$${}_{3n+3}\mathrm{C}_{3k} = {}_{3n}\mathrm{C}_{3k-3} + 3 \times {}_{3n}\mathrm{C}_{3k-2} + 3 \times {}_{3n}\mathrm{C}_{3k-1} + {}_{3n}\mathrm{C}_{3k}$$

가 성립함을 보이시오.

제시문 <나>에 의해 ${}_nC_k + {}_nC_{k+1} = {}_{n+1}C_{k+1}$이다. 이를 이용하면

$$\begin{aligned} {}_{3n+3}C_{3k} &= {}_{3n+2}C_{3k-1} + {}_{3n+2}C_{3k} \\ &= {}_{3n+1}C_{3k-2} + 2 \times {}_{3n+1}C_{3k-1} + {}_{3n+1}C_{3k} \\ &= {}_{3n}C_{3k-3} + 3 \times {}_{3n}C_{3k-2} + 3 \times {}_{3n}C_{3k-1} + {}_{3n}C_{3k} \end{aligned}$$

를 얻는다.

2. 자연수 n에 대해 $a_{n+1} = 2 + \sum_{k=1}^{n} {}_{3n+3}\mathrm{C}_{3k}$를 이용하여 $a_n + a_{n+1} = 3 \times 2^{3n}$이 성립함을 보이시오.

1번의 결과를 이용하면

$$a_{n+1} + a_n = 2 + \sum_{k=1}^{n} {}_{3n+3}C_{3k} + \sum_{k=0}^{n} {}_{3n}C_{3k}$$

$$= 2 + \sum_{k=1}^{n} \left({}_{3n}C_{3k-3} + 3 \times {}_{3n}C_{3k-2} + 3 \times {}_{3n}C_{3k-1} + {}_{3n}C_{3k}\right) + \sum_{k=0}^{n} {}_{3n}C_{3k}$$

$$= 2 + \sum_{k=1}^{n} \left({}_{3n}C_{3k-3} + 3 \times {}_{3n}C_{3k-2} + 3 \times {}_{3n}C_{3k-1}\right) + 2\sum_{k=0}^{n} {}_{3n}C_{3k} - 1$$

$$= 2 + \sum_{k=1}^{n} \left(3 \times {}_{3n}C_{3k-2} + 3 \times {}_{3n}C_{3k-1}\right) + 3\sum_{k=0}^{n} {}_{3n}C_{3k} - 2$$

$$= \sum_{k=1}^{n} \left(3 \times {}_{3n}C_{3k-2} + 3 \times {}_{3n}C_{3k-1}\right) + 3\sum_{k=0}^{n} {}_{3n}C_{3k}$$

$$= 3\sum_{k=0}^{3n} {}_{3n}C_{k}$$

$$= 3 \times 2^{3n}$$

를 얻는다.

3. $\sum_{k=1}^{100} {}_{300}\mathrm{C}_{3k-1}$의 값을 구하시오.

수열 $\left\{(-1)^{n+1}(a_n + a_{n+1})\right\}$**이 등비수열이다.**

$$a_1 + a_{100} = (a_1 + a_2) - (a_2 + a_3) + \cdots - (a_{98} + a_{99}) + (a_{99} + a_{100})$$

$$= \sum_{k=1}^{99} (-1)^{k+1}(3 \times 2^{3k})$$

$$= \frac{24(1-(-8)^{99})}{1-(-8)} = \frac{8}{3}(8^{99}+1)$$

$a_1 = 2$**이므로**

$a_{100} = \frac{8}{3}(8^{99}+1) - 2 = \frac{1}{3}(8^{100}+2)$**이다.**

대칭성에 의해 $\sum_{k=1}^{100} {}_{300}C_{3k-1} = \sum_{k=1}^{100} {}_{300}C_{3k-2}$**이므로**

$\sum_{k=1}^{100} {}_{300}C_{3k-1} = \frac{1}{2}(8^{100} - a_{100}) = \frac{1}{2}\left(\frac{2}{3}8^{100} - \frac{2}{3}\right) = \frac{1}{3}(8^{100}-1)$**이다.** **답 :** $\frac{1}{3}(8^{100}-1)$

[문제 2] 다음 물음에 답하시오. (50점)

1. 함수 $f(x) = \frac{\ln(x+a)}{x+a}$에 대하여 방정식 $(f \circ f)(x) = \frac{1}{e}$이 서로 다른 두 실근을 갖도록 하는 실수 a의 범위를 구하시오. (단, $\lim_{x\to\infty} \frac{\ln x}{x} = 0$)

2. 미분가능한 함수 $f(x)$가 네 조건

함수 $f(x)=\dfrac{\ln(x+\alpha)}{x+\alpha}$ 을 미분하면 $f'(x)=\dfrac{1}{(x+\alpha)^2}(1-\ln(x+\alpha))$를 얻는다. 따라서 도함수 $f'(x)$는 $-\alpha<x<e-\alpha$범위에서 양수, $x>e-\alpha$범위에서 음수, $x=e-\alpha$에서는 0이 되며, $f(x)$는 $x=e-\alpha$에서 최댓값 $\dfrac{1}{e}$를 갖는다. 함수 $f(x)$는 $x>-\alpha$범위에서만 정의되고 x가 $-\alpha$로 가까이 갈수록 음의 무한대로 발산하므로, 문제에 주어진 $\lim_{x\to\infty}\dfrac{\ln x}{x}=0$과 종합하여 $f(x)$의 개형을 그려 보면 아래와 같은 그림을 얻는다.

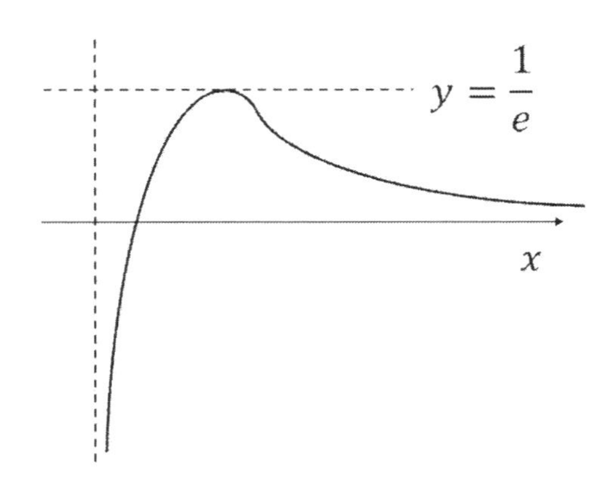

그러므로 $(f\circ f)(x)=\dfrac{1}{e}$이라면 $f(x)=e-\alpha$인데, $f(x)=t$인 x가 정확히 두 개가 되는 것은 $0<t<\dfrac{1}{e}$에서만 가능하다. 그러므로 $0<e-\alpha<\dfrac{1}{e}$이고, 이것은 $e-\dfrac{1}{e}<\alpha<e$과 동치이다.

답 : $e-\dfrac{1}{e}<\alpha<e$

$$f'(1)<0,\quad f'(-1)>0,\quad f'(-1)-f'(1)=23,\quad f(1)=f(-1)=0$$

을 만족시킨다. 곡선 $y=f(x)$위의 점 A$(-1,\ 0)$에서의 접선과 점 B$(1,\ 0)$에서의 접선의 교점을 P, 삼각형 APB의 넓이를 S라 할 때, $\cot(\angle \mathrm{APB})$를 S에 대한 식으로 나타내시오.

$f'(-1)=a$, $f'(1)=-b$로 놓자. 그러면 곡선 $y=f(x)$위의 점 A$(-1,\ 0)$과 B$(1,\ 0)$에서의 접선의 방정식은 각각 $y=a(x+1)$, $y=-b(x-1)$로 주어지는데, 이를 연립하면 교점의 좌표 $\left(\dfrac{b-a}{a+b},\ \dfrac{2ab}{a+b}\right)$를 얻는다. 따라서 $S=\dfrac{2ab}{a+b}$임을 알 수 있다. $f(x)$의 두 접선이 x축과 이루는 예각 $\angle \mathrm{PAB}$와 $\angle \mathrm{PBA}$를 각각 α와 β라 하면, $a=\tan\alpha$, $b=\tan\beta$임을 알 수 있다. 이제 $\theta=\angle \mathrm{APB}$라 하면 $\theta=\pi-\alpha-\beta$이고,
따라서

$$\tan\theta=\tan(\pi-\alpha-\beta)=-\tan(\alpha+\beta)=\frac{\tan\alpha+\tan\beta}{\tan\alpha tan\beta-1}=\frac{a+b}{ab-1}$$

이다. 그러므로

$$\cot\theta=\frac{ab}{a+b}-\frac{1}{a+b}=\frac{S}{2}-\frac{1}{23}$$

이 된다.

답 : $\cot\theta=\dfrac{S}{2}-\dfrac{1}{23}$

3. 높이가 1인 정삼각형 ABC의 꼭짓점 A를 중심으로 하고 변 BC에 접하는 원이 있다. 오른쪽 그림과 같이 이 원을 직선 BC에 접한 채 거리 t만큼 $(0<t<1)$평행 이동한 원과 변 AB, 변 AC로 둘러싸인 도형의 넓이를 $f(t)$라고 하자. 이때 도함수 $f'(t)$를 구하시오.

원의 방정식은 $(x-t)^2+(y-1)^2=1$**이고 직선 AB과 AC의 방정식은 각각**

$$y=\sqrt{3}x+1,\ y=-\sqrt{3}x+1$$

로 주어진다. 이를 연립하여 원과 직선 AB, AC가 각각 만나는 두 점 $P(x_1,\ y_1)$, $Q(x_2,\ y_2)$**를 구하려면 이차방정식** $(x-t)^2+(\sqrt{3}x)^2=1$**을 풀어야 하며, 그 결과로**

$$x_1=\frac{1}{4}\left(t-\sqrt{4-3t^2}\right),\ x_2=\frac{1}{4}\left(t+\sqrt{4-3t^2}\right)$$

를 얻는다. 그러므로 $y_1=1+\frac{\sqrt{3}}{4}\left(t-\sqrt{4-3t^2}\right)$, $y_2=1-\frac{\sqrt{3}}{4}\left(t+\sqrt{4-3t^2}\right)$**임을 알 수 있다. 이제 선분 PQ의 길이를 계산해 보면**

$$\sqrt{(x_1-x_2)^2+(y_1-y_2)^2}=\sqrt{\left(\frac{\sqrt{4-3t^2}}{2}\right)^2+\left(\frac{\sqrt{3}t}{2}\right)^2}=1$$

이 되므로, 호 PQ와 현 PQ사이 영역의 넓이는 t**와 관계없이 항상 상수** C**로 일정하다. 삼각형 APQ의 넓이는** $\frac{1}{2}\overline{AP}\times\overline{AQ}\times\sin(\angle PAQ)=\frac{\sqrt{3}}{4}\overline{AP}\times\overline{AQ}$**로 주어지는데,**

$$\overline{AP}^2=x_1^2+(y_1-1)^2=\frac{1}{4}\left(t-\sqrt{4-3t^2}\right)^2,\ \overline{AQ}^2=x_2^2+(y_2-1)^2=\frac{1}{4}\left(t+\sqrt{4-3t^2}\right)^2$$

이므로

$\overline{AP}\times\overline{AQ}=-\frac{1}{4}\left(t-\sqrt{4-3t^2}\right)\left(t+\sqrt{4-3t^2}\right)=1-t^2$**이 된다. 따라서** $f(t)=\frac{\sqrt{3}}{4}(1-t^2)+C$**이고,**

$f'(t)=-\frac{\sqrt{3}}{2}t$**를 얻는다.**

답 : $f'(t)=-\frac{\sqrt{3}}{2}t$

8. 2023학년도 한양대 모의 논술

[문제 1] 다음 제시문을 읽고 물음에 답하시오. (50점)

평면 위의 삼각형 ABC의 세 변의 길이의 비가 $\overline{AB}:\overline{BC}:\overline{CA}=2:1:2$이다.

1. $\left|\overrightarrow{AB}+\frac{3}{2}\overrightarrow{BC}\right|=2$인 경우 $\overline{AB}$의 값을 구하시오.

$\left(\overrightarrow{AB}+\frac{3}{2}\overrightarrow{BC}\right)\cdot\left(\overrightarrow{AB}+\frac{3}{2}\overrightarrow{BC}\right)=4$**이고** $\overrightarrow{AB}\cdot\overrightarrow{BC}=-(\overrightarrow{BA}\cdot\overrightarrow{BC})$**이므로**

$$|\overrightarrow{AB}|^2+\frac{9}{4}|\overrightarrow{BC}|^2-3(\overrightarrow{BA}\cdot\overrightarrow{BC})=4$$

$\cos B=\frac{1}{4}$**이다.** $|\overrightarrow{AB}|=4d$**라 하면** $|\overrightarrow{BC}|=2d$**이므로, 위의 등식으로부터,** $19d^2=4$**임을 알 수 있다. 따라서,** $\overline{AB}=|\overrightarrow{AB}|=\frac{8}{\sqrt{19}}$**이다.**

2. 아래의 등식을 만족하는 평면 위의 두 점 P와 Q에 대하여, $\overline{AQ}$가 최소가 될 때 $\frac{\overline{AQ}}{\overline{BC}}$의 값을 구하시오.

$$2(\overline{PB}-\overline{AB})=2(\overline{AC}-\overline{PC})=2(\overline{AQ}-\overline{PQ})=\overline{BC}$$

문제에 주어진 식으로부터 세 점 B, C, Q**는 두 점** P, A**를 초점으로 하는 쌍곡선 위에 있으며, 점** C, Q**는 점** P**쪽에, 점** B**는** A**쪽에 가까움을 알 수 있다.**
문제는 도형의 위치가 아닌 크기에 관한 것이므로, $P=(-c,\ 0)$, $A=(c,\ 0)$**로 하고, 쌍곡선은 다음의 방정식을 만족 하는 것으로 하고 문제를 해결하여야 무방하다.**

$$\frac{x^2}{a^2}-\frac{y^2}{b^2}=1,\quad (\text{단},\ b^2=c^2-a^2,\ a>0)$$

이 경우 $\overline{BC}=4a$**이고** $\overline{AB}=\overline{AC}=8a$**이다.**
$\overline{AQ}$**가 최소가 되는 경우를 생각하므로** $Q=(-a,\ 0)$**로 하고 문제를 생각한다.**
$2(\overline{PB}-\overline{AB})=\overline{BC}$**로부터** $\overline{PB}=10a$, $2(\overline{AC}-\overline{PC})=\overline{BC}$**로부터** $\overline{PC}=6a$**가 되어**
$\overline{PB}=\overline{PC}+\overline{BC}$**가 성립하여 점** C**가 선분** PB**위에 있음을 알 수 있는데, 선분** BC**의 중점과 점** A, P**는 직각삼각형을 이루므로** $\overline{PA}=2a\sqrt{31}$**임을 알 수 있다. 한 편 두 초점사이의 거리** $\overline{PA}=2c$**이므로,** $c=a\sqrt{31}$**이다.**
따라서,

$$\frac{\overline{AQ}}{\overline{BC}}=\frac{a+c}{4a}=\frac{a+a\sqrt{31}}{4a}=\frac{1+\sqrt{31}}{4}$$

이다.

3. 삼각형 ABC의 각 A의 크기를 θ라고 하자.
함수 $f(x)=\left(x-\frac{7}{8}\right)^3+\frac{1}{\theta}$에 대하여 다음 정적분의 값을 구하시오.

$$\int_0^{\theta} x\sin x f'(\cos x)dx-\int_{\frac{\pi}{2}-\theta}^{\frac{\pi}{2}} f(\sin x)dx$$

$(xf(\cos x))'=f(\cos x)-x\sin x f'(\cos x)$ **이므로**
값을 구하고자 하는 식의 첫 번째 항에 부분적분법을 적용하면,

$$\int_0^{\theta} x\sin x f'(\cos x)dx=[x(-f(\cos x))]_0^{\theta}+\int_0^{\theta} f(\cos x)dx$$

두 번째 항에 치환 $x=\frac{\pi}{2}-t$**을 적용하면,**

$$\int_{\frac{\pi}{2}-\theta}^{\frac{\pi}{2}} f(\sin x)dx=\int_{\theta}^{0} f\left(\sin\left(\frac{\pi}{2}-t\right)\right)\cdot(-1)dt=\int_0^{\theta} f(\cos t)dt$$

이다. 따라서, 구하고자 하는 값은

$$[x(-f(\cos x))]_0^{\theta}=-\theta f(\cos\theta)$$

세 변의 비가 $2:1:2$**인 이등변 삼각형** ABC**에 코사인법칙을 적용하면** $\cos\theta=\frac{2^2+2^2-1^2}{2\cdot 2\cdot 2}=\frac{7}{8}$

이다. 따라서, 구하고자 하는 값은 $-\theta f(\cos\theta)=-\theta f\left(\frac{7}{8}\right)=-\theta\frac{1}{\theta}=-1$**이다.**

[문제 2번] 다음 물음에 답하시오. (50점)

1. 자연수 n에 대하여 $x_n = \frac{1}{n}\sum_{k=1}^{2n}\frac{2n}{2n+2k-1}$ 일 때, 극한값 $\lim_{n\to\infty} x_n$을 구하시오.

> $f(x) = \frac{1}{1+x}$**는** $[0,\ 1]$**에서 연속함수이다.**
>
> $$x_n = \frac{1}{n}\sum_{k=1}^{2n}\frac{2n}{2n+2k-1} = \frac{1}{n}\sum_{k=1}^{2n}\frac{1}{1+\frac{2k-1}{2n}} = \frac{1}{n}\sum_{k=1}^{2n} f\left(\frac{2k-1}{2n}\right)$$
>
> **이다.**
>
> $$\lim_{n\to\infty} x_n = \lim_{n\to\infty}\frac{1}{n}\sum_{k=1}^{2n} f\left(\frac{2k-1}{2n}\right) = \int_0^2 f(x)dx = \int_0^2 \frac{1}{1+x}dx = \ln 3$$

2. 함수 $f(x)$(단, $x>0$) 가 세 조건

(i) $f''(x) = \frac{\sin x}{x}$, (ii) $\lim_{x\to\frac{\pi}{\sqrt{3}}} f'(x) = \frac{1}{\sqrt{3}}$, (iii) $\lim_{x\to\pi} f'(x) = 1$

을 만족시킬 때, 극한값 $\lim_{x\to\frac{\pi}{\sqrt{3}}}\int_x^{\sqrt{3}x} f'(t)dt$을 구하시오.

(단, $\sin\frac{\pi}{\sqrt{3}} = 0.97$, $\cos\frac{\pi}{\sqrt{3}} = -0.24$, $\sin(\sqrt{3}\pi) = -0.75$, $\cos(\sqrt{3}\pi) = 0.67$이다.)

> $$\int_x^{\sqrt{3}x} f'(t)dt = [f'(t)t]_x^{\sqrt{3}x} - \int_x^{\sqrt{3}x} f''(t)tdt$$
>
> $$= [f'(t)t]_x^{\sqrt{3}x} - \int_x^{\sqrt{3}x}\sin t dt = [f'(t)t]_x^{\sqrt{3}x} + [\cos t]_x^{\sqrt{3}x}$$
>
> $$= f'(\sqrt{3}x)\sqrt{3}x - f'(x)x + \cos(\sqrt{3}x) - \cos x$$
>
> $$\lim_{x\to\frac{\pi}{\sqrt{3}}}\int_x^{\sqrt{3}x} f'(t)dt = \lim_{x\to\frac{\pi}{\sqrt{3}}}\{f'(\sqrt{3}x)\sqrt{3}x - f'(x)x + \cos(\sqrt{3}x) - \cos x\}$$
>
> $$= \lim_{x\to\frac{\pi}{\sqrt{3}}} f'(\sqrt{3}x)\lim_{x\to\frac{\pi}{\sqrt{3}}}\sqrt{3}x - \lim_{x\to\frac{\pi}{\sqrt{3}}} f'(x)\lim_{x\to\frac{\pi}{\sqrt{3}}} x + \cos\pi - \cos\left(\frac{\pi}{\sqrt{3}}\right)$$
>
> $$= \frac{2}{3}\pi - 1 - \cos\frac{\pi}{\sqrt{3}} = \frac{2}{3}\pi - 0.76$$

3. 선분 AB를 지름으로 하고, 반지름의 길이가 1인 반원의 호 위에

$\overline{AP_1} = \overline{P_1P_2} = \overline{P_2P_3} = \cdots = \overline{P_{n-1}P_n} = \overline{P_n\ B}$

를 만족시키는 n개의 점 P_1, P_2, $\cdots$, P_n이 순서대로 놓여있다.

자연수 $k(1 \le k \le n)$에 대하여 삼각형 $AP_k\ B$의 넓이를 S_k라 할 때, 극한값

$$\lim_{n\to\infty}\frac{S_1^2 + S_2^2 + \cdots + S_n^2}{n+1}$$

을 구하시오. (오른쪽 그림은 $n=3$인 경우이다.)

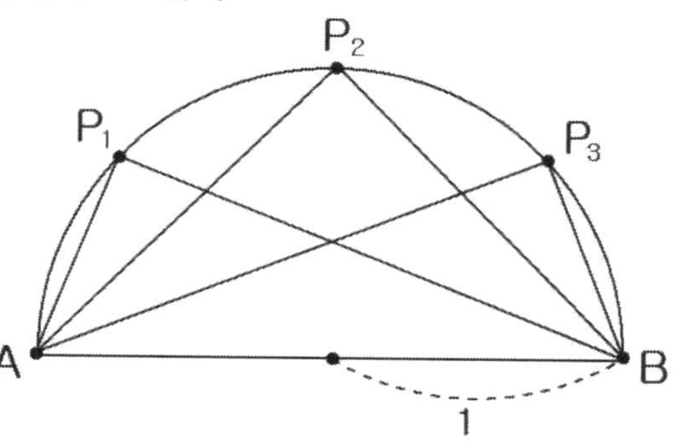

아래 그림에서

$$\overline{\mathrm{AP}_k}^2 = 1^2 + 1^2 - 2\times 1\times 1\times cos\left(\frac{\pi}{n+1}k\right) = 2 - 2\cos\left(\frac{\pi}{n+1}k\right)$$

$\overline{P_kB}^2 = 4 - \overline{AP_k}^2 = 2 + 2\cos\left(\frac{\pi}{n+1}k\right)$ **이고, 따라서**

$$S_k{}^2 = \left(\frac{1}{2}\times \overline{\mathrm{AP_k}} \times \overline{\mathrm{P_kB}}\right)^2 = \frac{1}{4}\left(2 - 2\cos\left(\frac{\pi}{n+1}k\right)\right)\left(2 + 2\cos\left(\frac{\pi}{n+1}k\right)\right)$$

이므로

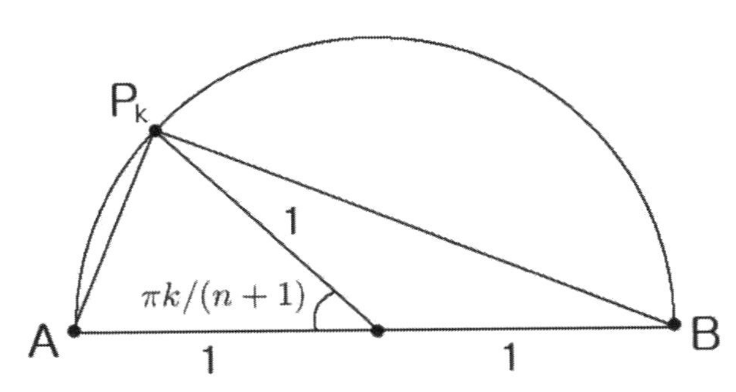

$$\lim_{n\to\infty}\frac{S_1^2 + S_2^2 + \cdots + S_n^2}{n+1} = \lim_{n\to\infty}\sum_{k=1}^{n}\sin^2\left(\frac{\pi}{n+1}k\right)\frac{1}{n+1} = \lim_{n+1\to\infty}\sum_{k=1}^{n+1}\sin^2\left(\frac{\pi}{n+1}k\right)\frac{1}{n+1}$$

$$= \lim_{n+1\to\infty}\frac{1}{\pi}\sum_{k=1}^{n+1}\sin^2\left(0 + \frac{\pi - 0}{n+1}k\right)\frac{\pi - 0}{n+1} = \frac{1}{\pi}\int_0^{\pi}\sin^2 t\,dt$$

이고, 부분적분법에 의해 $\int \sin^2 t\,dt = \frac{1}{2}(t - \cos t\sin t) + C$**이므로,**

구하는 값은 $\frac{1}{\pi}\int^{\pi}\sin^2 t\,dt = \frac{1}{2\pi}[t - \cos t\sin t]_0^{\pi} = \frac{1}{2}$

9. 2022학년도 한양대 수시 논술 (오전)

[문제 1] 다음 제시문을 읽고 물음에 답하시오. (50점)

공간에서 두 평면 α와 β의 교선을 l이라 하고, 두 평면이 이루는 각의 크기를 $\theta\left(0 < \theta < \frac{\pi}{2}\right)$ 라고 하자.

1. 평면 α위에 삼각형 ABC가 있다. $\overline{\mathrm{AB}} = \overline{\mathrm{AC}} = 1$이고 각 A는 직각이며 선분 BC는 직선 l과 평행할 때, 선분 AB의 평면 β위로의 정사영의 길이를 구하시오.

삼각형 ABC**의 평면** β**로의 정사영을** A′B′C′**이라고 하고** h**와** h'**을 각각 삼각형** ABC**와** A′B′C′**의 높이라고 하면**

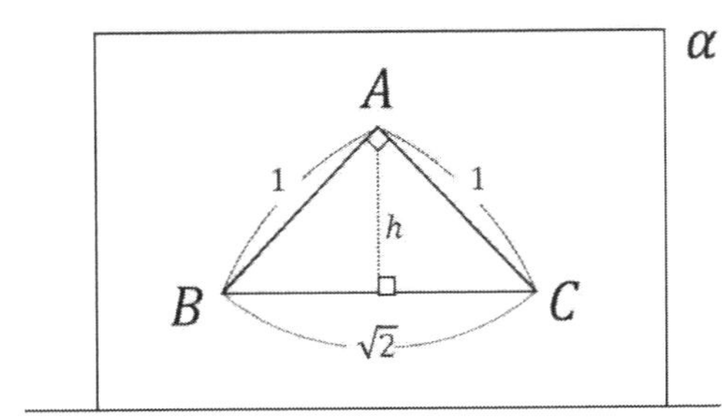

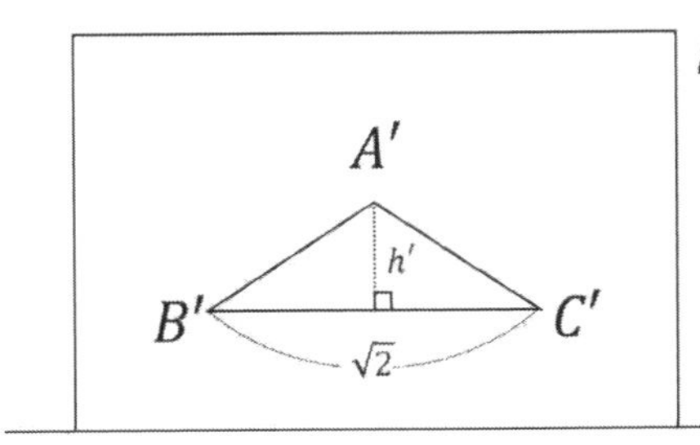

$h=$(**삼각형** ABC**의 높이**)$=\sin 45^\circ = \frac{1}{\sqrt{2}}$,

$h'=$(**삼각형** A′B′C′**의 높이**)$=h\cdot cos\theta = \frac{1}{\sqrt{2}}\cos\theta$

$$\overline{A'B'}=\sqrt{\frac{1}{2}+\frac{1}{2}\cos^2\theta}=\frac{\sqrt{2}}{2}\sqrt{1+\cos^2\theta}$$

이다.

2. 평면 α위에 점 P와 Q가 있다. $\overline{PQ}=1$이고 직선 PQ가 직선 l과 이루는 각의 크기를 t라고 할 때, 선분 PQ의 평면 β위로의 정사영의 길이를 구하시오.

선분 PQ**를 가장 긴 변으로 하고 다음과 같은 성질을 만족하는 평면** α**위의 직각삼각형** PRQ**를 생각한다.**

- 직선 PR과 직선 l은 수직이다.

- 직선 RQ와 직선 l은 평행이다.

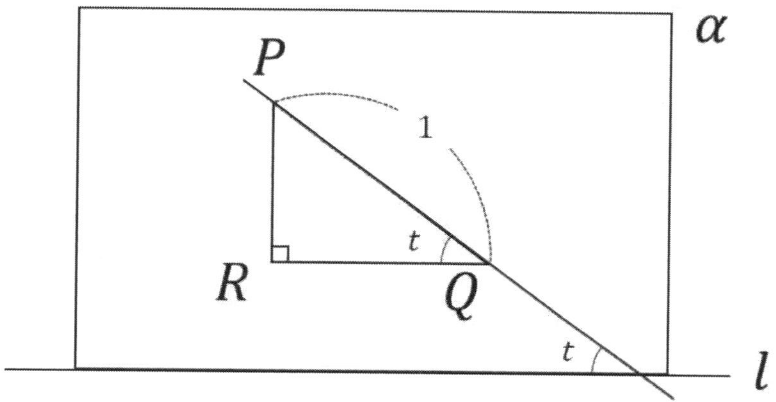

이 때, $\angle Q=t$, $\overline{PR}=\sin t$, $\overline{RQ}=\cos t$**이다. 삼각형** PQR**의 평면** β**위로의 정사영을** P′Q′R′**이라고 하면 이 삼각형은** $\angle R'=90^\circ$ **인 직각삼각형이다. 따라서**

$$\overline{P'R'}=\sin t\cos\theta,\ \overline{R'Q'}=\cos t$$

이므로

$$\overline{P'Q'}=\sqrt{\sin^2 t\cos^2\theta+\cos^2 t}$$

이다.

3. 평면 α위에 한 변의 길이가 1인 정삼각형 RST 가 있고 이 삼각형의 평면 β위로의 정사영을 삼각형 R′S′T′이라고 하자. $\cos\theta=\frac{3}{\pi}$일 때, $\overline{R'S'}^2+\overline{S'T'}^2+\overline{T'R'}^2$의 값을 구하시오.

점 R, S, T**중 직선** l**에 가장 가까운 점을** R**이라고 하자. 이제 직선** RS**가 직선** l**과 이루는 각을** t**라고 하면 직선** TS**가 직선** l**과 이루는 각은** $\frac{\pi}{3}-t$**이고, 직선** RT**가 직선** l**과 이루는 각은** $\frac{\pi}{3}+t$**이다. 문제** 2**의 식을 적용하면 삼각형** R′S′T′**의 각 변의 길이의 제곱은 다음과 같다.**

$\overline{R'S'}^2=\sin^2 t\cos^2\theta+\cos^2 t$

$$\overline{\mathrm{T'S'}}^2 = \sin^2\left(\frac{\pi}{3}-t\right)\cos^2\theta + \cos^2\left(\frac{\pi}{3}-t\right)$$

$$= \left(\sin\frac{\pi}{3}\cos t - \cos\frac{\pi}{3}\sin t\right)^2\cos^2\theta + \left(\cos\frac{\pi}{3}\cos t + \sin\frac{\pi}{3}\sin t\right)^2$$

$$\overline{\mathrm{R'T'}} = \sin^2\left(\frac{\pi}{3}+t\right)\cos^2\theta + \cos^2\left(\frac{\pi}{3}+t\right)$$

$$= \left(\sin\frac{\pi}{3}\cos t + \cos\frac{\pi}{3}\sin t\right)^2\cos^2\theta + \left(\cos\frac{\pi}{3}\cos t - \sin\frac{\pi}{3}\sin t\right)^2$$

이 세 값을 더하면

$\overline{\mathrm{R'S'}}^2 + \overline{\mathrm{T'S'}}^2 + \overline{\mathrm{R'T'}}^2 = \frac{3}{2}\cos^2\theta + \frac{3}{2}$ **이다.**

$\cos\theta = \frac{3}{\pi}$ **을 대입하면 답은** $\frac{3}{2}\times\left(\frac{3}{\pi}\right)^2 + \frac{3}{2} = \frac{27+3\pi^2}{2\pi^2}$ **이다.**

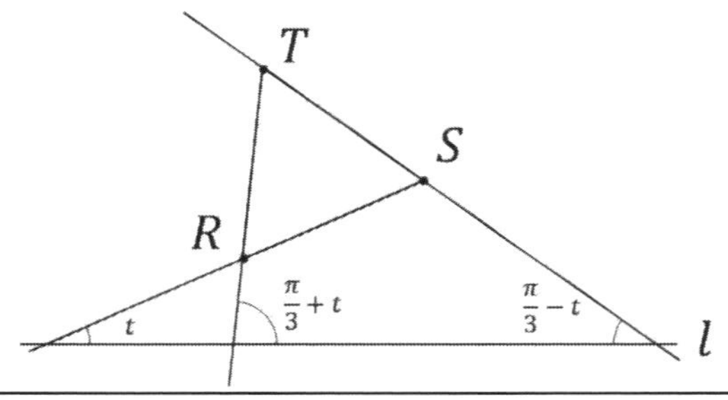

[문제 2] 다음 물음에 답하시오. (50점)

1. 주머니에 숫자 1, 2, 3이 각각 적힌 카드 3장이 들어 있다. 이 주머니에서 임의로 한 장의 카드를 꺼내어 숫자를 확인한 후 다시 주머니에 넣는 시행을 54회 반복할 때, 꺼낸 카드에 적힌 수의 평균을 $\overline{X}$라 하자. 이때 표본평균 $\overline{X}$는 근사적으로 정규분포를 따른다.

$-2\overline{X}$의 평균과 분산을 구하고, $\mathrm{P}\left(-2\overline{X} \geq -\frac{11}{3}\right)$의 값을 구하시오.

(단, Z가 표준정규분포를 따르는 확률변수일 때,
$\mathrm{P}(0 \leq Z \leq 0.5) = 0.1915$, $\mathrm{P}(0 \leq Z \leq 1) = 0.3413$,
$\mathrm{P}(0 \leq Z \leq 1.5) = 0.4332$, $\mathrm{P}(0 \leq Z \leq 2) = 0.4772$
로 계산한다.)

꺼낸 카드에 적힌 수를 X라고 할 때, 표본평균 $\overline{X}$의 평균과 분산은 다음과 같이 계산된다.

$$\mathrm{E}(X) = \frac{1+2+3}{3} = 2 = \mathrm{E}(\overline{X}),$$

$$\mathrm{V}(X) = \frac{(1-2)^2+(2-2)^2+(3-2)^2}{3} = \frac{2}{3}, \quad \mathrm{V}(\overline{X}) = \frac{\mathrm{V}(X)}{54} = \frac{1}{81}$$

$n=54$**가 충분히 크기 때문에 표본평균 $\overline{X}$는 근사적으로 정규분포** $\mathrm{N}(2, \frac{1}{81})$**을 따른다.**

$$\mathrm{E}(-2\overline{X}) = -2\mathrm{E}(\overline{X}) = -4$$

$$\mathrm{V}(-2\overline{X}) = (-2)^2\ \mathrm{V}(\overline{X}) = \frac{4}{81}$$

즉, $-2\overline{X}$의 평균과 분산은 각각 -4와 $\frac{4}{81}$이므로 확률변수 $Z = \frac{-2\overline{X}+4}{\sqrt{\frac{4}{81}}}$**는 표준정규분포**

N(0, 1)을 따른다. 따라서 구하는 확률은

$$P\left(-2\overline{X} \geq -\frac{11}{3}\right) = P\left(Z \geq \frac{-11/3+4}{\frac{2}{9}}\right) = P(Z \geq 1.5) = 1 - P(Z \leq 1.5) = 0.0668$$

이 된다.

2. 함수 $f(x) = \frac{\ln x}{x}$를 이용하여 $a^b = b^a$을 만족시키는 서로 다른 양의 정수 a, b의 순서쌍 (a, b)를 모두 구하시오.

$f(x) = \frac{\ln x}{x}$를 미분하면 $f'(x) = \frac{1 - \ln x}{x^2}$를 얻는다. 따라서 $f'(e) = 0$이고, $x < e$에서 $f'(x) > 0$, $x > e$에서 $f'(x) < 0$임을 알 수 있다. 만일 $a < b$인 순서쌍 (a, b)가 $a^b = b^a$를 만족한다면 $\frac{\ln a}{a} = \frac{\ln b}{b}$, 즉 $f(a) = f(b)$가 성립한다. 여기서 $f(x)$가 $x < e$에서는 증가, $x > e$에서는 감소하므로, 만일 $e < a < b$라면 $f(a) > f(b)$, $a < b < e$라면 $f(a) < f(b)$가 되어 $f(a) = f(b)$가 불가능하다.

따라서 $a < e < b$여야만 $f(a) = f(b)$를 얻을 수 있다. 여기서 무리수 $e = 2.71\ldots$이므로 이보다 작은 양의 정수 a는 1또는 2여야만 하는데, 모든 $b > e$에 대해 $f(1) = 0 < f(b)$이므로 $a = 1$일수는 없다. 만일 $a = 2$라면 양의 정수 b또한 2의 제곱꼴이 되고, $b = 4$가 $a^b = b^a$를 만족함을 알 수 있다. 역시 4보다 큰 값 b'에 대해서는 $f(2) = f(4) > f(b')$이므로, $b = 4$가 $f(2) = f(b)$를 만족하는 유일한 값이다. 우리가 앞서 $a < b$를 가정했으나 대칭적으로 $b < a$또한 가능하고, 따라서 모든 양의 정수 순서쌍 (a, b)는 $(2, 4)$, $(4, 2)$가 된다.

3. $n \geq 3$인 자연수 n에 대하여 둘레의 길이가 1인 정 n각형의 넓이를 $f(n)$이라 하자. $f(12)$의 값을 구하고, $\lim_{n \to \infty} f(n)$의 값을 구하시오.

점 O를 정 n각형의 외접원의 중심, 점 A, B를 정 n각형의 이웃한 두 꼭짓점이라고 하자.

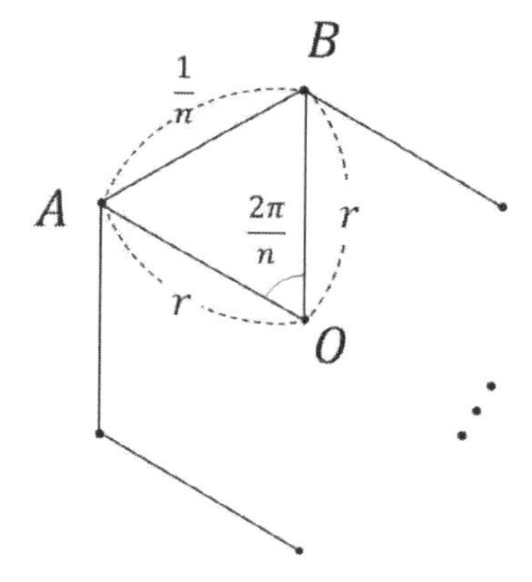

삼각형 OAB에서

$$\left(\frac{1}{n}\right)^2 = 2r^2 - 2r^2\cos\frac{2\pi}{n}, \quad r^2 = \frac{1}{2n^2\left(1 - \cos\frac{2\pi}{n}\right)}$$

이므로

$$\Delta\mathrm{OAB}=\frac{1}{2}r^2\sin\frac{2\pi}{n}=\frac{\sin\frac{2\pi}{n}}{4n^2\left(1-\cos\frac{2\pi}{n}\right)}$$

이므로 정 n각형의 넓이 $f(n)$은

$$f(n)=n\times\Delta\mathrm{OAB}=\frac{\sin\frac{2\pi}{n}}{4n\left(1-\cos\frac{2\pi}{n}\right)}$$

이다. 따라서

$$f(12)=\frac{\sin\frac{\pi}{6}}{48\left(1-\cos\frac{\pi}{6}\right)}=\frac{1}{48(2-\sqrt{3})}=\frac{2+\sqrt{3}}{48}$$

이고,

$$\lim_{n\to\infty}f(n)=\lim_{n\to\infty}\frac{\sin\frac{2\pi}{n}}{4n\left(1-\cos\frac{2\pi}{n}\right)}=\lim_{n\to\infty}\frac{1}{4n}\cdot\frac{1+\cos\frac{2\pi}{n}}{\sin\frac{2\pi}{n}}$$

$$=\lim_{n\to\infty}\frac{1}{4n}\cdot\frac{\frac{2\pi}{n}}{\sin\frac{2\pi}{n}}\cdot\frac{1+\cos\frac{2\pi}{n}}{\frac{2\pi}{n}}=\frac{1}{4\pi}$$

이다.

10. 2022학년도 한양대 수시 논술 (오후 1)

[문제 1] 다음 제시문을 읽고 물음에 답하시오. (50점)

<가> 오른쪽 그림과 같이 반지름의 길이가 1인 원 위의 두 점 P, Q를 잇는 한 호 PQ의 길이를 t라고 할 때, 현 PQ의 길이를 $f(t)$, 현 PQ와 길이가 t인 호 PQ로 둘러싸인 도형의 넓이를 $g(t)$라고 하자.

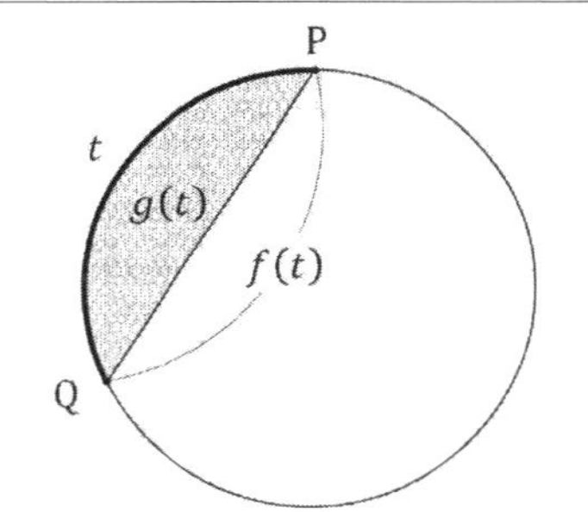

<나> 반지름의 길이가 1인 원 위에 서로 다른 n개의 점 P_0, P_1, $\cdots$, P_{n-1}이 순서대로 놓여 있고,
$\overline{P_0P_1}=\overline{P_1P_2}=\cdots=\overline{P_{n-2}P_{n-1}}=\overline{P_{n-1}P_0}$을 만족시킨다.
예를 들어, 오른쪽 그림은 $n=6$인 경우이다.

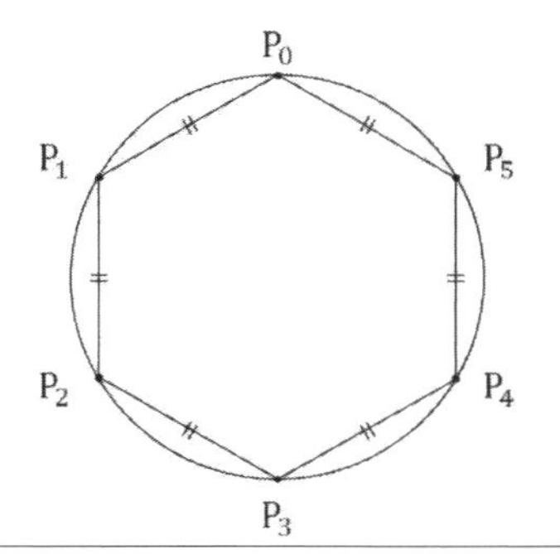

1. 제시문 <가>에서 주어진 식 $f(t)$, $g(t)$에 대하여 극한값 $\lim_{t\to 0+}\frac{g(t)}{f(t)}$를 구하시오.

아래 그림에서 원의 중심 O에서 현 PQ에 내린 수선의 발을 H라 하자.

$f(t)=2\overline{\mathrm{QH}}=2\sin\frac{t}{2}$, $g(t)=\frac{1}{2}\times 1^2\times t-\frac{1}{2}\times 1^2\times \sin t=\frac{1}{2}(t-\sin t)$**이므로**

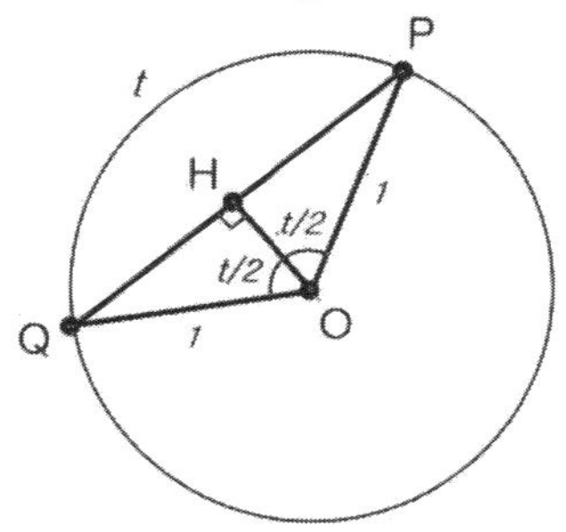

$$\lim_{t\to 0+}\frac{g(t)}{f(t)}=\lim_{t\to 0+}\frac{\frac{1}{2}(t-\sin t)}{2\sin\frac{t}{2}}=\lim_{t\to 0+}\frac{1}{2}\frac{\frac{t}{2}}{\sin\frac{t}{2}}\left(1-\frac{\sin t}{t}\right)=\frac{1}{2}\times 1\times(1-1)=0$$

2. 제시문 <나>에서 주어진 n개의 점 P_0, P_1, $\cdots$, P_{n-1}에 대하여 극한값

$$\lim_{n\to\infty}\frac{\overline{\mathrm{P}_0\mathrm{P}_1}+\overline{\mathrm{P}_0\mathrm{P}_2}+\cdots+\overline{\mathrm{P}_0\mathrm{P}_{n-1}}}{n}$$

을 구하시오.

1**번에서 구한** $f(t)$**에 대하여,**

$\overline{P_0P_1}=f\left(\frac{2\pi}{n}\right)$, $\overline{P_0P_2}=f\left(\frac{2\pi}{n}\cdot 2\right)$, $\cdots$, $\overline{P_0P_{n-1}}=f\left(\frac{2\pi}{n}\cdot(n-1)\right)$**이고,**

$f\left(\frac{2\pi}{n}\cdot n\right)=f(2\pi)=0$**이므로,**

$$\lim_{n\to\infty}\frac{\overline{P_0P_1}+\cdots+\overline{P_0P_{n-1}}}{n}$$

$$=\lim_{n\to\infty}\sum_{k=1}^{n-1}f\left(\frac{2\pi}{n}\cdot k\right)\frac{1}{n}=\lim_{n\to\infty}\left(\sum_{k=1}^{n-1}f\left(\frac{2\pi}{n}\cdot k\right)\frac{1}{n}+f\left(\frac{2\pi}{n}\cdot n\right)\frac{1}{n}\right)$$

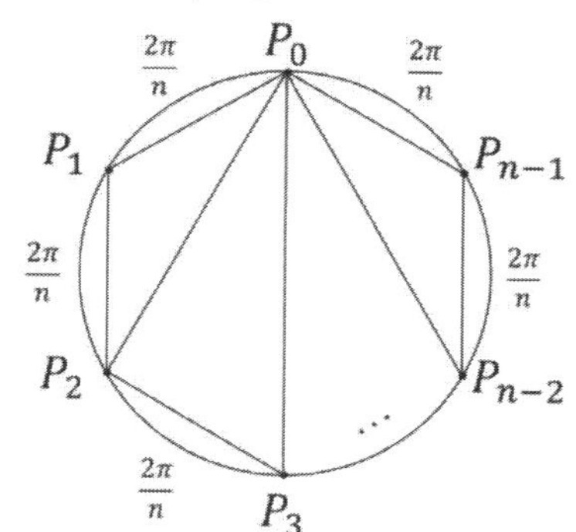

$$=\lim_{n\to\infty}\sum_{k=1}^{n}f\left(\frac{2\pi}{n}\cdot k\right)\frac{1}{n}=\lim_{n\to\infty}\sum_{k=1}^{n}f\left(0+\frac{2\pi-0}{n}\cdot k\right)\frac{2\pi-0}{n}\cdot\frac{1}{2\pi}=\frac{1}{2\pi}\int_0^{2\pi}f(t)dt$$

이고, $f(t)=2\sin\frac{t}{2}$ **이므로,** $\frac{1}{2\pi}\int_0^{2\pi}f(t)dt=\frac{4}{\pi}$

3. 제시문 <나>에서 주어진 n개의 점 P_0, P_1, $\cdots$, P_{n-1}에 대하여 호 P_0P_1과 현 P_0P_1로 둘러싸인 도형의 넓이를 S_1, 호 P_0P_2와 현 P_0P_2로 둘러싸인 도형의 넓이를 S_2, $\cdots$, 호 P_0P_{n-1}과 현 P_0P_{n-1}로 둘러싸인 도형의 넓이를 S_{n-1}이라 하자. 극한값

$$\lim_{n\to\infty}\frac{S_1^2+S_2^2+\cdots+S_{n-1}^2}{n}$$

을 구하시오. (단, $S_1 < S_2 < \cdots < S_{n-1}$이 되도록 호를 선택한다.)

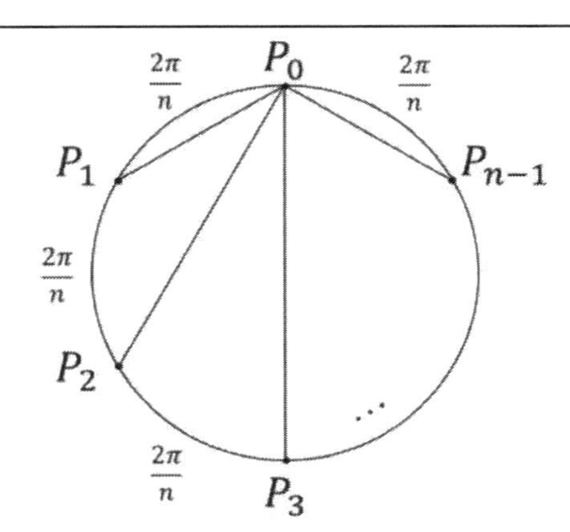

1번에서 구한 $g(t)$에 대하여,

$S_1 = g\left(\frac{2\pi}{n}\right)$, $S_2 = g\left(\frac{2\pi}{n}\cdot 2\right)$, $\cdots$, $S_{n-1} = g\left(\frac{2\pi}{n}\cdot(n-1)\right)$이고, $g\left(\frac{2\pi}{n}\cdot n\right) = g(2\pi) = \pi$이므로,

$$\lim_{n\to\infty}\frac{S_1^2+\cdots+S_{n-1}^2}{n}$$

$$= \lim_{n\to\infty}\sum_{k=1}^{n-1}\left(g\left(\frac{2\pi}{n}\cdot k\right)\right)^2\frac{1}{n} = \lim_{n\to\infty}\left(\sum_{k=1}^{n}\left(g\left(\frac{2\pi}{n}\cdot k\right)\right)^2\frac{1}{n} - \left(g\left(\frac{2\pi}{n}\cdot n\right)\right)^2\frac{1}{n}\right)$$

$$= \lim_{n\to\infty}\left(\sum_{k=1}^{n}\left(g\left(0+\frac{2\pi-0}{n}\cdot k\right)\right)^2\frac{2\pi-0}{n}\cdot\frac{1}{2\pi}\right) - \lim_{n\to\infty}\frac{\pi^2}{n}$$

$$= \frac{1}{2\pi}\int_0^{2\pi}(g(t))^2dt - 0 = \frac{1}{2\pi}\int_0^{2\pi}\left(\frac{1}{2}(t-\sin t)\right)^2dt$$

$$= \frac{1}{8\pi}\int_0^{2\pi}(t^2-2t\sin t+\sin^2 t)dt$$ 이다.

부분적분에 의해 $\int t\sin t\,dt = -t\cos t + \sin t + C_1$, $\int \sin^2 t\,dt = \frac{1}{2}(t-\cos t\sin t) + C_2$를 구하고,

따라서

$$\frac{1}{8\pi}\int_0^{2\pi}(t^2-2t\sin t+\sin^2 t)dt = \frac{1}{8\pi}\left[\frac{1}{3}t^3 - 2(-t\cos t+\sin t) + \frac{1}{2}(t-\cos t\sin t)\right]_0^{2\pi}$$

$$= \frac{1}{8\pi}\left(\frac{8}{3}\pi^3+5\pi\right) = \frac{\pi^2}{3}+\frac{5}{8}$$

[문제 2] 다음 물음에 답하시오. (50점)

1. 두 팀 A와 B가 배구 시합을 반복하여 어느 한 팀이 3승을 거두면 우승팀으로 결정된다. 각 시합은 팀 A가 승리할 확률이 p인 독립시행이고 무승부는 없다고 가정할 때, 우승팀이 결정될 때까지 실시한 시합 횟수의 기댓값을 p에 대한 식으로 나타내시오.

확률변수 X를 진행한 시합 횟수라고 하자. 우승팀이 결정될 경우의 수는 팀 A의 결과가 승승승, 패패패 (시합 3회), 패승승승, 승패승승, 승승패승, 승패패패 패승패패, 패패승패 (시합 4회), 승패패승승, 승패승패승, 승승패패승, 패승패승승, 패승승패승, 패패 승승승, 승승패패패, 승패승패패, 승패패승패, 패승승패패, 패승패승패, 패패승승패 (시합 5회) 총 20가지이다. 따라서 기댓값은 다음과 같다.

$$E(X)=3\left[p^3+(1-p)^3\right]+4\left[3p^3(1-p)+3p(1-p)^3\right]+5\left[6p^3(1-p)^2+6p^2(1-p)^3\right]$$

이 기댓값을 p의 함수는 $6p^4-12p^3+3p^2+3p+3$이다.

2. 장축의 길이가 6, 단축의 길이가 4인 타원이 있다. 네 변이 각각 이 타원에 접하는 직사각형의 한 변의 길이가 $2\sqrt{5}$일 때, 이 직사각형의 넓이를 구하시오.

타원을 좌표평면에 두어 $\dfrac{x^2}{9}+\dfrac{y^2}{4}=1$이라 하자.

직사각형의 한 변을 포함하는 접선의 기울기를 m이라 하자.

먼저 $m=0$이면, 직사각형의 변의 길이는 6또는 4이고 $2\sqrt{5}$가 아니므로 $m\neq 0$임을 알 수 있다.

기울기 $m(\neq 0)$인 직선에 수직인 직선의 기울기는 $-\dfrac{1}{m}$이므로, 직사각형의 네 변은 각각 다음의 접선에 포함된다.

① $y=mx+\sqrt{9m^2+4}$

② $y=mx-\sqrt{9m^2+4}$

③ $y=-\dfrac{1}{m}x+\sqrt{\dfrac{9}{m^2}+4}$

④ $y=-\dfrac{1}{m}x-\sqrt{\dfrac{9}{m^2}+4}$

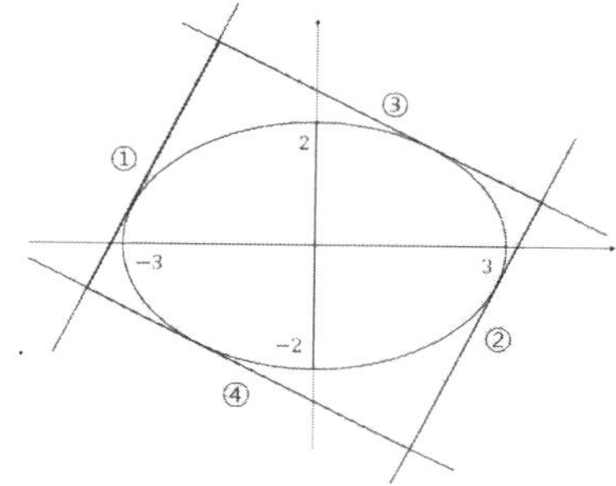

직선 ①과 ②사이의 거리를 a이라고 하고, 직선 ③과 ④사이의 거리를 b라고 하면,

$a=2\sqrt{\dfrac{9m^2+4}{m^2+1}}$, $b=2\sqrt{\dfrac{9+4m^2}{1+m^2}}$ **이고, a와 b둘 중 하나가 $2\sqrt{5}$이다.**

$a=2\sqrt{5}$ **이면** $m=\pm\dfrac{1}{2}$**이고 따라서** $b=4\sqrt{2}$ **이다.** $b=2\sqrt{5}$ **이면** $m=\pm 2$**이고 따라서** $a=4\sqrt{2}$ **이다. 두 경우 모두 직사각형의 넓이는** $ab=8\sqrt{10}$ **이다.**

3. 실수 전체의 범위에서 미분가능한 함수 $f(x)$가 임의의 양수 a에 대하여

$$\int_{-a}^{a}(a-|x|)f'(x)dx=0$$

을 만족시킨다. 이때 모든 실수 x에 대하여 $f(x)=f(-x)$가 성립함을 보이시오.

$f(x)$의 한 부정적분을 $F(x)$라 하자. 구간 $[-a,\ a]$를 $[-a,\ 0]$과 $[0,\ a]$로 나누어 각각 부분적분하면

$$\int_0^a(a-x)f'(x)dx=[(a-x)f(x)]_0^a+\int_0^a f(x)dx=F(a)-F(0)-af(0)$$

$$\int_{-a}^0(a+x)f'(x)dx=[(a+x)f(x)]_{-a}^0-\int_{-a}^0 f(x)dx=F(-a)-F(0)+af(0)$$

를 얻는다. 이를 합하면 $\displaystyle\int_{-a}^{a}(a-|x|)f'(x)dx=F(a)+F(-a)-2F(0)$**이 되고, 따라서 주어진 조**

건에 의해 모든 $x \geq 0$에 대해 $F(x) = -F(-x) + 2F(0)$임을 알 수 있다. 여기서 양변을 x에 대해 미분하면 $f(x) = f(-x)$가 모든 $x > 0$에 대해 성립한다. $x = 0$인 경우에는 당연히 $f(x) = f(-x)$이고, $x < 0$인 경우에도 대칭성에 의해 $f(x) = f(-(-x)) = f(-x)$임을 알 수 있다. 따라서 모든 x에 대해 $f(x) = f(-x)$가 성립한다.

11. 2022학년도 한양대 수시 논술 (오후 2)

[문제 1] 다음 물음에 답하시오. (50점)

1. 한 개의 동전을 같은 면이 연속으로 두 번 나올 때까지 반복하여 던지되, 최대 3000번까지만 던질 수 있다. 이때 동전을 던진 횟수가 2022이하일 확률을 구하시오. (단, 동전의 앞면과 뒷면이 나올 확률은 $\frac{1}{2}$로 동일하다.)

동전을 x번 던질 때 처음으로 같은 면이 두 번 연속으로 나오는 사건을 A_x라고 하자. 동전을 한 번 던질 경우 같은 면이 연속으로 두 번 나오게 되는 사건은 불가능하다. 즉 동전을 1번 던질 때 같은 면이 두 번 연속으로 나오는 확률은 $\mathrm{P}(A_1) = 0$이다. 동전을 두 번 던질 경우, 4가지의 결과 중 2가지, (앞면, 앞면), (뒷면, 뒷면)과 같이 동전의 같은 면을 두 번 연속으로 얻을 수 있다. 따라서 사건 A_2가 일어날 확률은 $\mathrm{P}(A_2) = \frac{2}{4} = \frac{1}{2} = 0.5^{2-1}$이 된다.

유사하게, 우리가 전 단계에서 멈추지 않고 동전을 계속 던진 경우에는 정확하게 결과들의 절반만큼 같은 면이 두 번 연속으로 나오 는 것을 알 수 있다. 즉, 다음이 성립한다.

$$\mathrm{P}(A_3) = \frac{\mathrm{P}(A_2)}{2} = 0.5^{3-1}$$
$$\mathrm{P}(A_4) = \frac{\mathrm{P}(A_3)}{2} = 0.5^{4-1}$$
$$\vdots$$
$$\mathrm{P}(A_x) = \frac{\mathrm{P}(A_{x-1})}{2} = 0.5^{x-1},\ x = 2,\ 3,\ \cdots,\ 2022.$$

따라서 동전을 던진 횟수가 2022이하일 확률은 $\sum_{x=2}^{2022} \mathrm{P}(A_x) = \sum_{x=2}^{2022} 0.5^{x-1}$이 되고 이는 첫째항이 0.5, 공비가 0.5인 등비수열을 첫째 항부터 제 2021항까지 더한 것과 같다. 따라서 등비수열의 합은 $\frac{0.5(1-0.5^{2021})}{1-0.5} = 1 - 0.5^{2021}$이 된다.

2. 그림과 같이 길이가 2인 선분 AB를 지름으로 하는 반원이 있다. 호 AB위의 두 점 P, Q에 대하여 현 PQ의 길이가 $x(0 < x < 2)$일 때, 호 PQ와 현 PQ로 둘러싸인 도형의 넓이를 $f(x)$라고 하자. 함수 $f(x)$의 $x = 1$에서의 미분계수를 구하시오.

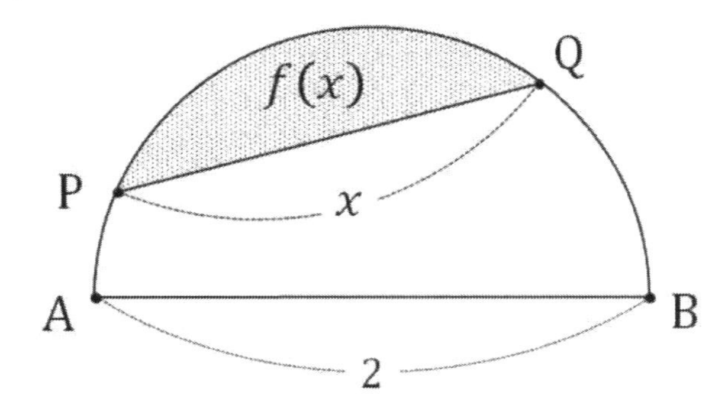

선분 AB의 중점을 O라 하자. 부채꼴 OPQ의 중심각을 $t(0<t<\pi)$**라 하면,**

$$x=\overline{PQ}=\sqrt{1^2+1^2-2\times1\times1\times\cos t}=\sqrt{2}\sqrt{1-\cos t}$$

$$y=f(x)=\frac{1}{2}\times1^2\times t-\frac{1}{2}\times1^2\times\sin t=\frac{1}{2}(t-\sin t)$$

이다.

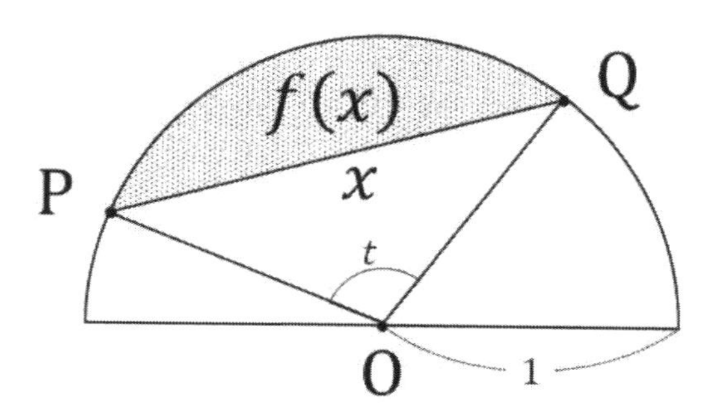

$t=\frac{\pi}{3}$**일 때** $x=1$**이므로**

$x=1$**에서의** $f(x)$**의 미분계수** $f'(1)$**은** $t=\frac{\pi}{3}$**일 때** $\dfrac{\frac{dy}{dt}}{\frac{dx}{dt}}$**의 값이다.**

$\frac{dy}{dt}=\frac{1-\cos t}{2}$, $\frac{dx}{dt}=\frac{\sin t}{\sqrt{2}\sqrt{1-\cos t}}$ **이므로,** $f'(1)=\frac{1}{2\sqrt{3}}=\frac{\sqrt{3}}{6}$**이다.**

3. 함수 $f(x)=\ln(\ln(x+e))$와 양의 실수 a, b에 대하여 부등식

$$f(a+b)<f(a)+f(b)$$

가 항상 성립함을 보이시오.

$f'(x)=\frac{1}{(x+e)\ln(x+e)}$**이고 이를 한 번 더 미분하면**

$$f''(x)=-\frac{1+\ln(x+e)}{(x+e)^2(\ln(x+e))^2}$$

이므로 모든 $x>0$**에 대해** $f''(x)<0$**이다. 즉,** f'**은 감소한다. 일반성을 잃지 않고** $a\geq b$**라 가정하자. 그러면 평균값 정리에 의해** $\frac{f(a+b)-f(a)}{b}=f'(z)$**인** z**가 열린 구간** $(a,\ a+b)$**에서 항상 존재하고,** $\frac{f(b)}{b}=\frac{f(b)-f(0)}{b-0}=f'(w)$**인** w**가 열린 구간** $(0,\ b)$**에서 항상 존재한다. 그런데** $0<w<b\leq a<z<a+b$**이므로** $w<z$**, 따라서** $f'(w)>f'(z)$**임을 알 수 있다. 이를 정리하면** $f(a+b)<f(a)+f(b)$**를 얻는다.**

[문제 2] 다음 제시문을 읽고 물음에 답하시오. (50점)

<가> 쌍곡선 $\frac{x^2}{5}-\frac{y^2}{27}=\frac{1}{2}$위의 두 점 A, B가 다음 조건을 만족시킨다.

- 점 A는 제 1사분면에 있고, 점 B는 제 3사분면에 있다.
- 위 쌍곡선의 두 초점을 F, F′이라 할 때, $\cos(\angle FAF')=\cos(\angle F'BF)=\frac{7}{25}$이다.

<나> 타원 $\frac{x^2}{a^2}+\frac{y^2}{b^2}=1$(단, $0<b<a$)의 두 초점을 F_1, F_2라 하고 타원 위의 점 P에서의 접선을 l이라 하자. 점 P의 x좌표를 t라고 할 때, 원점으로부터 접선 l까지 거리의 제곱을 $f(t)$라 하고 $\overline{PF_1}\times\overline{PF_2}$를 $h(t)$라 하자.

1. 제시문 <가>에서 두 점 A, B의 좌표를 각각 구하시오.

주어진 쌍곡선을 $\frac{x^2}{a^2}-\frac{y^2}{b^2}=1$**으로 표현하면** $a^2=\frac{5}{2}$, $b^2=\frac{27}{2}$

따라서 초점 F의 x**좌표를 양수** c**라 하면** $c=\sqrt{a^2+b^2}=4$

또한 $p=\overline{AF}$, $q=\overline{AF'}$**라 하면, 쌍곡선의 정의와 코사인 법칙에 의하여**

$$q-p=2a=\sqrt{10},\quad \cos(\angle F'AF)=\frac{7}{25}=\frac{p^2+q^2-8^2}{2pq}$$

즉, $q=p+\sqrt{10}$ **이고** $14pq=25(p^2+q^2-64)$

첫 번째 식을 두 번째 식에 대입하면

$$14p^2+14\sqrt{10}\,p=25(2p^2+2\sqrt{10}\,p-54)$$

정리하면 $2p^2+2\sqrt{10}\,p-75=0$

그러므로 $p=\frac{3}{2}\sqrt{10}$ **이고** $q=\frac{5}{2}\sqrt{10}$

점 A의 좌표를 $(x_0,\ y_0)$**이라고 하면**

$\overline{AF'}^2=\frac{125}{2}=(x_0+4)^2+y_0^2$**이고**

$$\overline{AF}^2=\frac{45}{2}=(x_0-4)^2+y_0^2$$

이를 연립하여 풀면 $x_0=\frac{5}{2}$, $y_0=\frac{9}{2}$

즉, A의 좌표는 $\left(\frac{5}{2},\ \frac{9}{2}\right)$

비슷하게 점 B의 좌표를 구하면 $\left(-\frac{5}{2},\ -\frac{9}{2}\right)$

2. 제시문 <나>에서 $b=\frac{\sqrt{3}}{2}a$일 때, $\frac{1}{a^3}\int_0^a f(t)dt$의 값을 구하시오.

점 P의 좌표를 $(t,\ s)$**라 하면 접선의 기울기는** $-\frac{b^2t}{a^2s}$,

접선의 방정식은 $y-s=-\frac{b^2t}{a^2s}(x-t)$**이다.**

이를 정리하면 $b^2tx+a^2sy=b^2t^2+a^2s^2$**이다.**

$\frac{t^2}{a^2}+\frac{s^2}{b^2}=1$**이므로 다음과 같은 식을 얻을 수 있다.**

$$b^2tx+a^2sy-a^2b^2=0$$

따라서 $f(t)=\left(\dfrac{a^2b^2}{\sqrt{b^4t^2+a^4s^2}}\right)^2$ 이다.

$s^2=\dfrac{a^2b^2-b^2t^2}{a^2}$ 이므로

$$f(t)=\frac{a^4b^4}{b^4t^2+a^4\dfrac{a^2b^2-b^2t^2}{a^2}}=\frac{a^4b^4}{b^4t^2+a^4b^2-a^2b^2t^2}$$

$$=\frac{a^4b^4}{a^4b^2+b^2(b^2-a^2)t^2}=\frac{a^4b^2}{a^4+(b^2-a^2)t^2}$$

이다.

$a^2-b^2=c^2 \ (b<a)$중 양수인 c를 선택하면

$$f(t)=\frac{a^4b^2}{a^4-c^2t^2}=\frac{a^4b^2}{2a^2}\left(\frac{1}{a^2-ct}+\frac{1}{a^2+ct}\right)$$

이다.

$$\int\frac{1}{a^2+ct}dt=\frac{1}{c}\ln(a^2+ct)+C_1$$

$$\int\frac{1}{a^2-ct}dt=-\frac{1}{c}\ln(a^2-ct)+C_2 \qquad (C_1,\ C_2\text{는상수})\text{이므로}$$

$$\int_0^a f(t)dt=\frac{a^4b^2}{2a^2}\frac{1}{c}\left[\ln(a^2+ct)-\ln(a^2-ct)\right]_0^a$$

$$=\frac{a^4b^2}{2a^2c}\ln\frac{a^2+ca}{a^2-ca} \qquad \cdots \qquad (A)$$

$b=\dfrac{\sqrt{3}}{2}a$이면 $b^2=\dfrac{3}{4}a^2,\ c=\sqrt{a^2-b^2}=\sqrt{a^2-\dfrac{3}{4}a^2}=\dfrac{a}{2}$ 이다.

따라서,

$$(\mathrm{A})=\frac{a^2\dfrac{3}{4}a^2}{2\dfrac{a}{2}}\ln\frac{a^2+\dfrac{a^2}{2}}{a^2-\dfrac{a^2}{2}}=\frac{3}{4}a^3\ln3$$

이므로

$$\frac{1}{a^3}\int_0^a f(t)dt=\frac{3}{4}\ln3$$

이다.

3. 제시문 <나>에서 $f(t)\times h(t)$를 a와 b에 대한 식으로 나타내시오.

문제 2번에서 선택한 양수 c를 사용하여

$$\mathrm{F}_1=(c,\ 0)=\left(\sqrt{a^2-b^2},\ 0\right),\quad \mathrm{F}_2=(-c,\ 0)=\left(-\sqrt{a^2-b^2},\ 0\right)$$

이라고 하자.

점 P의 좌표를 $(t,\ s)$라 하면

$$\overline{\mathrm{PF}_1}^2=(c-t)^2+s^2$$
$$=c^2-2ct+t^2+\frac{a^2b^2-b^2t^2}{a^2}$$
$$=\frac{a^2c^2-2cta^2+a^2t^2+a^2b^2-b^2t^2}{a^2}$$
$$=\frac{a^2(b^2+c^2)+t^2(a^2-b^2)-2cta^2}{a^2}$$
$$=\frac{a^4+t^2c^2-2cta^2}{a^2}=\frac{(a^2-tc)^2}{a^2}$$
$$\overline{\mathrm{FF}_2}^2=\frac{(a^2+tc)^2}{a^2}$$

이다. 따라서 $h(t)=\frac{a^4-t^2c^2}{a^2}$ **이다.**

2**번에 의해** $f(t)=\frac{a^4b^2}{a^4+(b^2-a^2)t^2}$ **이다.**

$\therefore\ f(t)h(t)=\frac{a^4b^2}{a^4+(b^2-a^2)t^2}\times\frac{a^4-t^2c^2}{a^2}=a^2b^2$

12. 2022학년도 한양대 모의 논술

[문제 1] 다음 제시문을 읽고 물음에 답하시오. (50점)

(가) 함수의 극한의 대소 관계

$\lim_{x\to a}f(x)=L$, $\lim_{x\to a}g(x)=M$(L, M은 실수) 일 때, a가 아니면서 a에 가까운 모든 실수 x 에 대하여

① $f(x)\le g(x)$이면 $L\le M$

② $f(x)\le h(x)\le g(x)$이고 $L=M$이면, $\lim_{x\to a}h(x)=L$

(나) 정적분과 급수의 합 사이의 관계

함수 $f(x)$가 닫힌구간 $[a,\ b]$에서 연속일 때,

$$\lim_{n\to\infty}\sum_{k=1}^{n}f(x_k)\Delta x=\int_a^b f(x)dx\left(단,\ \Delta x=\frac{b-a}{n},\ x_k=a+k\Delta x\right)$$

(다) 연속함수 $f(x)$는 다음 식을 만족시킨다.

$$\sum_{k=1}^{n}f\left(\frac{k}{n}\right)-n\int_0^1 f(x)dx=n\sum_{k=1}^{n}\int_{\frac{k-1}{n}}^{\frac{k}{n}}\left(f\left(\frac{k}{n}\right)-f(x)\right)dx$$

1. 극한값 $\lim_{n\to\infty}\frac{1}{\sqrt{n}}\sum_{k=1}^{n}\frac{1}{\sqrt{k}}$ 을 구하시오.

함수 $f(x)=\frac{1}{\sqrt{x}}$ **의 그래프를 생각하면, 다음 부등식이 성립한다.**

$$\int_1^{n+1}\frac{1}{\sqrt{x}}dx\le\sum_{k=1}^{n}\frac{1}{\sqrt{k}}\le 1+\int_1^{n}\frac{1}{\sqrt{x}}dx\ \Rightarrow 2(\sqrt{n+1}-1)\le\sum_{k=1}^{n}\frac{1}{\sqrt{k}}\le 1+2(\sqrt{n}-1)$$

각 변에 $\frac{1}{\sqrt{n}}$을 곱한 후에 극한 $\lim_{n\to\infty}$을 취하면,

$$2=\lim_{n\to\infty}\frac{2(\sqrt{n+1}-1)}{\sqrt{n}}\le\lim_{n\to\infty}\frac{1}{\sqrt{n}}\sum_{k=1}^{n}\frac{1}{\sqrt{k}}\le\lim_{n\to\infty}\frac{1+2(\sqrt{n}-1)}{\sqrt{n}}=2$$

이다. 그러므로 $\lim_{n\to\infty}\frac{1}{\sqrt{n}}\sum_{k=1}^{n}\frac{1}{\sqrt{k}}=2$이다.

2. 극한값 $\lim_{n\to\infty}\left[\sum_{k=1}^{n}\int_{\frac{k-1}{n}}^{\frac{k}{n}}n\left(\frac{k-1}{n}\right)^4\left(\frac{k}{n}-x\right)dx\right]$와 $\lim_{n\to\infty}\left[\sum_{k=1}^{n}\int_{\frac{k-1}{n}}^{\frac{k}{n}}n\left(\frac{k}{n}\right)^4\left(\frac{k}{n}-x\right)dx\right]$을 구하시오.

첫 번째로 주어진 급수를 다음과 같이 정리할 수 있다.

$$\sum_{k=1}^{n}\int_{\frac{k-1}{n}}^{\frac{k}{n}}n\left(\frac{k-1}{n}\right)^4\left(\frac{k}{n}-x\right)dx=\sum_{k=1}^{n}n\left(\frac{k-1}{n}\right)^4\left(\frac{1}{2n^2}\right)=\frac{1}{2}\sum_{k=1}^{n}\left(\frac{k-1}{n}\right)^4\left(\frac{1}{n}\right)$$

따라서 제시문 (나)에 의해 구하고자 하는 극한값은 아래와 같이 계산할 수 있다.

$$\lim_{n\to\infty}\left[\sum_{k=1}^{n}\int_{\frac{k-1}{n}}^{\frac{k}{n}}n\left(\frac{k-1}{n}\right)^4\left(\frac{k}{n}-x\right)dx\right]=\frac{1}{2}\lim_{n\to\infty}\sum_{k=1}^{n}\left(\frac{k-1}{n}\right)^4\left(\frac{1}{n}\right)=\frac{1}{2}\int_0^1 x^4dx=\frac{1}{10}$$

동일한 방식으로 두 번째 극한값을 아래와 같이 계산 가능하다.

$$\lim_{n\to\infty}\left[\sum_{k=1}^{n}\int_{\frac{k-1}{n}}^{\frac{k}{n}}n\left(\frac{k}{n}\right)^4\left(\frac{k}{n}-x\right)dx\right]=\lim_{n\to\infty}\left[\sum_{k=1}^{n}n\left(\frac{k}{n}\right)^4\left(\frac{1}{2n^2}\right)\right]$$

$$=\frac{1}{2}\lim_{n\to\infty}\left[\sum_{k=1}^{n}\left(\frac{k}{n}\right)^4\left(\frac{1}{n}\right)\right]=\frac{1}{2}\int_0^1 x^4dx=\frac{1}{10}$$

3. 극한값 $\lim_{n\to\infty}\left[\sum_{k=1}^{n}\left(\frac{k}{n}\right)^5-n\int_0^1 x^5dx\right]$을 구하시오.

제시문 (다)에 의해 아래의 등식이 성립함을 알 수 있다.

$$\sum_{k=1}^{n}f\left(\frac{k}{n}\right)-n\int_0^1 f(x)dx=n\sum_{k=1}^{n}\frac{1}{n}f\left(\frac{k}{n}\right)-n\sum_{k=1}^{n}\int_{\frac{k-1}{n}}^{\frac{k}{n}}f(x)dx=n\sum_{k=1}^{n}\int_{\frac{k-1}{n}}^{\frac{k}{n}}\left(f\left(\frac{k}{n}\right)-f(x)\right)dx$$

여기서 $f(x)=x^5$이라 하자. 그러면 $f(x)$는 연속이고 미분가능한 함수이므로, 평균값 정리에 의해 $\int_{\frac{k-1}{n}}^{\frac{k}{n}}\left(f\left(\frac{k}{n}\right)-f(x)\right)dx=\int_{\frac{k-1}{n}}^{\frac{k}{n}}f'(\theta_k(x))\left(\frac{k}{n}-x\right)dx$을 만족하는 $\theta_k(x)\in\left[x,\ \frac{k}{n}\right]$가 존재한다.

$f'(x)=5x^4$는 $[0,\ 1]$에서 증가하므로,

모든 $x\in\left[\frac{k-1}{n},\ \frac{k}{n}\right]$에 대하여 $5\left(\frac{k-1}{n}\right)^4\le5x^4\le5\left(\frac{k}{n}\right)^4$이 성립한다. 이로부터 아래와 같은 부등식을 얻을 수 있다.

$$n\sum_{k=1}^{n}\int_{\frac{k-1}{n}}^{\frac{k}{n}}5\left(\frac{k-1}{n}\right)^4\left(\frac{k}{n}-x\right)dx\le n\sum_{k=1}^{n}\int_{\frac{k-1}{n}}^{\frac{k}{n}}\left(\left(\frac{k}{n}\right)^5-x^5\right)dx\le n\sum_{k=1}^{n}\int_{\frac{k-1}{n}}^{\frac{k}{n}}5\left(\frac{k}{n}\right)^4\left(\frac{k}{n}-x\right)dx$$

2번 문제에서 계산한 결과를 활용하여, 위 부등식 양쪽 끝을 $n\to\infty$일 때의 극한값을 계산하면

$\frac{1}{2}$로 동일함을 알 수 있다. 따라서 제시문 (가)에 의해 문제에서 구하고자 하는 극한값은

$$\lim_{n \to \infty}\left[\sum_{k=1}^{n}\left(\frac{k}{n}\right)^5 - n\int_0^1 x^5 dx\right] = \frac{1}{2}$$

이다.

[문제 2] 다음 물음에 답하시오. (50점)

1. 장축의 길이가 4, 단축의 길이가 2인 타원 모양의 당구대 위의 한 초점 F에 공이 놓여 있다. 이 공을 쳤을 때 그림과 같이 공은 타원 둘레의 점 P를 지나 점 Q에 닿았다. 이때 점 F, P를 지나는 직선과 점 P에서의 접선이 이루는 예각과 점 P, Q를 지나는 직선과 점 P에서의 접선이 이루는 예각은 서로 같다. $\angle FPQ = \frac{\pi}{2}$일 때, 삼각형 FPQ의 넓이를 구하시오.

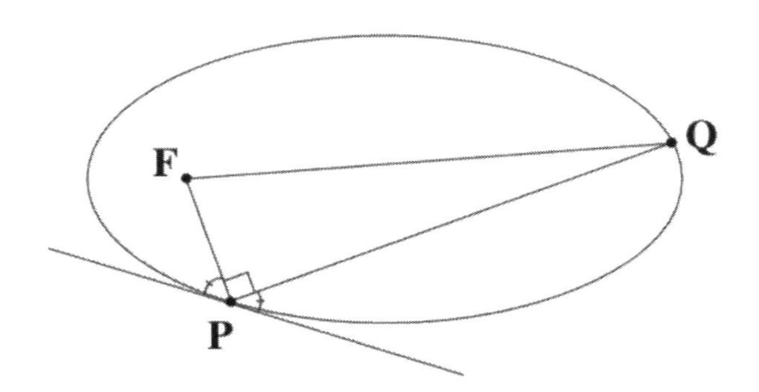

타원을 아래 그림과 같이 좌표평면에 두어 $x^2 + 4y^2 = 4$라 하자. 공이 초점 $F(-\sqrt{3},\ 0)$에 있고 점 $P(x_0,\ y_0)$는 x축 아래에 있다고 가정하자. 다른 초점 $F'(\sqrt{3},\ 0)$은 점 $P(x_0,\ y_0)$와 점 $Q(x_1,\ y_1)$를 지나는 직선 위에 놓여 있다. 점 $P(x_0,\ y_0)$에서의 타원의 법선과 x축의 양의 방향이 이루는 각을 α라 하면, 이 법선의 기울기는 $\tan\alpha = \frac{4y_0}{x_0}$이다.

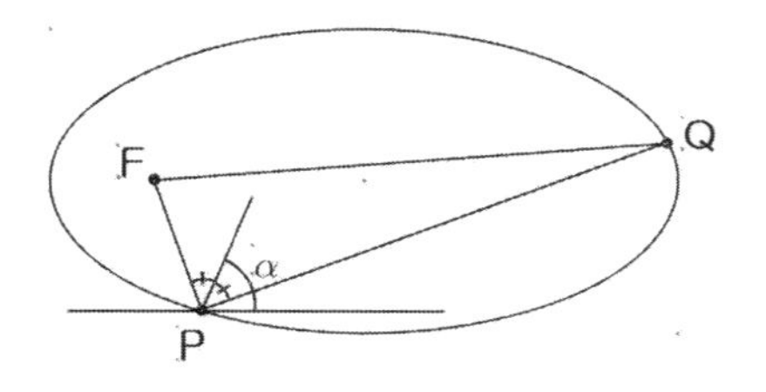

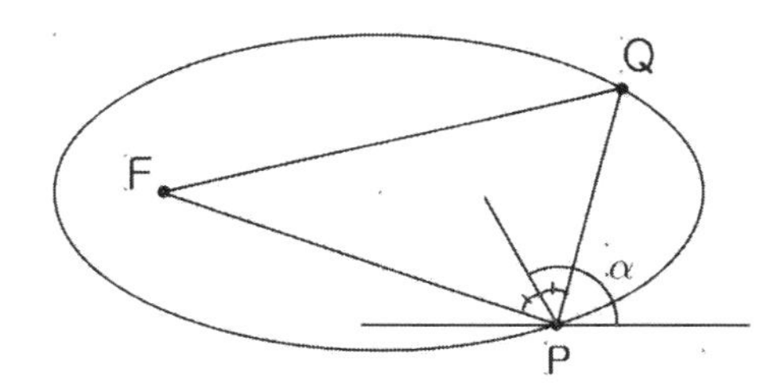

따라서

점 F, P를 지나는 직선의 기울기는 $\dfrac{y_0 - 0}{x_0 - (-\sqrt{3})} = \tan\left(\alpha + \dfrac{\pi}{4}\right) = \dfrac{\dfrac{4y_0}{x_0} + 1}{1 - \dfrac{4y_0}{x_0}}$,

점 P, Q를 지나는 직선의 기울기는 $\dfrac{y_0 - 0}{x_0 - \sqrt{3}} = \tan\left(\alpha - \dfrac{\pi}{4}\right) = \dfrac{\dfrac{4y_0}{x_0} - 1}{1 + \dfrac{4y_0}{x_0}}$**이다.**

이로부터 점 $P(x_0,\ y_0)$는 $\left(-\frac{2\sqrt{2}}{\sqrt{3}},\ -\frac{1}{\sqrt{3}}\right)$또는 $\left(\frac{2\sqrt{2}}{\sqrt{3}},\ -\frac{1}{\sqrt{3}}\right)$이고, 점 $Q(x_1,\ y_1)$의 y좌표는 각각 $y_1=\frac{\sqrt{3}}{21+12\sqrt{2}}$ 또는 $y_1=\frac{\sqrt{3}}{21-12\sqrt{2}}$ 이다.

따라서 삼각형 FPQ의 넓이 =삼각형 FPF′의 넓이 + 삼각형 FQF′의 넓이

$$=\frac{1}{2}\cdot 2\sqrt{3}\cdot|y_0|+\frac{1}{2}\cdot 2\sqrt{3}\cdot|y_1|=\frac{24}{17}-\frac{4}{17}\sqrt{2}\ \text{또는}\ \frac{24}{17}+\frac{4}{17}\sqrt{2}$$

이다.

2. 다항함수 $f(x)$가 $\lim_{x\to\infty}\frac{f(x)}{x^2+2x+3}=4,\ \lim_{x\to-1}\frac{x+1}{f(x)}=-\frac{1}{7}$을 만족시킬 때, $-2\le t\le 2$인 t에 대하여 $g(t)=\int_{-t}^{t}f(x)dx$라 하자. $g(t)$의 최솟값을 구하시오.

$\lim_{x\to\infty}\frac{f(x)}{x^2+2x+3}=4$ 로부터 다항함수 $f(x)$는

$$f(x)=4x^2+ax+b$$

라 할 수 있고,

$\lim_{x\to-1}\frac{x+1}{f(x)}=-\frac{1}{7}$로부터 $f(x)$는 $(x+1)$을 인수로 갖는 것을 알 수 있다.

$f(x)=4(x+1)(x+c)$라 할 때,

$$\lim_{x\to-1}\frac{x+1}{f(x)}=\lim_{x\to-1}\frac{1}{4(x+c)}=\frac{1}{4(c-1)}=-\frac{1}{7}$$

이므로 $c=-\frac{3}{4}$가 되어 $f(x)=4x^2+x-3$이다. 따라서

$$g(t)=\int_{-t}^{t}f(x)dx=\int_{-t}^{t}(4x^2+x-3)dx=\frac{8}{3}t^3-6t$$

이다. $g'(t)=8t^2-6=8\left(t^2-\frac{3}{4}\right)$이므로 $g(t)$는 $t=\frac{\sqrt{3}}{2}$에서 극솟값을 갖는다.

$g(-2)=-\frac{28}{3}<-2\sqrt{3}=g\left(\frac{\sqrt{3}}{2}\right)$이므로, $g(t)$는 $t=-2$에서 최솟값 $g(-2)=-\frac{28}{3}$을 갖는다.

3. 좌표평면 위를 움직이는 점 $P(x,\ y)$의 시각 t에서의 위치가

$$x=2\cos t,\quad y=\sin t$$

일 때, 시각 t에서의 점 P의 속력을 $f(t)$, 가속도의 크기를 $g(t)$라 하자. $0\le t\le 2$인 t에 대하여 $\frac{f(t)}{g(t)}$의 최댓값과 최솟값을 구하시오.

$$f(t)=\sqrt{(-2\sin t)^2+(\cos t)^2}=\sqrt{1+3\sin^2 t},\quad g(t)=\sqrt{(-2\cos t)^2+(-\sin t)^2}=\sqrt{1+3\cos^2 t}$$

이다. $h(t)=\frac{f(t)}{g(t)}$라 하자.

$$h'(t)=\frac{\frac{6\sin t\cos t}{2\sqrt{1+3\sin^2 t}}\sqrt{1+3\cos^2 t}-\sqrt{1+3\sin^2 t}\,\frac{(-6\cos t\sin t)}{2\sqrt{1+3\cos^2 t}}}{1+3\cos^2 t}$$

$$= \frac{3\sin t\cos t(1+3\cos^2 t+1+3\sin^2 t)}{(1+3\cos^2 t)\sqrt{1+3\sin^2 t}\sqrt{1+3\cos^2 t}} = \frac{15\sin t\cos t}{(1+3\cos^2 t)\sqrt{1+3\sin^2 t}\sqrt{1+3\cos^2 t}}$$

$h'(t)$의 분자가 0이 되는 경우를 살펴보면, 정수 n에 대하여 $h'\left(\frac{n\pi}{2}\right)=0$이므로 $t=\frac{n\pi}{2}$에서 극값을 갖는다.

정수 n에 대하여 $t=n\pi$에서 극솟값 $h(n\pi)=\frac{1}{2}$, $t=n\pi+\frac{\pi}{2}$에서 극댓값 $h\left(n\pi+\frac{\pi}{2}\right)=2$을 가지고, 실수 t에 대해서 $\frac{1}{2}\le h(t)\le 2$를 만족한다. 따라서 $0\le t\le 2$인 t에 대하여 $h(t)$는 최솟값 $h(0)=\frac{1}{2}$, 최댓값 $h\left(\frac{\pi}{2}\right)=2$를 갖는다.

13. 2021학년도 한양대 수시 논술 (오전)

[문제 1] 다음 물음에 답하시오. (50점)

1. 곡선 $y=e^x\,(0\le x\le \ln t)$와 y축, 직선 $y=t$로 둘러싸인 도형을 밑면으로 하는 두 입체도형 A와 B가 있다. 도형 A는 y축에 수직인 평면으로 자른 단면이 모두 정사각형이고, 도형 B는 x축에 수직인 평면으로 자른 단면이 모두 정삼각형이다. 도형 A의 부피를 $V(t)$, 도형 B의 부피를 $W(t)$라 할 때, 극한값 $\lim_{t\to\infty}\frac{\ln t}{t}\frac{W(t)}{V(t)}$를 구하시오.

정적분을 이용하면 $V(t)=\int_1^t(\ln y)^2dy$, $W(t)=\frac{\sqrt{3}}{4}\int_0^{\ln t}(t-e^x)^2dx$이다. 부분적분을 이용하면

$$V(t)=\int_1^t(\ln y)^2dy=\left[y(\ln y)^2\right]_1^t-2\int_1^t\ln y\,dy=t(\ln t)^2-2[y\ln y-y]_1^t$$
$$=t(\ln t)^2-2t\ln t+2t-2$$

이고

$$W(t)=\frac{\sqrt{3}}{4}\int_0^{\ln t}(t-e^x)^2dx=\frac{\sqrt{3}}{4}\int_0^{\ln t}e^{2x}-2te^x+t^2dx$$
$$=\frac{\sqrt{3}}{4}\left[\frac{1}{2}e^{2x}-2te^x+t^2x\right]_0^{\ln t}=\frac{\sqrt{3}}{4}\left(\frac{1}{2}t^2-2t^2+t^2\ln t-\frac{1}{2}+2t\right)$$
$$=\frac{\sqrt{3}}{4}\left(t^2\ln t-\frac{3}{2}t^2+2t-\frac{1}{2}\right)$$

따라서

$$\lim_{t\to\infty}\frac{\ln t}{t}\frac{W(t)}{V(t)}=\lim_{t\to\infty}\frac{\ln t}{t}\frac{\frac{\sqrt{3}}{4}\left(t^2\ln t-\frac{3}{2}t^2+2t-\frac{1}{2}\right)}{t(\ln t)^2-2t\ln t+2t-2}$$

이고, 분모 분자를 $t^2(\ln t)^2$로 나눠주면

$$\lim_{t\to\infty}\frac{\ln t}{t}\frac{W(t)}{V(t)}=\lim_{t\to\infty}\frac{\sqrt{3}}{4}\frac{1-\frac{3}{2\ln t}+\frac{2}{t\ln t}-\frac{1}{2t^2\ln t}}{1-\frac{2}{\ln t}+\frac{2}{(\ln t)^2}-\frac{2}{t(\ln t)^2}}=\frac{\sqrt{3}}{4}$$

가 된다.

2. 양의 실수 t에 대하여 곡선 $y=(x+1)^{\frac{3}{2}}(-1 \le x \le t)$의 길이를 $l(t)$라 하고, 이 곡선 위의 점 $\left(t,\ (t+1)^{\frac{3}{2}}\right)$과 원점 사이의 거리를 $d(t)$라 하자. 이때 극한값 $\lim_{t\to\infty}\dfrac{l(t)}{d(t)}$를 구하시오.

곡선의 길이 $l(t)$를 구하면

$$l(t)=\int_{-1}^{t}\sqrt{1+\left(\frac{3}{2}(x+1)^{\frac{1}{2}}\right)^2}\,dx=\int_{-1}^{t}\sqrt{1+\frac{9}{4}(x+1)}\,dx$$
$$=\int_{-1}^{t}\sqrt{\frac{9}{4}x+\frac{13}{4}}\,dx=\left[\frac{8}{27}\left(\frac{9}{4}x+\frac{13}{4}\right)^{\frac{3}{2}}\right]_{-1}^{t}=\frac{8}{27}\left(\frac{9}{4}t+\frac{13}{4}\right)^{\frac{3}{2}}-\frac{8}{27}$$

이다. 한편, $d(t)$는

$$d(t)=\sqrt{t^2+\left((t+1)^{\frac{3}{2}}\right)^2}=\sqrt{t^2+(t+1)^3}$$

이다. 따라서, $\dfrac{l(t)}{d(t)}=\dfrac{8}{27}\dfrac{\left(\frac{9}{4}t+\frac{13}{4}\right)^{\frac{3}{2}}-1}{\sqrt{t^2+(t+1)^3}}$ **이 된다. 분모와 분자를 $t^{\frac{3}{2}}$로 나눈 뒤 극한을 구하면**

$$\lim_{t\to\infty}\frac{l(t)}{d(t)}=\lim_{t\to\infty}\frac{8}{27}\frac{\left(\frac{9}{4}t+\frac{13}{4}\right)^{\frac{3}{2}}-1}{\sqrt{t^2+(t+1)^3}}=\lim_{t\to\infty}\frac{8}{27}\frac{\left(\frac{9}{4}+\frac{13}{4}\frac{1}{t}\right)^{\frac{3}{2}}-\left(\frac{1}{t}\right)^{\frac{3}{2}}}{\sqrt{\frac{1}{t}+\left(1+\frac{1}{t}\right)^3}}=\frac{8}{27}\left(\frac{9}{4}\right)^{\frac{3}{2}}=1$$

이 된다.

3. 자연수 n에 대하여 한 변의 길이가 $n^2-12n+37$인 정사각형의 넓이를 a_n, 한 변의 길이가 $2n+1$인 정사각형의 넓이를 b_n이라고 하자. $\dfrac{a_n}{b_n}$이 최소가 되는 n을 구하고, 이때 $\dfrac{a_n}{b_n}$의 값을 구하시오.

양의 실수 x에 대하여 $f(x)=\dfrac{(x^2-12x+37)^2}{(2x+1)^2}$**이라고 하자. 이 때, 도함수 $f'(x)$를 구하면**

$$f'(x)=\frac{2(x^2-12x+37)(2x-12)(2x+1)^2-(x^2-12x+37)^2 2(2x+1)2}{(2x+1)^4}$$
$$=\frac{4(x^2-12x+37)((x-6)(2x+1)-(x^2-12x+37))}{(2x+1)^3}=\frac{4(x^2-12x+37)(x^2+x-43)}{(2x+1)^3}$$

이때, $x^2-12x+37=(x-6)^2+1>0$**이고,** $x>0$**일 때** $(2x+1)^3>0$**이므로 도함수** $f'(x)$**의 부호는** x^2+x-43**에 의해 결정된다.** x^2+x-43**의** $x>0$**인 근을 구하면** $x=\dfrac{-1+\sqrt{173}}{2}$**이다.**

$0<x<\dfrac{-1+\sqrt{173}}{2}$ **일 때** $f'(x)<0$**이고,** $x>\dfrac{-1+\sqrt{173}}{2}$ **일 때** $f'(x)>0$**이므로,**

$x=\dfrac{-1+\sqrt{173}}{2}$ **에서 $f(x)$가 최소가 되는 걸 알 수 있다.**

$13<\sqrt{173}<14$**를 이용하면** $6<\dfrac{-1+\sqrt{173}}{2}<\dfrac{13}{2}<7$**를 알 수 있다. 따라서** $n=6$ **또는** $n=7$ **인 경우에** $\dfrac{a_n}{b_n}$**가 최소가 된다.**

$\dfrac{a_6}{b_6}=\dfrac{1}{13^2}<\dfrac{4}{15^2}=\dfrac{a_7}{b_7}$**이므로** $n=6$**일 때 최솟값** $\dfrac{a_6}{b_6}=\dfrac{1}{13^2}$**를 갖는다.**

[문제 2] 다음 제시문을 읽고 물음에 답하시오. (50점)

1이하의 모든 양의 실수 a, b, c와 $abcd=1$을 만족시키는 실수 d에 대하여 부등식

$$a+b+c+d+\frac{1}{abc+abd+acd+bcd}\geq M$$

을 만족시키는 양의 실수 M의 최댓값을 다음과 같이 구하고자 한다.
위 부등식을 아래와 같이 쓰자.

$$a+b+c+\frac{1}{abc}+\frac{1}{abc+\frac{1}{a}+\frac{1}{b}+\frac{1}{c}}\geq M$$

$f(x)=a+b+x+\frac{1}{abx}+\frac{1}{abx+\frac{1}{a}+\frac{1}{b}+\frac{1}{x}}$(단, $0<x\leq 1$)이라 하면,

$$f'(x)=\frac{(\text{ㄱ})}{x^2}\left\{\frac{1}{\left(abx+\frac{1}{a}+\frac{1}{b}+\frac{1}{x}\right)^2}-\frac{1}{ab}\right\}\leq 0$$

이므로 $f(c)\geq f(1)$이 성립한다.

이번에는 $f(1)=g(b)$가 되도록 $g(x)=a+x+1+\frac{1}{ax}+\frac{1}{ax+\frac{1}{a}+\frac{1}{x}+1}$(단, $0<x\leq 1$)이라 하면, $g'(x)\leq 0$이므로 $g(b)\geq g(1)$이 성립한다.

마지막으로 $g(1)=h\left(a+\frac{1}{a}+2\right)$가 되는 $h(x)$를 생각하면......

(이하 생략)

1. 제시문의 (ㄱ)에 알맞은 수식을 쓰고 $f'(x)\leq 0$인 이유를 설명하시오.

$$f'(x)=\frac{1-abx^2}{x^2}\left\{\frac{1}{\left(abx+\frac{1}{a}+\frac{1}{b}+\frac{1}{x}\right)^2}-\frac{1}{ab}\right\}$$

a, b, x**는** 1**이하이므로,** $1-abx^2\geq 0$**이고,**

$$\left(abx+\frac{1}{a}+\frac{1}{b}+\frac{1}{x}\right)^2\geq 9,\quad \frac{1}{\left(abx+\frac{1}{a}+\frac{1}{b}+\frac{1}{x}\right)^2}\leq\frac{1}{9},$$

$\frac{1}{ab}\geq 1$ **이므로**

$$\left\{\frac{1}{\left(abx+\frac{1}{a}+\frac{1}{b}+\frac{1}{x}\right)^2}-\frac{1}{ab}\right\}\leq 0$$

따라서 $f'(x)\leq 0$**이다.**

2. 제시문에서 생략된 마지막 과정을 완성하여 M의 최댓값을 구하시오.

$g(1)=h\left(a+2+\frac{1}{a}\right)$**이 되도록** $h(x)=x+\frac{1}{x}$**라고 정의하자. 단** $a+2+\frac{1}{a}\geq 4$**이므로** $h(x)$**는** $x\geq 4$**에서 정의한다.**

이제 $h'(x)=1-\frac{1}{x^2}$**이고** $\frac{1}{x^2}\leq\frac{1}{16}\leq 1$**이므로,** $h'(x)\geq 0$**이다.**

$$\therefore\ h\left(2+a+\frac{1}{a}\right) \geq h(4) = 4+\frac{1}{4} = \frac{17}{4}$$

따라서

$$f(c) \geq f(1) = g(b) \geq g(1) = h\left(a+\frac{1}{a}+2\right) \geq h(4) = \frac{17}{4}$$

이고, 이 값은 $a=b=c=1$**일 때의 값이므로** M**의 최대값은** $\frac{17}{4}$

3. 다음 부등식을 만족시키는 양의 실수 K의 최댓값을 제시문과 동일한 방법으로 구하시오. (단, 실수 a, b, c, d는 제시문과 동일한 조건을 만족한다.)

$$2(a+b+c+d)+\frac{17}{abc+abd+acd+bcd} \geq K$$

일반적으로 양의 실수 A, B**에 대해 아래 식에 제시문과 문항**2**의 과정을 반복하면,**

$$A(a+b+c+d)+\frac{B}{abc+abd+acd+bcd} = A\left(a+b+c+\frac{1}{abc}\right)+\frac{B}{abc+\frac{1}{a}+\frac{1}{b}+\frac{1}{c}}$$

$$f(x) = A\left(a+b+x+\frac{1}{abx}\right)+\frac{B}{abx+\frac{1}{a}+\frac{1}{b}+\frac{1}{x}}$$

$$f'(x) = \frac{1-abx^2}{x^2}\left\{\frac{B}{\left(abx+\frac{1}{a}+\frac{1}{b}+\frac{1}{x}\right)^2}-\frac{A}{ab}\right\}$$

이고,

$$\left(abx+\frac{1}{a}+\frac{1}{b}+\frac{1}{x}\right)^2 \geq 9,\quad \frac{B}{\left(abx+\frac{1}{a}+\frac{1}{b}+\frac{1}{x}\right)^2} \leq \frac{B}{9},\quad \frac{A}{ab} \geq A$$

이므로 $A \geq \frac{B}{9}$**이면** $f'(x) \leq 0$.

$$g(x) = A\left(a+x+1+\frac{1}{ax}\right)+\frac{B}{ax+\frac{1}{a}+\frac{1}{x}+1}$$

$$g'(x) = \frac{1-ax^2}{x^2}\left\{\frac{B}{\left(ax+\frac{1}{a}+\frac{1}{x}+1\right)^2}-\frac{A}{a}\right\}$$

$A \geq \frac{B}{9}$**이면,** $g'(x) \leq 0$**이다.**

$$h(x) = Ax+\frac{B}{x},\ x \geq 4,\ h'(x) = A-\frac{B}{x^2}$$

$\frac{B}{x^2} \leq \frac{B}{16} \leq \frac{B}{9}$**이므로,** $\frac{B}{9} \leq A$**이면** $h'(x) \geq 0$**이다.**

$A=2$, $B=17$**일 때** $\frac{17}{9} \leq 2$**이므로 각 단계에 필요한 부등식을 모두 만족한다.**

$$\therefore\ h\left(2+a+\frac{1}{a}\right) \geq h(4) = 4A+\frac{B}{4} = 8+\frac{17}{4} = \frac{49}{4}$$

가 K**의 최대값이 된다.**

14. 2021학년도 한양대 수시 논술 (오후 1)

[문제 1] 다음 제시문을 읽고 물음에 답하시오. (50점)

< 가 >

학생 A와 B가 다음과 같이 야구방망이를 휘둘러서 공을 치는 놀이를 한다.

(1) 공을 쳐서 날아간 거리가 50 m이상인 경우 2점, 공을 쳐서 날아간 거리가 50 m미만인 경우 1점, 공을 치지 못한 경우 0점을 얻는다.

(2) 학생 A와 B가 다음과 같은 확률로 공을 친다.

	학생A	학생B
공을 쳐서 날아간 거리가50 m이상일 확률	$\frac{1}{6}$	$\frac{1}{4}$
공을 쳐서 날아간 거리가50 m미만일 확률	$\frac{1}{3}$	$\frac{1}{12}$
공을 치지 못할 확률	$\frac{1}{2}$	$\frac{2}{3}$

< 나 >

z	$\mathrm{P}(0 \le Z \le z)$
0.5	0.1915
1.0	0.3413
1.5	0.4332
2.0	0.4772
2.5	0.4938

<표준정규분포표>

1. 학생 B가 야구방망이를 휘두르는 시행을 50회 반복했을 때 공을 친 횟수가 10이상이고 20 이하일 확률을 표준정규분포표를 이용하여 구하시오.

학생 B가 50번의 기회 중에 공을 친 횟수를 확률변수 Y라고 하자. 학생 B가 공을 칠 확률은 $\frac{1}{3}$이므로 확률변수 Y는 이항분포 $\mathrm{B}\left(50,\ \frac{1}{3}\right)$을 따른다. 이 때, $\frac{50}{3}$, $\frac{50\times 2}{3} > 5$이므로, 이항분포 $\mathrm{B}\left(50,\ \frac{1}{3}\right)$는 근사적으로 정규분포 $N\left(\frac{50}{3},\ \left(\frac{10}{3}\right)^2\right)$를 따른다.

$$\mathrm{P}(10 \le Y \le 20) = \mathrm{P}\left(\frac{10-\frac{50}{3}}{\frac{10}{3}} \le Z \le \frac{20-\frac{50}{3}}{\frac{10}{3}}\right) = \mathrm{P}(-2 \le Z \le 1)$$

$$= \mathrm{P}(-2 \le Z \le 0) + \mathrm{P}(0 \le Z \le 1) = \mathrm{P}(0 \le Z \le 2) + \mathrm{P}(0 \le Z \le 1)$$

$$= 0.4772 + 0.3413 = 0.8185$$

2. 학생 A가 야구방망이를 휘두르는 시행을 5회 반복했을 때 얻은 점수가 7점 이상일 확률을 구하시오.

다섯 번의 차례를 통해 7점 이상을 얻을 때, 가능한 득점의 경우의 수와 각 경우의 확률을 구하면 표와 같다. 따라서 구하고자 하는 확률은

$$1\times\left(\frac{1}{6}\right)^5+5\times\left(\frac{1}{6}\right)^4\left(\frac{1}{3}\right)+5\times\left(\frac{1}{6}\right)^4\left(\frac{1}{2}\right)$$

$$+10\times\left(\frac{1}{6}\right)^3\left(\frac{1}{3}\right)^2+20\times\left(\frac{1}{6}\right)^3\left(\frac{1}{3}\right)\left(\frac{1}{2}\right)+10\times\left(\frac{1}{6}\right)^2\left(\frac{1}{3}\right)^3$$

$$=\frac{1}{6^5}(1+10+15+40+120+80)=\frac{266}{6^5}=\frac{133}{3888}$$

이다.

점수	득점	경우의 수	확률
10 점	2, 2, 2, 2, 2	1	$\left(\frac{1}{6}\right)^5$
9 점	2, 2, 2, 2, 1	$\frac{5!}{4!1!}=5$	$\left(\frac{1}{6}\right)^4\left(\frac{1}{3}\right)$
8점	2, 2, 2, 2, 0	$\frac{5!}{4!1!}=5$	$\left(\frac{1}{6}\right)^4\left(\frac{1}{2}\right)$
	2, 2, 2, 1, 1	$\frac{5!}{3!2!}=10$	$\left(\frac{1}{6}\right)^3\left(\frac{1}{3}\right)^2$
7점	2, 2, 2, 1, 0	$\frac{5!}{3!1!1!}=20$	$\left(\frac{1}{6}\right)^3\left(\frac{1}{3}\right)\left(\frac{1}{2}\right)$
	2, 2, 1, 1, 1	$\frac{5!}{2!3!}=10$	$\left(\frac{1}{6}\right)^2\left(\frac{1}{3}\right)^3$

3. 학생 A와 B가 야구방망이를 휘두르는 시행을 각각 2회 반복했을 때 학생 B가 학생 A보다 높은 점수를 얻을 확률을 구하시오.

두 차례에 두 학생이 받을 수 있는 점수에 따른 경우의 수와 확률은 다음과 같다.

점수	득점	경우의 수	학생A의 확률	학생B의 확률
0	0,0	1	$\left(\frac{1}{2}\right)^2$	$\left(\frac{2}{3}\right)^2$
1	0,1	2	$\frac{1}{2}\times\frac{1}{3}=\frac{1}{6}$	$\frac{2}{3}\times\frac{1}{12}=\frac{1}{18}$
2	2,0	2	$\frac{1}{6}\times\frac{1}{2}=\frac{1}{12}$	$\frac{1}{4}\times\frac{2}{3}=\frac{1}{6}$
	1,1	1	$\left(\frac{1}{3}\right)^2$	$\left(\frac{1}{12}\right)^2$
3	2,1	2	$\frac{1}{6}\times\frac{1}{3}=\frac{1}{18}$	$\frac{1}{4}\times\frac{1}{12}=\frac{1}{48}$
4	2.2	1	$\left(\frac{1}{6}\right)^2$	$\left(\frac{1}{4}\right)^2$

학생 B가 학생 A보다 높은 점수를 받기 위해서는 다음과 같이 득점을 하여야 한다.

학생A의 득점	0				1			2		3
학생 B의 득점	1	2	3	4	2	3	4	3	4	4

(학생 A가 0점일 확률) $\times \left(\sum_{j=1}^{4} \text{(학생 B가 } j\text{점일 확률)} \right) =$

$$= \left(\frac{1}{2}\right)^2 \left(2 \times \frac{1}{18} + 2 \times \frac{1}{6} + \left(\frac{1}{12}\right)^2 + 2 \times \frac{1}{48} + \left(\frac{1}{4}\right)^2\right)$$

$$= \left(\frac{1}{2}\right)^2 \frac{(16+48+1+6+9)}{12^2} = \frac{80}{2^6 \times 3^2} = \frac{5}{2^2 \times 3^2}$$

(학생 A가 1점일 확률 $\times \left(\sum_{j=2}^{4} \text{(학생 } B\text{가 } j\text{점일 확률)} \right)$

$$= \left(2 \times \frac{1}{6}\right)\left(2 \times \frac{1}{6} + \left(\frac{1}{12}\right)^2 + 2 \times \frac{1}{48} + \left(\frac{1}{4}\right)^2\right)$$

$$= \left(\frac{1}{3}\right) \frac{(48+1+6+9)}{12^2} = \frac{64}{2^4 \times 3^3} = \frac{2^2}{3^3}$$

(학생 A가 2점일 확률) $\times \left(\sum_{j=3}^{4} \text{학생 } B\text{가 } j\text{점일 확률} \right)$

$$= \left(2 \times \frac{1}{12} + \left(\frac{1}{3}\right)^2\right)\left(2 \times \frac{1}{48} + \left(\frac{1}{4}\right)^2\right)$$

$$= \left(\frac{5}{18}\right) \frac{(2+3)}{48} = \frac{25}{2^5 \times 3^3} = \frac{5^2}{2^5 \times 3^3}$$

(학생 A가 3점일 확률) $\times$ **(학생 B가 4점일 확률)** $= \left(2 \times \frac{1}{18}\right)\left(\frac{1}{4}\right)^2 = \frac{1}{2^4 \times 3^2}$

따라서 학생 B의 득점이 학생 A보다 클 확률은

$$\frac{5}{2^2 \times 3^2} + \frac{2^2}{3^3} + \frac{5^2}{2^5 \times 3^3} + \frac{1}{2^4 \times 3^2} = \frac{120+128+25+6}{2^5 \times 3^3} = \frac{279}{2^5 \times 3^3} = \frac{31}{2^5 \times 3} = \frac{31}{96}$$

[문제 2] 다음 제시문을 읽고 물음에 답하시오. (50점)

한 변의 길이가 1인 정사각형 ABCD가 있다.

<가> 삼각형 PAQ의 두 꼭짓점 P와 Q는 각각 변 BC와 CD 위에 있고, $\angle \text{PAQ} = \frac{\pi}{4}$이다. 선분 AD와 AQ가 이루는 각의 크기를 t라 하자. (단, $0 \le t \le \frac{\pi}{4}$)

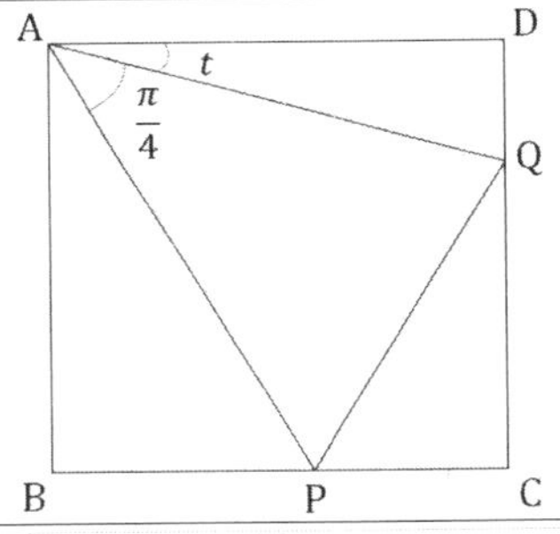

<나> 삼각형 RST의 세 꼭짓점 R, S, T는 각각 변 AB, CD, DA위에 있다. 선분 AD와 TS가 이루는 각의 크기를 s라 하자. (단, $0 \le s \le \frac{\pi}{2}$)

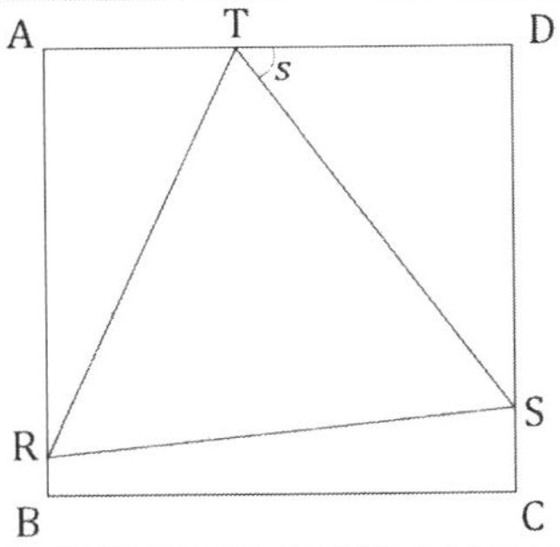

1. 제시문 <가>에서 주어진 삼각형 PAQ의 꼭짓점 A에서 변 PQ에 내린 수선의 발을 H라 할 때, 각의 크기 t $\left(0 \le t \le \frac{\pi}{4}\right)$가 변함에 따라 점 H가 이루는 곡선의 길이를 구하시오.

첫 번째 그림에서 $\angle \mathrm{DAQ} = t$, $\angle \mathrm{HAQ} = s$**라 하면,** $\angle \mathrm{BAP} = \frac{\pi}{4} - t$, $\angle \mathrm{HAP} = \frac{\pi}{4} - s$**이다.**

$$\frac{\cos s}{\cos t} = \overline{\mathrm{AH}} = \frac{\cos\left(\frac{\pi}{4} - s\right)}{\cos\left(\frac{\pi}{4} - t\right)} = \frac{\cos\frac{\pi}{4}\cos s + \sin\frac{\pi}{4}\sin s}{\cos\frac{\pi}{4}\cos t + \sin\frac{\pi}{4}\sin t} = \frac{\cos s + \sin s}{\cos t + \sin t}$$

이고, 정리하면 $\tan t = \tan s$, **즉** $t = s$**이므로**

삼각형 DAQ**와 삼각형** HAQ**는 합동이다.**

따라서 $\overline{\mathrm{AH}} = \overline{\mathrm{AD}} = 1$**이다.**

따라서 점 H**가 이루는 곡선은 반지름** 1**인 사분원이므로 길이는** $\frac{\pi}{2}$**이다**

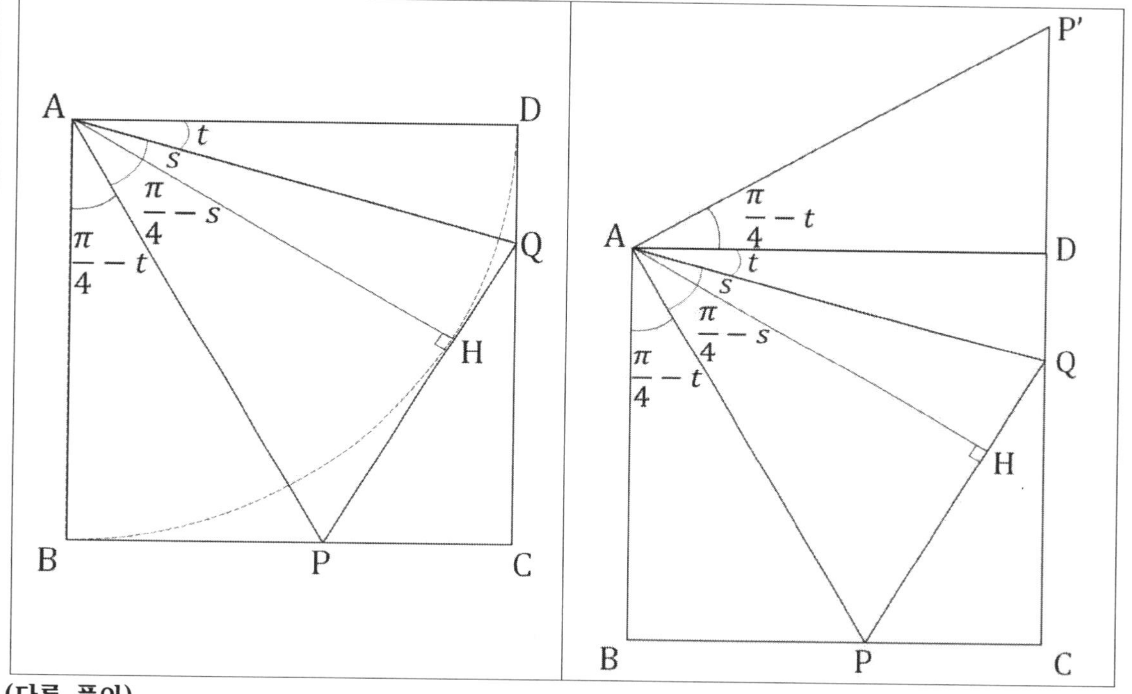

(다른 풀이)

두 번째 그림에서 삼각형 AQP**와 삼각형** AQP′**은 합동이고, 따라서**

$$\overline{\mathrm{AH}} = (\text{삼각형 AQP의 높이}) = (\text{삼각형 AQP}'\text{의 높이}) = \overline{\mathrm{AD}} = 1$$

이다. 따라서 점 H**가 이루는 곡선은 반지름이** 1**인 사분원 이므로 길이는** $\frac{\pi}{2}$**이다.**

2. 제시문 <가>에서 주어진 삼각형 PAQ의 넓이를 t에 대한 식 $f(t)$로 나타낼 때,

$$\int_0^{\frac{\pi}{4}} f(t)\,dt$$

의 값을 구하시오.

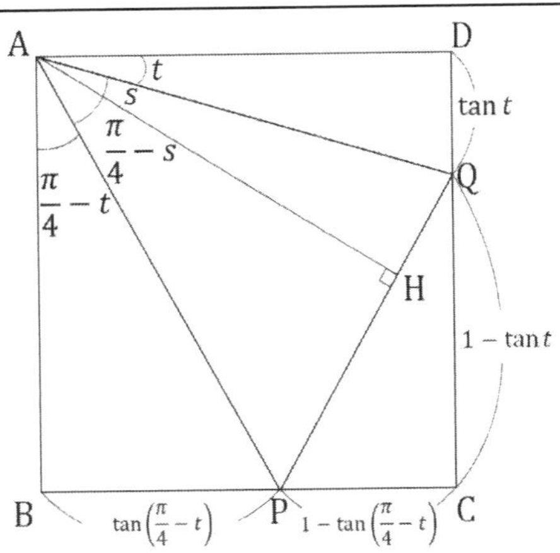

그림에서 $\overline{PQ}=\sqrt{(1-\tan t)^2+\left(1-\tan\left(\frac{\pi}{4}-t\right)\right)^2}=\frac{1+\tan^2 t}{1+\tan t}$ **이므로, 삼각형** PAQ**의 넓이** $f(t)$**는**

$$f(t)=\frac{1}{2}\cdot\overline{AH}\cdot\overline{PQ}=\frac{1}{2}\cdot\frac{1+\tan^2 t}{1+\tan t}$$

이다. 따라서 ($1+\tan t=s$**로 치환해서**)

$$\int_0^{\frac{\pi}{4}}f(t)dt=\frac{1}{2}\int_0^{\frac{\pi}{4}}\frac{1+\tan^2 t}{1+\tan t}dt=\frac{1}{2}\int_1^2\frac{1}{s}ds=\frac{1}{2}\ln 2(=\ln\sqrt{2})$$

이다.

(다른 풀이)

삼각형 PAQ**의 넓이** $f(t)$**는**

$$f(t)=\frac{1}{2}\overline{AP}\cdot\overline{AQ}\sin\frac{\pi}{4}=\frac{1}{2}\frac{1}{\cos\left(\frac{\pi}{4}-t\right)}\frac{1}{\cos t}\frac{1}{\sqrt{2}}=\frac{1}{2}\frac{1}{(\cos t+\sin t)\cos t}$$

이다. 따라서

$$\int_0^{\frac{\pi}{4}}f(t)dt=\frac{1}{2}\int_0^{\frac{\pi}{4}}\frac{1}{(\cos t+\sin t)\cos t}dt=\cdots=\frac{1}{2}\int_0^{\frac{\pi}{4}}\frac{1+\tan^2 t}{1+\tan t}dt=\cdots=\frac{1}{2}\ln 2(=\ln\sqrt{2})$$

이다.

3. 제시문 <나>에서 주어진 삼각형 RST 가 정삼각형이 되기 위한 s의 최솟값을 s_0, 최댓값을 s_1이라 하자. 정삼각형 RST 의 넓이를 s에 대한 식 $g(s)$로 나타낼 때,

$$\int_{s_0}^{s_1}g(s)ds$$

의 값을 구하시오.

그림에서 $s_0=\frac{\pi}{4}(=45^\circ)$, $s_1=\frac{5\pi}{12}(=75^\circ)$**이다.**

$\frac{\pi}{4}\le s\le\frac{5\pi}{12}$**인** s**에 대해, 정삼각형** RST**의 한 변의 길이를** a**라고 하면,**

오른쪽 아래 그림에서 $a\cos\left(\frac{2}{3}\pi-s\right)+a\cos s=1$**임을 알 수 있고, 따라서**

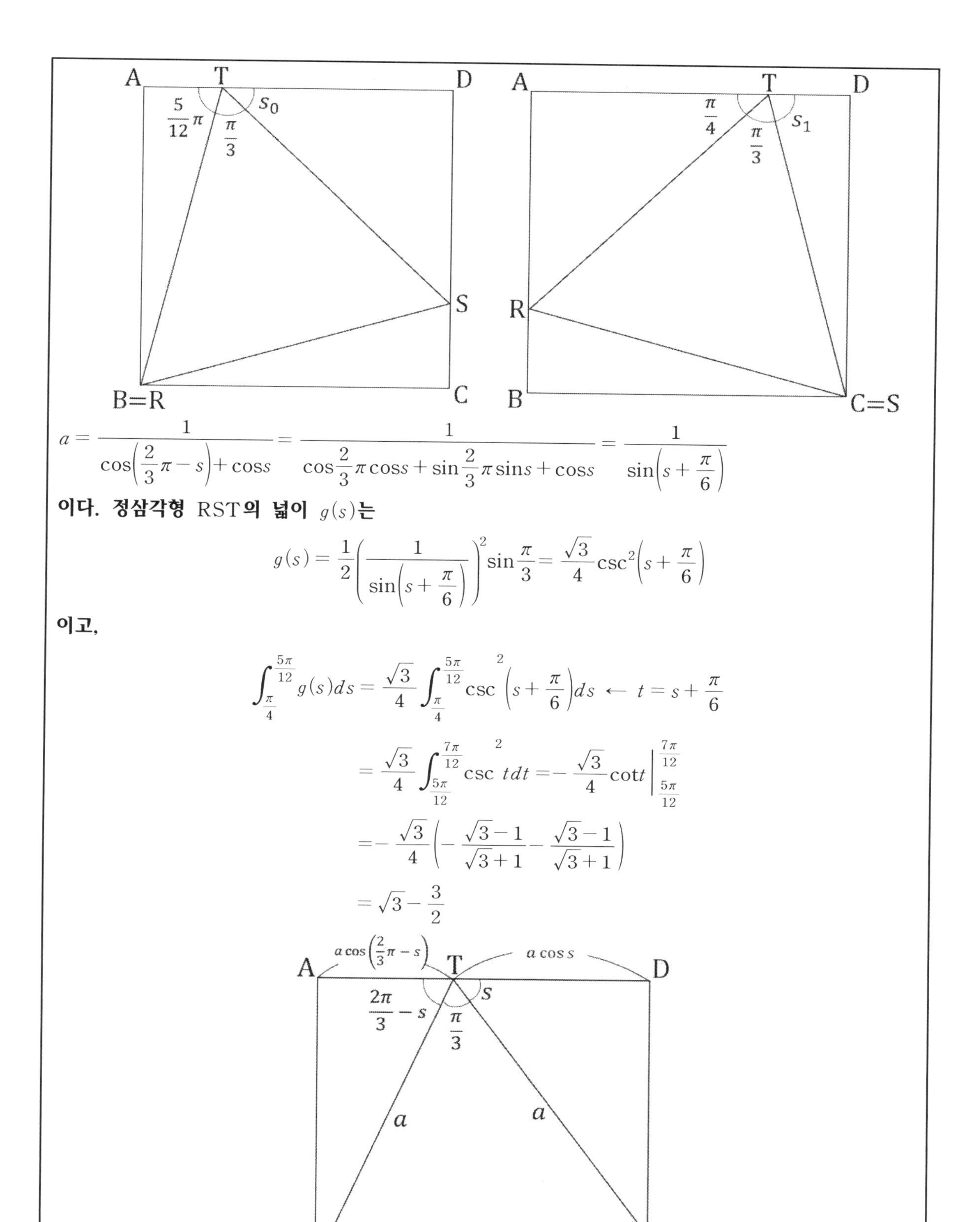

$$a = \frac{1}{\cos\left(\frac{2}{3}\pi - s\right) + \cos s} = \frac{1}{\cos\frac{2}{3}\pi\cos s + \sin\frac{2}{3}\pi\sin s + \cos s} = \frac{1}{\sin\left(s + \frac{\pi}{6}\right)}$$

이다. 정삼각형 RST**의 넓이** $g(s)$**는**

$$g(s) = \frac{1}{2}\left(\frac{1}{\sin\left(s + \frac{\pi}{6}\right)}\right)^2 \sin\frac{\pi}{3} = \frac{\sqrt{3}}{4}\csc^2\left(s + \frac{\pi}{6}\right)$$

이고,

$$\int_{\frac{\pi}{4}}^{\frac{5\pi}{12}} g(s)\,ds = \frac{\sqrt{3}}{4}\int_{\frac{\pi}{4}}^{\frac{5\pi}{12}} \csc^2\left(s + \frac{\pi}{6}\right)ds \leftarrow t = s + \frac{\pi}{6}$$

$$= \frac{\sqrt{3}}{4}\int_{\frac{5\pi}{12}}^{\frac{7\pi}{12}} \csc^2 t\,dt = -\frac{\sqrt{3}}{4}\cot t\Big|_{\frac{5\pi}{12}}^{\frac{7\pi}{12}}$$

$$= -\frac{\sqrt{3}}{4}\left(-\frac{\sqrt{3}-1}{\sqrt{3}+1} - \frac{\sqrt{3}-1}{\sqrt{3}+1}\right)$$

$$= \sqrt{3} - \frac{3}{2}$$

15. 2021학년도 한양대 수시 논술 (오후 2)

[문제 1] 다음 제시문을 읽고 물음에 답하시오. (50점)

수열 $\{a_k\}$는 모든 자연수 k에 대하여 다음을 만족시킨다.

ㄱ. $a_1 = 2021$

ㄴ. $a_{2k} = (a_k - 2020)^{2021} + 2020$

ㄷ. $a_{2k+1} = (a_k - 2022)^{2020} + 2018$

1. a_{36}의 값을 구하시오.

$36 = 2^2(2(2^2)+1)$**이므로**

$$\begin{aligned} a_2 &= (a_1 - 2020)^{2021} + 2020 = 2021 \\ a_4 &= (a_2 - 2020)^{2021} + 2020 = 2021 \\ a_9 &= (a_4 - 2022)^{2020} + 2018 = 2019 \\ a_{18} &= (a_9 - 2020)^{2021} + 2020 = 2019 \\ a_{36} &= (a_{18} - 2020)^{2021} + 2020 = 2019 \end{aligned}$$

이다.

2. $a_k < 2^{2020}$**이고** $k \le 2^{100}$**인 자연수** k**의 개수를 구하시오.**

k**의 형태에 따라서 조건** $(a_k < 2^{2020})$**을 만족하는지 확인해보자.**

[형태 1. $k = 2^m$, $(m \ge 0)$**]**

$a_1 = 2021$

$a_2 = (a_1 - 2020)^{2021} + 2020 = 2021$

$a_4 = (a_2 - 2020)^{2021} + 2020 = 2021$

$\cdots$

$a_{2^m} = (a_{2^{m-1}} - 2020)^{2021} + 2020 = 2021$

이므로 $a_k = 2021$**이다.**

[형태 2. $k = 2^m + 1$, $(m \ge 1)$**]**

$a_3 = (a_1 - 2022)^{2020} + 2018 = 2019$

$a_5 = (a_2 - 2022)^{2020} + 2018 = 2019$

$\cdots$

$a_{2^m+1} = (a_{2^{m-1}} - 2022)^{2020} + 2018 = 2019$

이므로 $a_k = 2019$**이다.**

[형태 3. $k = 2^l(2^m + 1)$, $(m,\ l \ge 1)$**]**

(형태 2)를 만족하는 $a_{2^m+1} = 2019$**임을 알 수 있다. 또한, 제시문의 ㄴ에 의해**

$a_{2(2^m+1)} = (a_{2^m+1} - 2020)^{2021} + 2020 = 2019$

$a_{2^2(2^m+1)} = (a_{2(2^m+1)} - 2020)^{2021} + 2020 = 2019$

$\cdots$

$a_{2^l(2^m+1)} = (a_{2^{l-1}(2^m+1)} - 2020)^{2021} + 2020 = 2019$

이므로 $a_k = 2019$**이다.**

[형태 4. $k=2^l(2^m+1)+1$, $(m,\ l \geq 1)$]

(형태 2)를 만족하는 $a_{2^m+1}=2019$**임을 알 수 있다.** $l=1$**인 경우, 제시문의 데 의해**

$$a_{2(2^m+1)+1}=(a_{2^m+1}-2022)^{2020}+2018>2^{2020}$$

이다.

$l>1$**인 경우, 제시문 ㅂ에 의해** $a_{2^{l-1}(2^m+1)}=2019$**이고, 제시문 ㄷ에 의해**

$$a_{2^l(2^m+1)+1}=(a_{2^{l-1}(2^m+1)}-2022)^{2020}+2018>2^{2020}$$

이다.

따라서, $a_k>2^{2020}$**이다.**

[형태 5. k**는 형태 1, 2, 3, 4가 아닌 나머지 수]**

k**는 항상** $(\cdots 2^r(2^l(2^m+1)+1)\cdots$ **꼴로 쓸 수가 있으며(단,** $m,\ l,\ r \geq 1$**), (형태 4)에 의해** $a_{2^l(2^m+1)+1}>2^{2020}$**임을 알 수 있다.** a_k**는 제시문 ㄴ과 ㄷ을 반복적용해서 계산이 가능한데, 항상 2022보다 큰 수에 대해 증가하므로** $a_k>2^{2020}$**이다.**

$a_k<2^{2020}$**을 만족하는 경우는 (형태 1) (즉,** $k=2^m$**), (형태 2) (즉,** 2^m+1, $(m \geq 1)$**), (형태 3) (즉,** $2^l(2^m+1)$, $(m,\ l \geq 1)$**)이 전부이다. 이들 중** $k \leq 2^{100}$**를 만족하는 자연수는 (형태 1)의 101가지** $(m=0,\ 1,\ \ldots 100)$, **형태 2의 99가지** $(m=1,\ 2,\ \ldots 99)$, **형태 3의** $\frac{98 \cdot 99}{2}=4851$ **가지**

$((l,m)=(1,1),(1,2),\ldots,(1,98),(2,1),(2,2),\ldots,(2,97),(3,1),(3,2),\ldots,(3,96),\ldots,(98,1))$

총 $101+99+4851=5051$

3. $a_1,\ a_2,\ a_3,\ \cdots$중 가장 작은 수를 α라 하자. $n>2$인 자연수 n에 대하여 $a_k=\alpha$이고 $k \leq 2^n$인 자연수 k의 개수를 c_n이라 하자.

$S_n=\sum_{t=1}^{n}\frac{2(n-1)}{2c_n+t(n-1)}$이라 할 때, $\lim_{n\to\infty}S_n$의 값을 구하시오.

$\alpha=2019$**이다.** $a_k=2019$**는 1번 풀이의 (형태 2)와 (형태 3)의** k**만 가능하다.**

(형태 2)는 $m=1,\ 2,\ \ldots n-1$**인 경우에만** $2^m+1 \leq 2^n$**를 만족하므로** $n-1$**개가 가능하다.**

(형태 3) 은 $l=1,\ \ldots,\ n-2$**인 경우,** $m=1,\ 2,\ \ldots n-l-1$**인 경우에만** $2^l(2^m+1) \leq 2^n$**를 만족하므로** $\sum_{l=1}^{n-2}(n-l-1)=(n-1)(n-2)-\frac{(n-2)(n-1)}{2}=\frac{(n-2)(n-1)}{2}$**개가 가능하다.**

따라서, $c_n=\frac{(n-2)(n-1)}{2}+(n-1)=\frac{n(n-1)}{2}$ **이고,**

$$S_n=\sum_{t=1}^{n}\frac{2(n-1)}{2c_n+t(n-1)}=\sum_{t=1}^{n}\frac{2}{n+t}=\frac{1}{n}\sum_{t=1}^{n}\frac{2}{1+\frac{t}{n}}$$

를 만족한다.

따라서, $\lim_{n\to\infty}S_n=\int_0^1\frac{2}{1+x}dx=[2\ln(1+x)]_0^1=2\ln 2$**이다.**

[문제 2] 다음 제시문을 읽고 물음에 답하시오. (50점)

<가>

$a>0$, $0\le b\le 1$인 상수 a, b에 대하여 함수

$$f(x)=a\sqrt{1+e^x}+\ln\left(\frac{\sqrt{1+e^x}-b}{\sqrt{1+e^x}+b}\right)$$

의 도함수가 $f'(x)=\sqrt{1+e^x}$ 이다.

<나>

곡선 $y=h(x)$ $(c\le x\le d)$의 길이는 $\int_c^d\sqrt{1+\{h'(x)\}^2}\,dx$이다.

<다>

수열 $\{\alpha_n\}$, $\{\beta_n\}$, $\{\gamma_n\}$에 대하여 $\lim_{n\to\infty}\alpha_n=\lim_{n\to\infty}\beta_n=L$이고, 모든 자연수 n에 대하여

$\alpha_n\le\gamma_n\le\beta_n$이면, $\lim_{n\to\infty}\gamma_n=L$이다.

<라>

연속함수 $p(x)$, $q(x)$, $r(x)$에 대하여 닫힌구간 $[c,\ d]$에서 $p(x)\le q(x)\le r(x)$이면

$$\int_c^d p(x)dx\le\int_c^d q(x)dx\le\int_c^d r(x)dx$$

이다.

1. $a+b$의 값을 구하시오.

함수 $f(x)=a\sqrt{1+e^x}+\ln\left(\sqrt{1+e^x}-b\right)-\ln\left(\sqrt{1+e^x}+b\right)$**를** x**에 대하여 미분하면**

$$f'(x)=\frac{e^x}{2\sqrt{1+e^x}}\left(a+\frac{1}{\sqrt{1+e^x}-b}-\frac{1}{\sqrt{1+e^x}+b}\right)=\sqrt{1+e^x}$$

따라서

$$e^x\left[a+\frac{2b}{(1+e^x)-b^2}\right]=2(1+e^x)$$

즉

$$e^x\left[a\{(1+e^x)-b^2\}+2b\right]=2(1+e^x)\{(1+e^x)-b^2\}$$

전개하면

$$ae^{2x}+\left[a(1-b^2)+2b\right]e^x=2e^{2x}+2(2-b^2)e^x+2(1-b^2)$$

양변의 계수를 비교하면 $a=2$, $b=1$**이다. 따라서** $a+b=3$

2.실수 k에 대하여 곡선 $y=e^x$ $\left(k\le x\le k+\frac{1}{e^k}\right)$의 길이를 $g(k)$라 할 때, $\lim_{k\to\infty}g(k)$의 값을 구하시오.

제시문 <나>, 치환적분법 및 문제 1에 의하여

$$g(k)=\int_k^{k+e^{-k}}\sqrt{1+e^{2t}}\,dt=\frac{1}{2}\int_{2k}^{2k+2e^{-k}}\sqrt{1+e^x}\,dx\quad\left(x=2t\quad\frac{dt}{dx}=\frac{1}{2}\right)$$

$$=\frac{1}{2}\left(f(2k+2e^{-k})-f(2k)\right)$$

<해 1> 평균값 정리에 의하여

$$g(k)=\frac{1}{2}f'(c)2e^{-k}=e^{-k}f'(c)=e^{-k}\sqrt{1+e^c}$$

를 만족하는 c**가 열린구간** $(2k,\ 2k+2e^{-k})$**에 적어도 하나 존재한다. 구간** $(-\infty,\ \infty)$**에서** $f''(x)=A'(x)>0$**이므로** $f'(x)$**는 증가한다. 따라서**

$e^{-k}\sqrt{1+e^{2k}}<g(k)=e^{-k}\sqrt{1+e^{c}}<e^{-k}\sqrt{1+e^{2k+2e^{-k}}}$ **이고,**

$$\lim_{k\to\infty}e^{-k}\sqrt{1+e^{2k}}=\lim_{k\to\infty}\sqrt{1+e^{-2k}}=1,\quad \lim_{k\to\infty}e^{-k}\sqrt{1+e^{2k+2e^{-k}}}=\lim_{k\to\infty}\sqrt{e^{2e^{-k}}+e^{-2k}}=1$$

제시문 <다>에 의하여 $\lim_{k\to\infty}g(k)=1$

<해 2> 문제 1에 의하여

$$g(k)=\frac{1}{2}\left(f(2k+2e^{-k})-f(2k)\right)$$

$$=\left[\sqrt{1+e^{x}}+\frac{1}{2}\ln\left(\frac{\sqrt{1+e^{x}}-1}{\sqrt{1+e^{x}}+1}\right)\right]_{2k}^{2k+2e^{-k}}$$

$$=\left(\sqrt{1+e^{2k+2e^{-k}}}-\sqrt{1+e^{2k}}\right)+\frac{1}{2}\ln\left(\frac{\sqrt{1+e^{2k+2e^{-k}}}-1}{\sqrt{1+e^{2k+2e^{-k}}}+1}\times\frac{\sqrt{1+e^{2k}}+1}{\sqrt{1+e^{2k}}-1}\right)\text{......}\mathbf{(3)}$$

한편

$$\lim_{k\to\infty}\left(\sqrt{1+e^{2k+2e^{-k}}}-\sqrt{1+e^{2k}}\right)=\lim_{k\to\infty}\frac{e^{2k}\left(e^{2e^{-k}}-1\right)}{\sqrt{1+e^{2k+2e^{-k}}}+\sqrt{1+e^{2k}}}$$

$$=\lim_{k\to\infty}\frac{e^{k}\left(e^{2e^{-k}}-1\right)}{\sqrt{e^{-2k}+e^{2e^{-k}}}+\sqrt{e^{-2k}+1}}$$

$$=\frac{1}{2}\lim_{k\to\infty}e^{k}\left(e^{2e^{-k}}-1\right)=\lim_{l\to 0}\frac{e^{2l}-1}{2l}=1\ (l=e^{-k}\text{로치환})\text{....}\mathbf{(4)}$$

이고

$$\lim_{k\to\infty}\left(\frac{\sqrt{1+e^{2k+2e^{-k}}}-1}{\sqrt{1+e^{2k+2e^{-k}}}+1}\times\frac{\sqrt{1+e^{2k}}+1}{\sqrt{1+e^{2k}}-1}\right)$$

$$=\lim_{k\to\infty}\frac{\sqrt{e^{-2k}+e^{2e^{-k}}}-e^{-k}}{\sqrt{e^{-2k}+e^{2e^{-k}}}+e^{-k}}\times\lim_{k\to\infty}\frac{\sqrt{e^{-2k}+1}-e^{-k}}{\sqrt{e^{-2k}+1}+e^{-k}}=1\times1=1$$

따라서

$$\lim_{k\to\infty}\frac{1}{2}\ln\left(\frac{\sqrt{1+e^{2k+2e^{-k}}}-1}{\sqrt{1+e^{2k+2e^{-k}}}+1}\times\frac{\sqrt{1+e^{2k}}+1}{\sqrt{1+e^{2k}}-1}\right)=\ln1=0\quad\text{......}\mathbf{(5)}$$

식 (3), (4), (5)로부터

$$\lim_{k\to\infty}g(k)=1+0=1$$

을 얻는다.

3. 함수 $f(x)$의 한 부정적분을 $F(x)$라 할 때, $\lim_{x\to\infty}\frac{F(2x)}{e^{x}}$의 값을 구하시오. (단, $\lim_{x\to\infty}\frac{x}{e^{x}}=0$)

$G(x)=\int_0^x f(t)dt$**라 하면,** $F(x)=G(x)+C$**(** C**는 상수)가 성립한다. 따라서**

$$\lim_{x\to\infty}e^{-x}F(2x)=\lim_{x\to\infty}e^{-\frac{x}{2}}F(x)=\lim_{x\to\infty}e^{-\frac{x}{2}}(G(x)+C)=\lim_{x\to\infty}e^{-\frac{x}{2}}G(x)$$

의 값을 구하면 된다. 문제 1에 의해

$$G(x) = 2\int_0^x \sqrt{1+e^t}\,dt + \int_0^x \ln\left(\frac{\sqrt{1+e^t}-1}{\sqrt{1+e^t}+1}\right)dt$$
$$= 2(f(x)-f(0)) + \int_0^x \ln\left(\frac{\sqrt{1+e^t}-1}{\sqrt{1+e^t}+1}\right)dt \;\ldots\ldots \textbf{(6)}$$

한편 구간 $(-\infty,\ \infty)$**에서** $f'(x)$**가 증가하고, 구간** $(-1,\ \infty)$**에서** $\frac{x-1}{x+1}$**도 증가하므로 임의의 양수** t**에 대하여**

$$\frac{\sqrt{2}-1}{\sqrt{2}+1} \le \frac{\sqrt{1+e^t}-1}{\sqrt{1+e^t}+1} \le 1$$
$$-\ln\left(\frac{\sqrt{2}+1}{\sqrt{2}-1}\right) \le \ln\left(\frac{\sqrt{1+e^t}-1}{\sqrt{1+e^t}+1}\right) \le 0 \quad \ldots\ldots \textbf{(7)}$$

제시문 <라>에 의하여, 임의의 양수 x**에 대하여**

$$-\ln\left(\frac{\sqrt{2}+1}{\sqrt{2}-1}\right)x \le \int_0^x \ln\left(\frac{\sqrt{1+e^t}-1}{\sqrt{1+e^t}+1}\right)dt \le 0$$

제시문 <다>에 의하여

$$0 = -\ln\left(\frac{\sqrt{2}+1}{\sqrt{2}-1}\right)\lim_{x\to\infty} e^{-\frac{x}{2}}x \le \lim_{x\to\infty} e^{-\frac{x}{2}}\int_0^x \ln\left(\frac{\sqrt{1+e^t}-1}{\sqrt{1+e^t}+1}\right)dt \le 0$$

식 (6), (7)과 제시문 <다>에 의하여

$$\lim_{x\to\infty} e^{-\frac{x}{2}}G(x) = 2\lim_{x\to\infty} e^{-\frac{x}{2}}(f(x)-f(0)) + \lim_{x\to\infty} e^{-\frac{x}{2}}\int_0^x \ln\left(\frac{\sqrt{1+e^t}-1}{\sqrt{1+e^t}+1}\right)dt$$
$$= 2\lim_{x\to\infty} e^{-\frac{x}{2}}f(x) + 0 = 2\lim_{x\to\infty} e^{-\frac{x}{2}}f(x)$$
$$= 4\lim_{x\to\infty} e^{-\frac{x}{2}}\sqrt{1+e^x} + 2\lim_{x\to\infty} e^{-\frac{x}{2}}\ln\left(\frac{\sqrt{1+e^x}-1}{\sqrt{1+e^x}+1}\right)$$
$$= 4 + 0 = 4$$

16. 2021학년도 한양대 모의 논술

[문제 1] 다음 물음에 답하시오. (50점)

1. 닫힌구간 $[0,\ \pi]$에서 $\sin(x-\cos x)$와 $\sin x$의 크기를 비교하시오.

(i) $x = \frac{\pi}{2}$;$\sin\left(\frac{\pi}{2} - \cos\frac{\pi}{2}\right) = \sin\frac{\pi}{2}$ **이므로** $\sin(x-\cos x) = \sin x$

(ii) $0 \le x < \frac{\pi}{2}$;$\cos x > 0$**이므로** $x - \cos x < x$**이고** $\sin x$**는** $0 \le x < \frac{\pi}{2}$**에서 단조증가함수이므로**

$$\sin(x-\cos x) < \sin x$$

(iii) $\frac{\pi}{2} < x \le \pi$;$\cos x < 0$**이므로** $x - \cos x > x$**이고** $\sin x$**는** $\frac{\pi}{2} < x \le \pi$**에서 단조감소함수이므로**

$$\sin(x-\cos x) < \sin x$$

〈별해〉

(i) $x=\frac{\pi}{2}$;$\sin\left(\frac{\pi}{2}-\cos\frac{\pi}{2}\right)=\sin\frac{\pi}{2}$ 이므로 $\sin(x-\cos x)=\sin x$.

(ii) $0\le x<\frac{\pi}{2}$;$\cos x>0$이므로 $x-\cos x<x$. 닫힌구간 $[x-\cos x,\ x]$에서 평균값의 정리를 적용하면

$$\sin x-\sin(x-\cos x)=\cos\alpha(x-(x-\cos x))=\cos\alpha\cos x$$

를 만족하는 α가 열린구간 $(x-\cos x,\ x)$에 존재한다.
한편, $x-\cos x\ge x-1\ge -1$이므로 $\cos\alpha>0$이고 $\sin x>\sin(x-\cos x)$이다.

(iii) $\frac{\pi}{2}<x\le\pi$;$\cos x<0$이므로 $x-\cos x>x$. 닫힌구간 $[x,\ x-\cos x]$에서 평균값의 정리를 적용하면

$$\sin(x-\cos x)-\sin x=\cos\alpha((x-\cos x)-x)=\cos\alpha(-\cos x)$$

를 만족하는 α가 열린구간 $(x,\ x-\cos x)$에 존재한다. 그러므로

$$x-\cos x\le x+1\le\pi+1\text{이므로}\cos\alpha<0\text{이고}\sin x>\sin(x-\cos x)$$

이다.

2. $\int_{-\frac{\pi}{2}}^{\frac{\pi}{2}}\{x\cos^2x+x^3\cos x+\sin x\}dx$의 값을 구하시오.

주어진 함수는 원점에 대칭인 함수이므로, $\left[-\frac{\pi}{2},\ \frac{\pi}{2}\right]$에서의 정적분 값은 0이다.

3. $f(x)=2x\cos 2x-\sin x$일 때,

$\int_{-\frac{\pi}{2}}^{\frac{\pi}{2}}\{2xf(x)-\cos 2x\}dx+\int_{-\frac{\pi}{2}}^{\frac{\pi}{2}}[2x\{2xf(x)-\cos 2x\}-f(x)]dx$의 값을 구하시오.

(1) $2xf(x)-\cos 2x=4x^2\cos 2x-2x\sin x-\cos 2x$

(2) $2x\{2xf(x)-\cos 2x\}=8x^3\cos 2x-4x^2\sin x-4x\cos 2x+\sin x$

(1)의 함수는 y축에 대칭인 함수, (2)의 함수는 원점에 대칭인 함수임을 쉽게 알 수 있다.
그러므로

$$\int_{-\frac{\pi}{2}}^{\frac{\pi}{2}}\{2xf(x)-\cos 2x\}dx+\int_{-\frac{\pi}{2}}^{\frac{\pi}{2}}[2x\{2xf(x)-\cos 2x\}-f(x)]dx$$

$$=2\int_0^{\frac{\pi}{2}}\{2xf(x)-\cos 2x\}dx=2\int_0^{\frac{\pi}{2}}\{4x^2\cos 2x-2x\sin x-\cos 2x\}dx$$

이다.
한편,

- $2\int_0^{\frac{\pi}{2}}4x^2\cos 2x dx=2\left[2x^2\sin 2x+2x\cos 2x-\sin 2x\right]_0^{\frac{\pi}{2}}=-2\pi$
- $2\int_0^{\frac{\pi}{2}}2x\sin x dx=[4x\cos x-4\sin x]_0^{\frac{\pi}{2}}=-4$

- $2\int_0^{\frac{\pi}{2}} \cos 2x dx = 0$

이므로,

$$\int_{-\frac{\pi}{2}}^{\frac{\pi}{2}} \{2xf(x) - \cos 2x\} dx + \int_{-\frac{\pi}{2}}^{\frac{\pi}{2}} [2x\{2xf(x) - \cos 2x\} - f(x)] dx = -2\pi - 4$$

이다.

[문제 2번] 다음 물음에 답하시오. (50점)

1. 임의의 실수 t에 대해,

$$\sin(t)\sin\left(\frac{\pi}{3} - t\right) = a\cos(bt + c) + d$$

를 만족시키는 상수 a, b, c, d들의 집합 $\{a,\ b,\ c,\ d\}$를 하나 구하시오.

$$\cos(t)\cos\left(\frac{\pi}{3} - t\right) + \sin(t)\sin\left(\frac{\pi}{3} - t\right) = \cos\left(t - \left(\frac{\pi}{3} - t\right)\right) = \cos\left(2t - \frac{\pi}{3}\right)$$

$$\cos(t)\cos\left(\frac{\pi}{3} - t\right) - \sin(t)\sin\left(\frac{\pi}{3} - t\right) = \cos\left(t + \left(\frac{\pi}{3} - t\right)\right) = \frac{1}{2}$$

변변 빼서 정리하면, $\sin(t)\sin\left(\frac{\pi}{3} - t\right) = \frac{1}{2}\cos\left(2t - \frac{\pi}{3}\right) - \frac{1}{4}$ **이므로**

$a = \frac{1}{2}$, $b = 2$, $c = -\frac{\pi}{3}$, $d = -\frac{1}{4}$**이다.**

따라서 구하는 답은 $\left\{\frac{1}{2},\ 2,\ -\frac{\pi}{3},\ -\frac{1}{4}\right\}$**이다.**

2. 한 변의 길이가 1인 정삼각형 ABC가 있다. $0 \le t \le \frac{\pi}{3}$인 t에 대해, 선분 AB를 점 A를 중심으로 t만큼 회전시켜 얻어진 선분을 l, 선분 BC를 점 B를 중심으로 t만큼 회전시켜 얻어진 선분을 m, 선분 CA를 점 C를 중심으로 t만큼 회전시켜 얻어진 선분을 n이라 하자. 그림과 같이 선분 l과 m의 교점을 P, 선분 m과 n의 교점을 Q, 선분 n과 l의 교점을 R이라 하고, 삼각형 PQR의 넓이를 $S(t)$라 할 때,

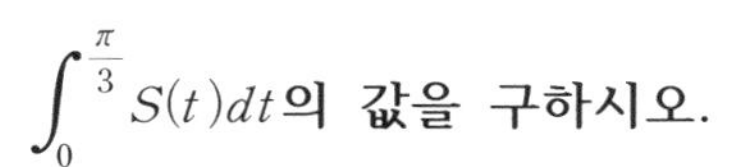
$\int_0^{\frac{\pi}{3}} S(t)dt$의 값을 구하시오.

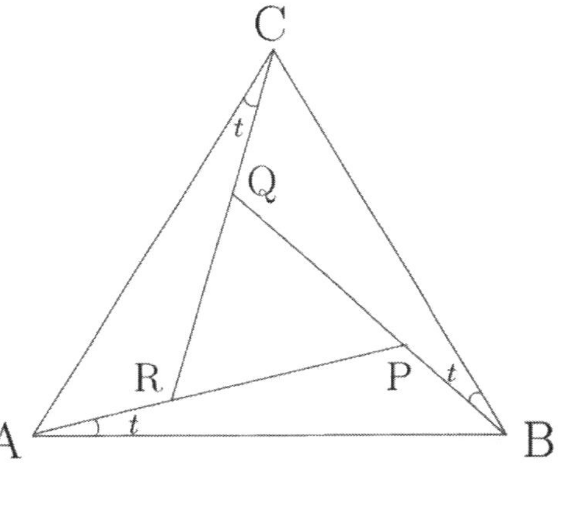

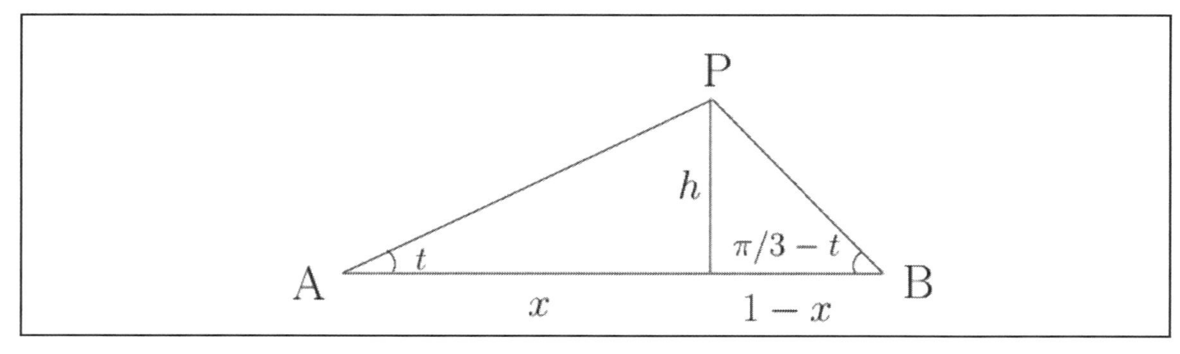

먼저 삼각형 ABP**의 넓이를 구하자. 그림으로부터** $\tan(t)=\frac{h}{x}$, $\tan\left(\frac{\pi}{3}-t\right)=\frac{h}{1-x}$**이고, 따라서**

$$h=\frac{\tan(t)\tan\left(\frac{\pi}{3}-t\right)}{\tan(t)+\tan\left(\frac{\pi}{3}-t\right)}=\frac{\sin(t)\sin\left(\frac{\pi}{3}-t\right)}{\sin\left(t+\left(\frac{\pi}{3}-t\right)\right)}=\frac{2}{\sqrt{3}}\sin(t)\sin\left(\frac{\pi}{3}-t\right)$$

이므로, 삼각형 ABP**의 넓이는** $\frac{1}{2}\cdot 1\cdot h=\frac{1}{\sqrt{3}}\sin(t)\sin\left(\frac{\pi}{3}-t\right)$**이다.**

삼각형 PQR**의 넓이** $S(t)$**는**

(삼각형 ABC**의 넓이)-(삼각형** PQR**의 넓이)-(삼각형** BCQ**의 넓이)-(삼각형** CAR**의 넓이)**

$= $ **(삼각형** ABC**의 넓이)** $-3\cdot$ **(삼각형** PQR**의 넓이)**

$$=\frac{\sqrt{3}}{4}-3\cdot\frac{1}{\sqrt{3}}\sin(t)\sin\left(\frac{\pi}{3}-t\right)=\frac{\sqrt{3}}{2}\left(1-\cos\left(2t-\frac{\pi}{3}\right)\right)$$

이므로

$$\int_0^{\frac{\pi}{3}}S(t)dt=\int_0^{\frac{\pi}{3}}\frac{\sqrt{3}}{2}\left(1-\cos\left(2t-\frac{\pi}{3}\right)\right)dt$$

$$=\frac{\sqrt{3}}{2}\left[t-\frac{1}{2}\sin\left(2t-\frac{\pi}{3}\right)\right]_0^{\frac{\pi}{3}}=\frac{\sqrt{3}}{2}\left(\frac{\pi}{3}-\frac{\sqrt{3}}{2}\right)=\frac{\sqrt{3}}{6}\pi-\frac{3}{4}$$

이다.

3. 곡선 $y=x\ln x$와 이 곡선 위의 점 $(1,\ 0)$에서의 접선, 그리고 직선 $x=t$ (단, $t>1$)로 둘러싸인 도형의 넓이를 $P(t)$라 하고, 곡선 $y=\ln x$와 이 곡선 위의 점 $(1,\ 0)$에서의 접선, 그리고 직선 $x=t$(단, $t>1$)로 둘러싸인 도형의 넓이를 $Q(t)$라 하자.

극한값 $\lim_{t\to\infty}\frac{P(t)}{tQ(t)}$를 구하시오.

먼저 $P(t)$**를 구하자.** $(x\ln x)'=\ln x+1$**이므로 곡선** $y=x\ln x$**에** $(1,\ 0)$**에서 접하는 직선의 기울기는** 1**이고 직선의 방정식은** $y=x-1$**이다. 따라서 부분적분을 이용하면**

$$P(t)=\int_1^t x\ln x-(x-1)dx=\left[\frac{1}{2}x^2\ln x\right]_1^t-\int_1^t\frac{1}{2}xdx-\int_1^t x-1dx$$

$$=\frac{1}{2}t^2\ln t-\int_1^t\frac{3}{2}x-1dx$$

$$=\frac{1}{2}t^2\ln t-\left[\frac{3}{4}x^2-x\right]_1^t$$

$$=\frac{1}{2}t^2\ln t-\frac{3}{4}t^2+t-\frac{1}{4}$$

이다. 그리고 $Q(t)$**를 구하자.** $(\ln x)'=\frac{1}{x}$**이므로 곡선** $y=\ln x$**에 접하고** $(1,\ 0)$**을 지나는 접선의 기울기는** 1**이고 직선의 방정식은** $y=x-1$**이다. 마찬가지로 부분적분을 이용하면**

$$Q(t)=\int_1^t(x-1)-\ln xdx=\frac{1}{2}t^2-t\ln t-\frac{1}{2}$$

을 얻는다. 한편, 양수 x**에 대하여** $\ln x<x$**이므로** $\ln x=\ln(\sqrt{x})^2=2\ln\sqrt{x}<2\sqrt{x}$**를 얻을 수 있고, 이를 이용하면** $x>1$**인** x**에 대하여** $0<\frac{\ln x}{x}<\frac{2}{\sqrt{x}}$**가 된다. 이때,** $\lim_{x\to\infty}\frac{2}{\sqrt{x}}=0$**이므로**

$\lim_{x \to \infty} \frac{\ln x}{x} = 0$**이다.**

극한값을 구하면,

$$\lim_{t \to \infty} \frac{P(t)}{tQ(t)} = \lim_{t \to \infty} \frac{\frac{1}{2}t^2 \ln t - \frac{3}{4}t^2 + t - \frac{1}{4}}{t\left(\frac{1}{2}t^2 - t\ln t - \frac{1}{2}\right)} = \lim_{t \to \infty} \frac{\frac{\ln t}{2t} - \frac{3}{4t} + \frac{1}{t^2} - \frac{1}{4t^3}}{\left(\frac{1}{2} - \frac{\ln t}{t} - \frac{1}{2t^2}\right)} = 0$$

임을 알 수 있다.

17. 2020학년도 한양대 수시 논술 (오전)

[문제 1] 다음 제시문을 읽고 물음에 답하시오. (50점)

반지름의 길이가 1인 구 S의 중심으로부터 거리가 $a(a > 1)$인 직선 Ql이 있다. 직선 l과 구 S의 중심을 포함하는 평면을 P라 하고 P로부터 가장 멀리 떨어진 S의 한 점을 라 하자. l을 포함하면서 P와 이루는 각의 크기가 θ인 평면 중 Q에 가까운 것을 P_θ라 할 때, P_θ가 S를 만나 이루는 원을 C_θ라 하자. P_{θ_0}이 S에 접하는 평면이면, $0 \le \theta \le \theta_0$인 모든 θ에 대해 P_θ는 S와 만난다.

1. $\theta = \frac{\pi}{6}$ **일 때, 원** C_θ**의 넓이를 구하시오.**

S**의 중심점을** $(0,\ 0,\ 0)$**이라 하고,** L**을** $L: x = -a,\ y = 0$**인 직선으로 두면** C_θ**의 중심점은 XY 평면 위에 있다.**

$t = \tan\theta$**라 하면**

$$\begin{cases} y = t(x+a) & \cdots\cdots \quad \star \\ x^2 + y^2 = 1 & \cdots\cdots \quad \star\star \end{cases}$$

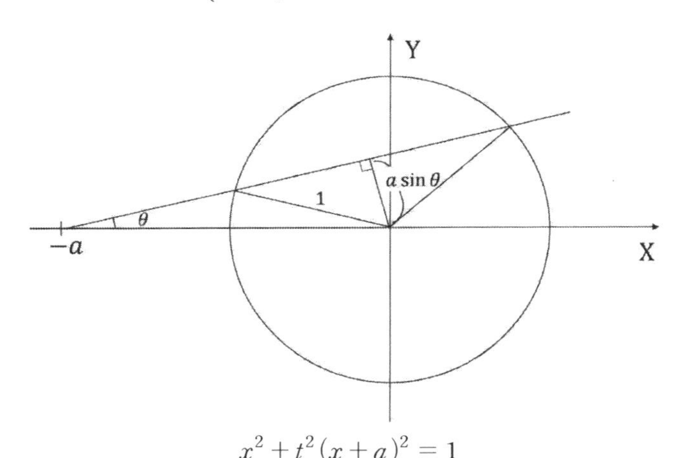

$$x^2 + t^2(x+a)^2 = 1$$

$$(t^2+1)x^2 + 2at^2x + (t^2a^2 - 1) = 0$$

직선 $\star$**, 원** $\star\star$**의 교점의 X좌표를** $\alpha_1,\ \alpha_2$**라 하면,**

$$\alpha_1 + \alpha_2 = -\frac{2at^2}{t^2+1},\quad \alpha_1\alpha_2 = \frac{t^2a^2-1}{t^2+1}$$

중심점의 X좌표 $= \frac{\alpha_1+\alpha_2}{2} = -\frac{at^2}{t^2+1}$**, Y좌표** $= t\left(-\frac{at^2}{t^2+1} + a\right) = \frac{at}{t^2+1}$

위 그림에서 보면, $(\text{반지름})^2 = 1^2 - (a\sin\theta)^2$

C_θ **넓이** $= \pi(1 - \mathrm{a}^2\sin^2\theta).\theta = \dfrac{\pi}{6}$ **이면, 원의 면적** $= \pi\left(1 - \dfrac{a^2}{4}\right)$.

2.원 C_θ의 넓이를 $A(\theta)$라 하고 $t = \tan\theta$로 놓을 때,

$$\int_0^{\tan\theta_0} A(\theta)dt$$

의 값을 θ_0에 대한 식으로 나타내시오. 단, $A(\theta_0) = 0$으로 한다.

$dt = \sec^2\theta d\theta$, $1 + \tan^2\theta = \sec^2\theta$**이므로**

주어진 식은

$$\pi\int_0^{\theta_0}(1 - \mathrm{a}^2\sin^2\theta)\sec^2\theta d\theta = \pi\int_0^{\theta_0}\sec^2\theta - a^2\tan^2\theta \mathrm{d}\theta$$

$$= \pi\int_0^{\theta_0}(1 - a^2)\sec^2\theta + a^2 d\theta = \pi\left((1 - a^2)\tan\theta_0 + a^2\theta_0\right)$$

$\tan\theta_0 = \dfrac{1}{\sqrt{\mathrm{a}^2 - 1}}$ **이므로, 적분값은** $\pi\dfrac{\theta_0\tan^2\theta_0 - \tan\theta_0 + \theta_0}{\tan^2\theta_0}$

3.평면 P_{θ_0}이 구 S와 만나는 점과 원 $C_\theta(0 \le \theta < \theta_0)$의 중심이 이루는 곡선의 길이를 구하시오.

$$\begin{cases} x(\theta) = -\dfrac{a\tan^2\theta}{\tan^2\theta + 1} = -\dfrac{a\tan^2\theta}{\sec^2\theta} = -a\sin^2\theta \\ y(\theta) = \dfrac{a\tan\theta}{\tan^2\theta + 1} = a\sin\theta cos\theta \end{cases}$$

$x'(\theta) = -2a\sin\theta cos\theta$

$y'(\theta) = a\cos^2\theta - a\sin^2\theta$

$\{x'(\theta)\}^2 + \{y'(\theta)\}^2 = 4a^2\sin^2\theta\cos^2\theta + a^2(\cos^2\theta - \sin^2\theta)^2 = a^2(\cos^2\theta + \sin^2\theta)^2 = a^2$

곡선의 길이 $= \displaystyle\int_0^{\theta_0} a d\theta = a\theta_0$

[문제 2] 다음 제시문을 읽고 물음에 답하시오. (50점)

중력가속도는 10 $\mathrm{m/s^2}$이고 공기저항은 없다고 가정한다. 이때, 다음 그림과 같이 지면과 이루는 각도가 θ가 되도록 지면에서 v_0의 속력으로 공을 던지면 t초 후의 위치는 $\left((v_0\cos\theta)t,\ (v_0\sin\theta)t - 5t^2\right)$이 된다.

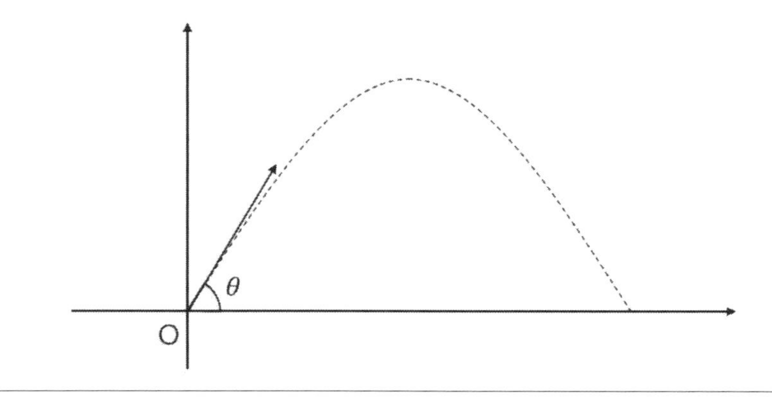

1. 야간에 높이가 50 m인 가로등이 켜져 있고, 가로등으로부터 30 m떨어진 지면에서 공을 수직으로 던져서 나타나는 공의 그림자를 관찰한다. 지면에서 공을 수직 방향으로 20 m/s의 속력으로 던졌을 때, 3초 후 그림자의 진행 방향과 속력을 구하시오. (단, 가로등의 빛은 한 점에서 모든 방향으로 나간다.)

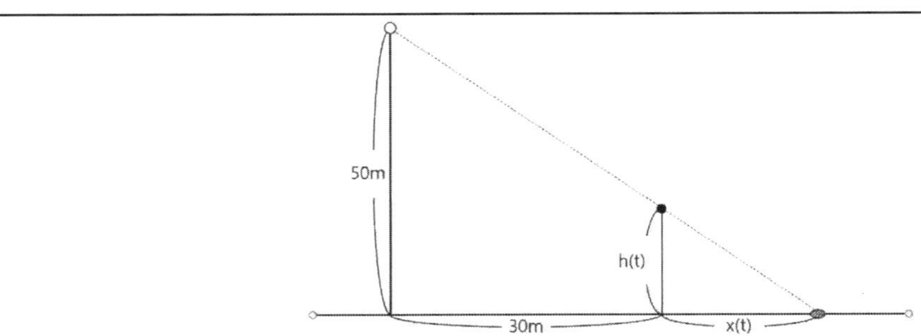

수직으로 던진 공의 t**초 후의 공의 높이를** $h(t)$**라 하면 제시문에 의해**

$h(t) = 20t - 5t^2$, $h'(t) = 20 - 10t$**이다.**

$h(t) = -5(t-2)^2 + 20 < 50$**이므로 항상 그림자가 생긴다.**

삼각형의 닮음을 이용하면 $\dfrac{h(t)}{x(t)} = \dfrac{50}{x(t)+30}$**이고**

$h(t)(x(t)+30) = 50x(t)$**이므로** $x(t) = \dfrac{30h(t)}{50-h(t)}$**이다.**

그림자의 속도는 $x'(t) = \dfrac{30h'(t)(50-h(t)) + 30h(t)h'(t)}{(50-h(t))^2} = \dfrac{1500h'(t)}{(50-h(t))^2}$**이다.**

$h(3) = 15$, $h'(3) = -10$**이므로** $x'(3) = \dfrac{30 \times 50 \times (-10)}{35^2} = -\dfrac{600}{49}$**이다.**

따라서 그림자는 가로등을 향해 $\dfrac{600}{49}$ m/s**의 속력을 가진다.**

2. 태양광이 지면과 이루는 각도가 $\frac{\pi}{6}$일 때, 태양을 등지고 지면과 이루는 각도가 $\frac{\pi}{3}$가 되도록 20 m/s의 속력으로 공을 던지고 공의 그림자를 관찰한다. 그림자의 속력이 10 m/s가 될 때, 공의 높이를 구하시오. (단, 태양광은 평행하게 진행한다.)

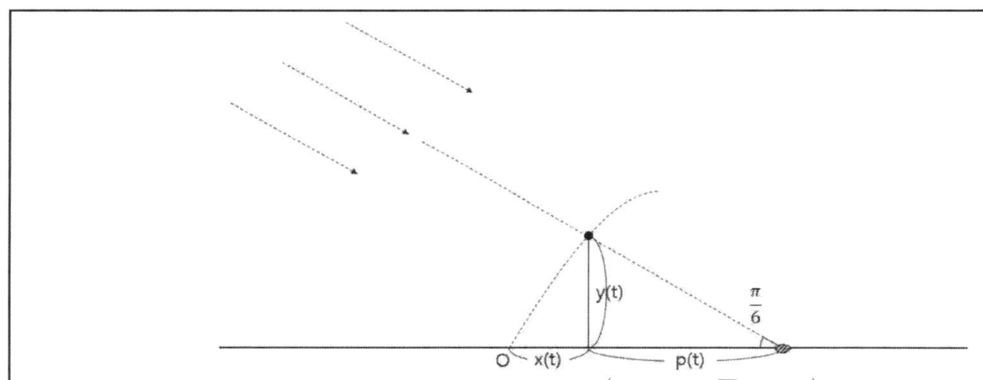

제시문에 의해 t**초 후 공의 위치는** $(x(t),\ y(t)) = (10t,\ 10\sqrt{3}t - 5t^2)$**이다.**

그림자의 위치를 $z(t)$**라고 하면** $z(t) = x(t) + p(t)$**인데,** $\dfrac{y(t)}{p(t)} = \tan\dfrac{\pi}{6} = \dfrac{1}{\sqrt{3}}$**이므로**

$z(t) = x(t) + \sqrt{3}y(t)$**이다.**

그림자의 속도는

$$z'(t) = x'(t) + \sqrt{3}y'(t) = 10 + \sqrt{3}(10\sqrt{3} - 10t) = 40 - 10\sqrt{3}t$$

이다.

그림자의 속력이 10**이 되기 위해서는**

$|z'(t)| = |40 - 10\sqrt{3}t| = 10$**이므로,** $40 - 10\sqrt{3}t = 10$**또는** $40 - 10\sqrt{3}t = -10$,

즉, $t = \sqrt{3}$ **또는** $t = \dfrac{5}{\sqrt{3}}$ **일 때 그림자의 속력이** 10**이 된다.**

이때, 높이를 구하면

$$y(\sqrt{3}) = 10\sqrt{3} \times \sqrt{3} - 5 \times 3 = 30 - 15 = 15,$$

$$y\left(\frac{5}{\sqrt{3}}\right) = 10\sqrt{3} \times \frac{5}{\sqrt{3}} - \frac{5 \times 5^2}{3} = 50 - \frac{125}{3} = \frac{25}{3}$$

이다.

3. 야간에 높이가 50 m인 가로등이 켜져 있고, 가로등 바로 아래에서 지면과 이루는 각도가 $\frac{\pi}{3}$ 가 되도록 20 m/s의 속력으로 공을 던지고 공의 그림자를 관찰한다. 공의 속력이 $\frac{20\sqrt{3}}{3}$ m/s가 될 때, 그림자의 속력을 구하시오. (단, 가로등의 빛은 한 점에서 모든 방향으로 나간다.)

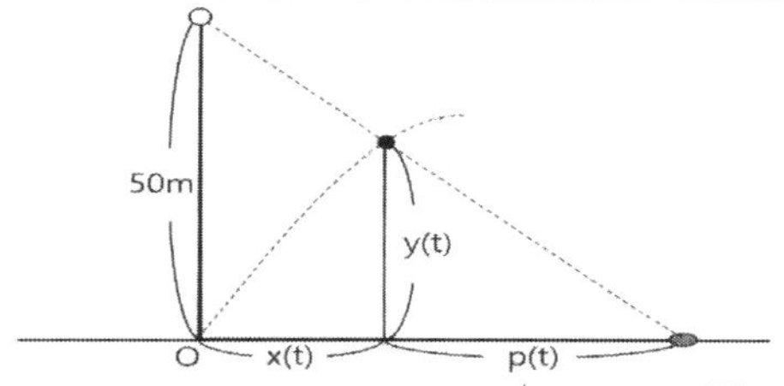

제시문에 의해 t**초 후 공의 위치는** $(x(t),\ y(t)) = (10t,\ 10\sqrt{3}t - 5t^2)$**이다.**

$y(t) = -5(t - \sqrt{3})^2 + 15 < 50$**이므로 항상 그림자가 생긴다.**

$x'(t) = 10,\ y'(t) = 10\sqrt{3} - 10t$**이므로, 공의 속력을** $v(t)$**라 하면**

$|v(t)|^2 = \left(\frac{dx}{dt}\right)^2 + \left(\frac{dy}{dt}\right)^2 = 10^2 + (10\sqrt{3} - 10t)^2 = 10^2(t^2 - 2\sqrt{3}t + 4)$**이다.**

$v(t) = \dfrac{20\sqrt{3}}{3}$**이 되는 시간을 구하면**

그림자의 위치를 $z(t)$**라고 하면** $z(t) = x(t) + p(t)$**인데, 삼각형의 닮음에 의해**

$$\frac{y(t)}{p(t)} = \frac{50}{x(t) + p(t)}$$

이다.

$y(t)(x(t) + p(t)) = 50p(t)$**이므로** $p(t) = \dfrac{x(t)y(t)}{50 - y(t)}$**이다. 따라서,** $z(t) = \dfrac{50x(t)}{50 - y(t)}$**이고,**

$$\begin{aligned} z'(t) &= \frac{50x'(t)(50 - y(t)) + 50x(t)y'(t)}{(50 - y(t))^2} \\ &= \frac{50^2x'(t) - 50x'(t)y(t) + 50x(t)y'(t)}{(50 - y(t))^2} \end{aligned}$$

이다.

$x(t_1)=\dfrac{20\sqrt{3}}{3}$, $y(t_1)=20-5\times\dfrac{4}{3}=\dfrac{40}{3}$, $x'(t_1)=10$, $y'(t_1)=10\sqrt{3}-\dfrac{20\sqrt{3}}{3}=\dfrac{10\sqrt{3}}{3}$ **이고**

$x(t_2)=\dfrac{40\sqrt{3}}{3}$, $y(t_2)=40-5\times\dfrac{16}{3}=\dfrac{40}{3}$, $x'(t_2)=10$, $y'(t_2)=10\sqrt{3}-\dfrac{40\sqrt{3}}{3}=\dfrac{-10\sqrt{3}}{3}$ **이다.**

따라서

$$z'(t_1)=\frac{50^2\times 10-50\times 10\times\dfrac{40}{3}+50\times\dfrac{20\sqrt{3}}{3}\times\dfrac{10\sqrt{3}}{3}}{\left(50-\dfrac{40}{3}\right)^2}=\frac{3\times 13\times 50}{11^2}=\frac{1950}{121}\ \text{m/s}$$

$$z'(t_2)=\frac{50^2\times 10-50\times 10\times\dfrac{40}{3}+50\times\dfrac{40\sqrt{3}}{3}\times\dfrac{-10\sqrt{3}}{3}}{\left(50-\dfrac{40}{3}\right)^2}=\frac{3\times 7\times 50}{11^2}=\frac{1050}{121}\ \text{m/s}$$

이다.

18. 2020학년도 한양대 수시 논술 (오후 1)

[문제 1] 다음 물음에 답하시오. (50점)

1. 주사위를 n번 던질 때 3의 눈이 나오는 횟수가 2의 배수일 확률을 구하시오.

숫자 3이 나오는 횟수가 2의 배수일 확률

$$={}_nC_0\left(\frac{1}{6}\right)^0\left(\frac{5}{6}\right)^n+{}_nC_2\left(\frac{1}{6}\right)^2\left(\frac{5}{6}\right)^{n-2}+{}_nC_4\left(\frac{1}{6}\right)^4\left(\frac{5}{6}\right)^{n-4}+\ \cdots\quad\bigstar$$

$$\left(\frac{1}{6}+\frac{5}{6}\right)^n={}_nC_0\left(\frac{1}{6}\right)^0\left(\frac{5}{6}\right)^n+{}_nC_1\left(\frac{1}{6}\right)^1\left(\frac{5}{6}\right)^{n-1}+\cdots$$

$$+\left(\left(-\frac{1}{6}\right)+\frac{5}{6}\right)^n={}_nC_0\left(-\frac{1}{6}\right)^0\left(\frac{5}{6}\right)^n+{}_nC_1\left(-\frac{1}{6}\right)^1\left(\frac{5}{6}\right)^{n-1}+\cdots$$

$$=2\times\bigstar$$

$$\therefore\quad \bigstar=\frac{1}{2}\left(1+\left(\frac{2}{3}\right)^n\right)$$

(주 0을 2의 배수로 생각하지 않는 학생이 있을 수 있다. 이 경우 답은, ★에서 0회일 확률을 제하여,

$$\frac{1}{2}\left(1+\left(\frac{2}{3}\right)^n\right)-\left(\frac{5}{6}\right)^n$$

2. 주사위를 n번(단, $n\ge 3$) 던질 때 3의 눈이 나오는 횟수가 k이면 $100k(k-1)(k-2)$원의 상금을 지급한다고 하자. 상금의 기댓값을 구하시오.

$$\text{기댓값}=\sum_{k=3}^{n}100\times k(k-1)(k-2)\times{}_nC_k\times\left(\frac{1}{6}\right)^k\left(\frac{5}{6}\right)^{n-k}$$

$$=\frac{100}{6^n}\sum_{k=3}^{n}k(k-1)(k-2)\times{}_nC_k\times 5^{n-k}$$

$$=k(k-1)(k-2)\times{}_nC_k=k(k-1)(k-2)\times\frac{n!}{k!(n-k)!}$$

$$=\frac{(n-3)!}{(k-3)!((n-3)-(k-3))!}\times n(n-1)(n-2)$$

$\therefore$ 기댓값 $= \dfrac{100\times n(n-1)(n-2)}{6^n}\displaystyle\sum_{k=3}^{n} {}_{n-3}C_{k-3}\times 5^{n-k}$

$= \dfrac{100\times n(n-1)(n-2)}{6^n}\displaystyle\sum_{k=0}^{n-3} {}_{n-3}C_{k}\times 5^{n-(k+3)}$

단, $\left(5^{n-(k+3)} = 5^{(n-3)-k}\right)$

$= \dfrac{100\times n(n-1)(n-2)}{6^n}(1+5)^{n-3}$

$= \dfrac{100\times n(n-1)(n-2)}{6^3} = \dfrac{25}{54}n(n-1)(n-2)$(원)

3. 주사위를 n번 던질 때 3의 눈이 나오는 횟수를 k라 하자. k가 2의 배수이면 학생 A에게 $3k$원을, k가 2의 배수가 아니면 학생 B에게 $3k$원의 상금을 지급한다.

상금의 기댓값은 어느 학생 쪽이 더 큰가? 그리고 그 차이는 얼마인가?

A가 받을 금액의 기댓값

$= 3\times 0\times {}_nC_0\times\left(\dfrac{1}{6}\right)^0\left(\dfrac{5}{6}\right)^n + 3\times 2\times {}_nC_2\times\left(\dfrac{1}{6}\right)^2\left(\dfrac{5}{6}\right)^{n-2}+\cdots$

B가 받을 금액의 기댓값

$= 3\times 1\times {}_nC_1\times\left(\dfrac{1}{6}\right)^1\left(\dfrac{5}{6}\right)^{n-1} + 3\times 3\times {}_nC_3\times\left(\dfrac{1}{6}\right)^3\left(\dfrac{5}{6}\right)^{n-3}+\cdots$

A가 받을 금액의 기댓값 - B가 받을 금액의 기댓값 =

$= \displaystyle\sum_{k=0}^{n} 3k\times {}_nC_k\times\left(-\frac{1}{6}\right)^k\left(\frac{5}{6}\right)^{n-k} = \frac{3}{6^n}\sum_{k=0}^{n} k\times {}_nC_k\times(-1)^k(5)^{n-k}$

$= \displaystyle\frac{3}{6^n}\sum_{k=1}^{n} k\times {}_nC_k\times(-1)^k(5)^{n-k},\quad (k\times {}_nC_k = n\times {}_{n-1}C_{k-1}$이므로$)$

$= \displaystyle\frac{3n}{6^n}\sum_{k=1}^{n} {}_{n-1}C_{k-1}\times(-1)^k\times 5^{n-k} = \frac{3n}{6^n}\sum_{k=0}^{n-1} {}_{n-1}C_{k}\times(-1)^{k+1}\times 5^{(n-1)-k}$

$= \displaystyle\frac{-3n}{6^n}\sum_{k=0}^{n-1} {}_{n-1}C_{k}\times(-1)^{k}\times 5^{(n-1)-k}$

$= \dfrac{-3n}{6^n}(-1+5)^{n-1} = \dfrac{-3n}{6^n}4^{n-1} = \dfrac{-n}{2}\left(\dfrac{2}{3}\right)^{n-1}$

$\therefore$ **B쪽이 더 크다. 차이** $= \dfrac{n}{2}\left(\dfrac{2}{3}\right)^{n-1}$ **(원)**

[문제 2] 다음 제시문을 읽고 물음에 답하시오. (50점)

공간에서 $\overline{AB}=1$을 만족시키는 점 A와 점 B가 있다. $0<\theta<\pi$인 θ에 대해, $\angle APB=\theta$를 만족시키는 점 P들을 생각하자.

1.두 점 A와 B를 포함하는 한 평면을 α라 하자. $\theta=\dfrac{\pi}{4}$일 때, 평면 α위에 있는 점 P들과 점 A, B가 이루는 곡선으로 둘러싸인 부분의 넓이를 구하시오.

평면 α위에서 $\angle APB=\dfrac{\pi}{4}$를 만족하는 점 P는 선분 AB가 현이 되는 평면 α위의 두 개의 원 위에 있고, 각각의 원에서 현 AB의 중심각은 $\dfrac{\pi}{2}$이고, 점 P는 원주각 $\angle APB=\dfrac{\pi}{4}$인 점이다. 위

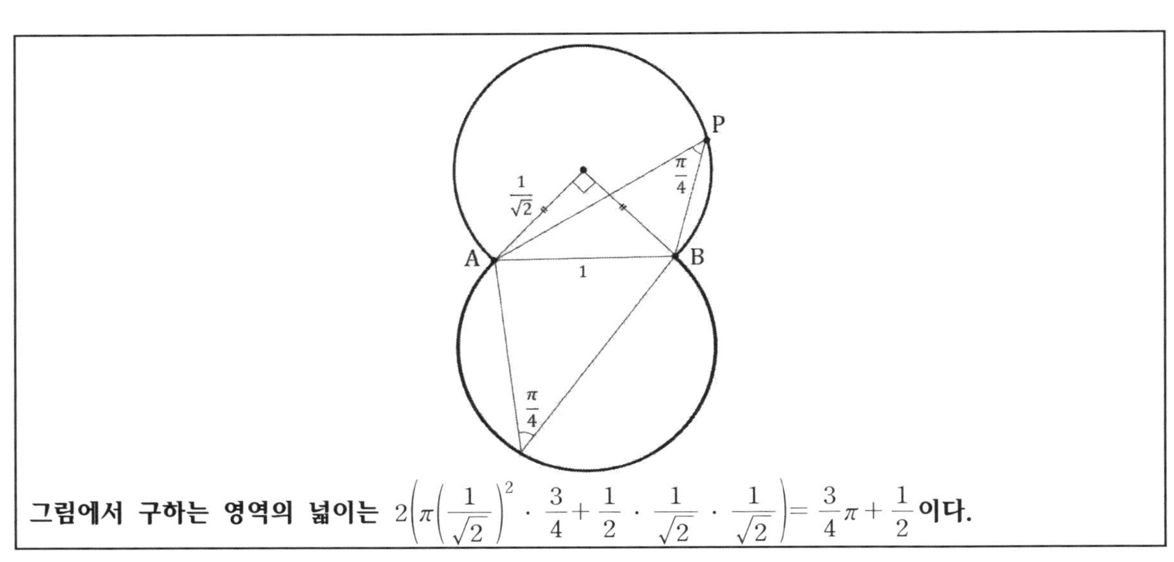

그림에서 구하는 영역의 넓이는 $2\left(\pi\left(\frac{1}{\sqrt{2}}\right)^2\cdot\frac{3}{4}+\frac{1}{2}\cdot\frac{1}{\sqrt{2}}\cdot\frac{1}{\sqrt{2}}\right)=\frac{3}{4}\pi+\frac{1}{2}$ **이다.**

2. $\theta=\frac{\pi}{12}$일 때, $\overline{\mathrm{AP}}$의 최댓값을 구하고, $\overline{\mathrm{AP}}$를 최대로 하는 점 P들이 이루는 곡선의 길이를 l이라 할 때, l^2의 값을 구하시오.

먼저 점 A**와** B**를 포함하는 한 평면** α**위에 있고,** $\angle\mathrm{APB}=\frac{\pi}{12}$**인 점** P**는 1번에서와 마찬가지로 선분** AB**가 현이 되는 평면** α**위의 두 개의 원 위에 있고, 각각의 원에서 현** AB**의 중심각은** $\frac{\pi}{6}$**이고, 점** P**는 원주각** $\angle\mathrm{APB}=\frac{\pi}{12}$**인 점이다.**

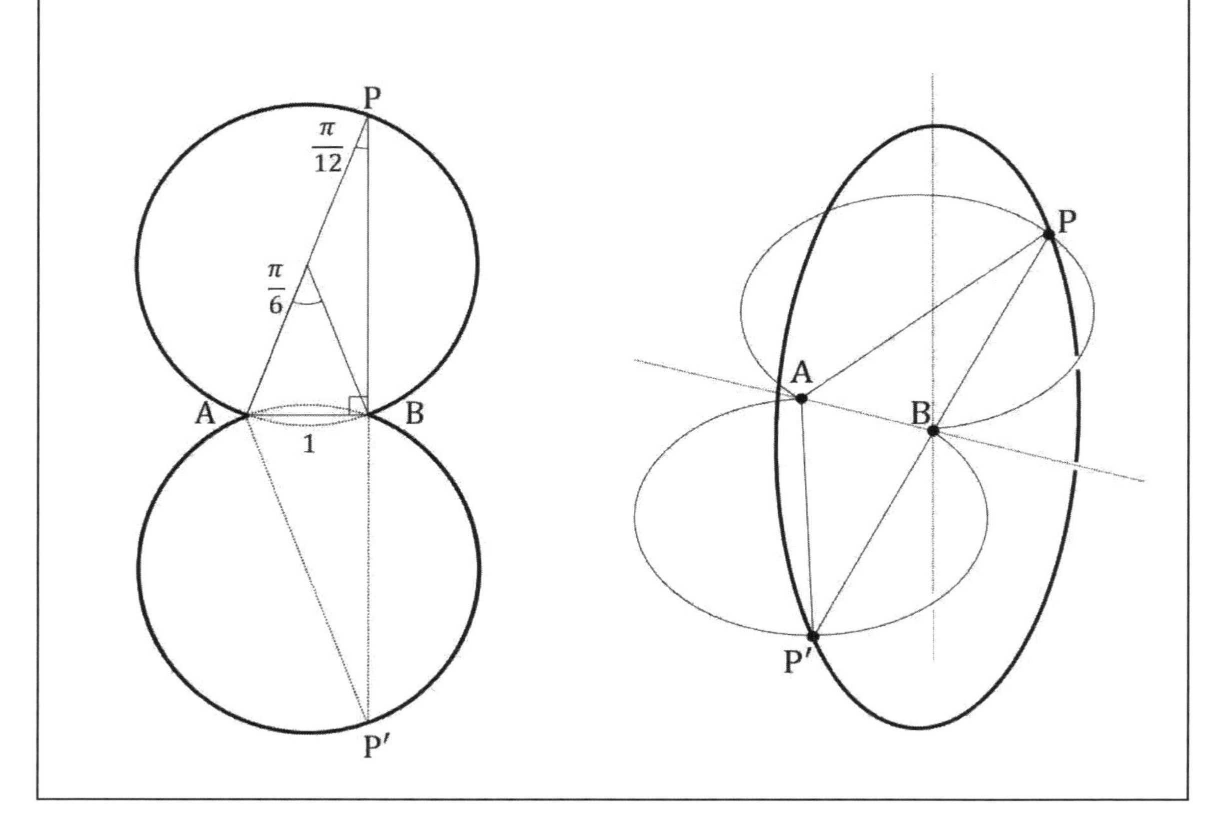

평면 α위에서 $\overline{\mathrm{AP}}$가 최대인 점 P는 A와 각각의 원의 중심을 지나는 직선 위에 있다. (오른쪽 그림에서 P와 P′) 한편, 점 A, B를 포함하는 임의의 다른 평면에서도 점 P들이 이루는 곡선은 평면 α에서의 곡선과 동일한 모양을 가진다.
따라서 각각의 평면에서 $\overline{\mathrm{AP}}$의 최댓값은 동일하며 그 값은 평면 위의 (두) 원의 지름인

$$2\cdot\frac{1}{2\sin\frac{\pi}{12}}=\frac{2\sqrt{2}}{\sqrt{3}-1}=\sqrt{6}+\sqrt{2}$$

이다. 또한 위의 관찰로부터 공간에서 $\overline{\mathrm{AP}}$를 최대로 하는 점 P들이 이루는 곡선은 위 그림에서와 같이 중심이 B, 반지름이 $\overline{\mathrm{BP}}$인 원이다. (이 원을 포함하는 평면은 점 A, B를 지나는 직선에 수직이다.)
따라서 구하는 곡선의 길이의 제곱은

$$l^2=(2\pi\overline{\mathrm{BP}})^2=4\pi^2\left((\sqrt{6}+\sqrt{2})^2-1^2\right)=4\pi^2(7+2\sqrt{12})=(28+16\sqrt{3})\pi^2$$

이다.

3.점 P들이 이루는 입체도형의 점 A와 B를 포함하는 한 평면 위로의 정사영의 넓이를 θ에 관한 식으로 나타내시오.

2번에서와 마찬가지로 점 A와 B를 포함하는 한 평면 α위에 있고 $\angle\mathrm{APB}=\theta$인 점 P는, 선분 AB가 현이 되는 평면 α위의 두 개의 원 위에 있고, 각각의 원에서 현 AB의 중심각은 2θ이고, 점 P는 원주각 $\angle\mathrm{APB}=\theta$인 점이다. 또한 공간에서 점 P들이 이루는 도형은 평면 α에 있는 점 P들이 이루는 곡선을 점 A, B를 지나는 직선을 중심으로 회전시켜 얻은 곡면이다.

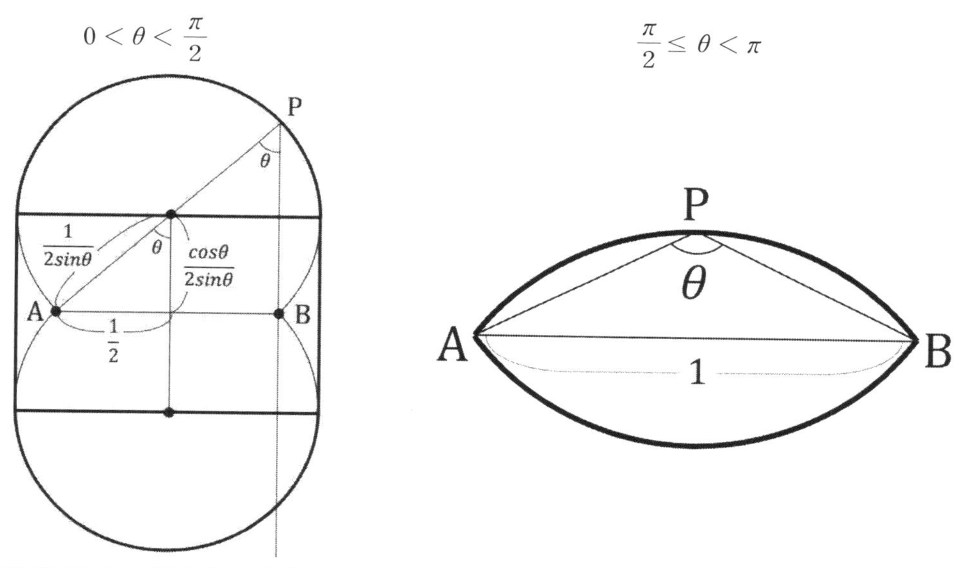

따라서 이 도형의 평면 α위로의 정사영의 넓이는

① $0<\theta<\frac{\pi}{2}$ **일 때, (직사각형의 넓이)+2(반원의 넓이)**

$$=2\cdot\frac{1}{2\sin\theta}\cdot 2\cdot\frac{\cos\theta}{2\sin\theta}+2\cdot\frac{1}{2}\pi\left(\frac{1}{2\sin\theta}\right)^2=\frac{4\cos\theta+\pi}{4\sin^2\theta}$$

이고

② $\frac{\pi}{2} \le \theta < \pi$**일 때,** $2 \cdot$ **(각각의 원이 현** AB**로 잘린 부분의 넓이)**

$= 2 \cdot \{($AB**를 현으로 하는 부채꼴이 넓이)-(점**A, B**와 원의 중심을 꼭짓점으로 하는 삼각형의 넓이**$)\}$

$$= 2 \cdot \left(\frac{\pi - \theta}{4\sin^2\theta} - \left(-\frac{\cos\theta}{4\sin\theta}\right)\right) = \frac{\pi - \theta + \cos\theta sin\theta}{2\sin^2\theta} \text{이다.}$$

19. 2020학년도 한양대 수시 논술 (오후 2)

[문제 1] 다음 제시문을 읽고 물음에 답하시오. (50점)

무인도 A에 있는 3명이 인근 무인도 B를 들렀다가 무인도 A로 돌아오고자 한다. 무인도 A에는 1인용 배 3척, 2인용 배 1척, 3인용 배 1척이 있다. 무인도 B에는 배가 없다. 모든 배는 정원이 찬 경우에만 운행이 가능하며 다른 이동 수단은 없다.

각 무인도를 출발할 때마다 한 명씩 4개의 동전을 던져서 본인의 이동 수단을 선택한다. 4개의 동전을 던져서 같은 면이 4개일 때 1인용 배를 선택하고, 같은 면이 2개일 때 2인용 배를 선택하고, 나머지 경우에는 3인용 배를 선택하기로 한다.

정원이 찬 배는 이동을 하고 그렇지 않은 배들은 무인도에 남는다. 만약 무인도에 정원이 n명인 배가 총 m척이 있고 그 배를 선택한 인원이 mn명을 초과하면, mn명만 배에 올라타고 나머지 인원은 무인도에 남는다.

1. 한 사람이 동전 4개를 던질 때, 1인용 배, 2인용 배, 3인용 배가 선택될 확률을 각각 구하시오.

1**인용 배를 선택할 확률** $=$ 4**개의 동전을 던져 같은 면이** 4**개일 확률** $= \frac{2}{16} = \frac{1}{8}$

2**인용 배를 선택할 확률** $=$ 4**개의 동전을 던져 같은 면이** 2**개일 확률** $= \frac{6}{16} = \frac{3}{8}$

3**인용 배를 선택할 확률** $=$**나머지 확률** $= 1 - \left(\frac{3}{8} + \frac{1}{8}\right) = \frac{1}{2}$

2. 무인도 B에서 무인도 A로 2인용 배 1척만 돌아왔을 때, 나머지 1명이 무인도 B에 있을 확률을 $\frac{p}{q}$라 하자. $p+q$의 값을 구하시오. (단, p와 q는 서로소인 자연수)

우선 2인용 배만 무인도 A로 돌아오는 경우는 아래의 두 가지 사건 중 하나가 일어난 경우이다.

(1) 사건 X: 무인도 A에서 2명이 2인용 배를 선택하고 1명이 1인용 배를 선택하여 무인도 B로 이동하고, 무인도 B에서 2명이 2인용 배를 선택하고 1명이 2인용 배 혹은 3인용 배를 선택하여 무인도 A로 돌아온 경우

(2) 사건 Y: 무인도 A에서 2명이 2인용 배를 선택하고 1명이 2인용 배 혹은 3인용 배를 선택하여 무인도 B로 이 동하고, 무인도 B에서 2명이 2인용 배를 선택하여 무인도 A로 돌아온 경우

사건 X가 일어나면 무인도 B에 (2인용 배에 탑승하지 않은) 1명이 남게 된다. 사건 Y가 일어나면 무인도 A에 (2인용 배에 탑승하지 않은) 1명이 있게 된다. 두 사건은 동시에 일어나지 않으므로, '2인용 배가 무인도 A로 돌아왔을 때 남은 한 명이 무인도 B에 남을 확률'은

$$\frac{P(X)}{P(X \cup Y)} = \frac{P(X)}{P(X) + P(Y) - P(X \cap Y)} = \frac{P(X)}{P(X) + P(Y)}$$

이다. 구체적인 계산은 아래와 같다.

$$P(X) = {}_3C_2\left(\frac{3}{8}\right)^2\left(\frac{1}{8}\right)\times\left({}_3C_2\left(\frac{3}{8}\right)^2\left(\frac{1}{2}\right)+\left(\frac{3}{8}\right)^3\right)$$

$$P(Y) = \left({}_3C_2\left(\frac{3}{8}\right)^2\left(\frac{1}{2}\right)+\left(\frac{3}{8}\right)^3\right)\times\left(\frac{3}{8}\right)^2$$

따라서 구하고자 하는 확률 $\frac{P(X)}{P(X)+P(Y)}$ **은**

$$\frac{{}_3C_2\left(\frac{3}{8}\right)^2\left(\frac{1}{8}\right)\times\left({}_3C_2\left(\frac{3}{8}\right)^2\left(\frac{1}{2}\right)+\left(\frac{3}{8}\right)^3\right)}{{}_3C_2\left(\frac{3}{8}\right)^2\left(\frac{1}{8}\right)\times\left({}_3C_2\left(\frac{3}{8}\right)^2\left(\frac{1}{2}\right)+\left(\frac{3}{8}\right)^3\right)+\left({}_3C_2\left(\frac{3}{8}\right)^2\left(\frac{1}{2}\right)+\left(\frac{3}{8}\right)^3\right)\times\left(\frac{3}{8}\right)^2}$$

$$= \frac{{}_3C_2\left(\frac{1}{8}\right)}{{}_3C_2\left(\frac{1}{8}\right)+1} = \frac{3}{3+8} = \frac{3}{11}$$

이고,

$$p=3,\ q=11,\ p+q=14$$

이다.

3, 무인도 A를 출발하여 무인도 B에 3명이 남게 될 확률을 $\frac{p}{q}$라 하자. p를 16으로 나눈 나머지를 구하시오. (단, p와 q는 서로소인 자연수)

무인도 A를 3명이 출발하는 경우는 아래의 3가지 경우 중 하나이다.

(1) 1인용 배 3척: 선택될 확률 $=\left(\frac{1}{8}\right)^3$

(2) 1인용 배 1척과 2인용 배 1척: 선택될 확률 $={}_3C_1\left(\frac{1}{8}\right)\left(\frac{3}{8}\right)^2$

(3) 3인용 배 1척: 선택될 확률 $=\left(\frac{1}{2}\right)^3$

각각의 경우 3명이 모두 무인도 B에 남는 경우는 아래와 같다.

(1) 무인도 B에 있는 배는 1인용 배 3척이므로
1인용 배를 선택하는 사람이 없는 경우 :

일어날 확률 $\left(1-\frac{1}{8}\right)^3$

(2) 무인도 B에 있는 배는 1인용 배 1척과 2인용 배 1척이므로
(i) 3명이 모두 3인용 배를 선택하거나
(ii) 2명이 3인용 배를 선택하고 1명이 2인용 배를 선택하는 경우:

일어날 확률 $=\left(\frac{1}{2}\right)^3+{}_3C_1\left(\frac{3}{8}\right)\left(\frac{1}{2}\right)^2$

(3) 무인도 B에 있는 배는 3인용 배 1척이므로
3명이 동시에 3인용 배를 선택하는 경우만 제외:

일어날 확률 $=1-\left(\frac{1}{2}\right)^3$

따라서, 구하고자 하는 확률은 아래와 같이 확률의 곱의 합으로 구할 수 있다.

$$\left(\frac{1}{8}\right)^3\left(\frac{7}{8}\right)^3 + {}_3C_1\left(\frac{1}{8}\right)\left(\frac{3}{8}\right)^2\left(\left(\frac{1}{2}\right)^3 + {}_3C_1\left(\frac{3}{8}\right)\left(\frac{1}{2}\right)^2\right) + \left(\frac{1}{2}\right)^3\left(1-\left(\frac{1}{2}\right)^3\right) = \frac{7^3+3^3 2^6+3^5 2^4+7\cdot 2^{12}}{8^6}$$

분자는 홀수+짝수+짝수+짝수로 홀수이다. 따라서 기약분수이며 분자를 16으로 나눈 나머지는 7^3을 16으로 나눈 나머지와 동일하고 그 값은 7이다.

[문제 2] 다음 물음에 답하시오. (50점)

1. 평면 위에 $\overline{AB}=2$인 점 A와 점 B가 있다. $\overline{AP}\times\overline{BP}=4$를 만족하는 평면 위의 점 P에 대하여 $\overline{AP}+\overline{BP}$의 최댓값과 최솟값을 구하시오.

$\overline{AP}=2r$, $\overline{BP}=\frac{2}{r}$라 하자 $(r>0)$. 세 점 A, B, P는 삼각형의 세 꼭짓점이거나, 일직선 위에 있으므로

$$2r+\frac{2}{r}\ge 2,\quad 2r+2\ge\frac{2}{r},\quad 2+\frac{2}{r}\ge 2r$$

이 성립한다. 이로부터 $\frac{-1+\sqrt{5}}{2}\le r\le\frac{1+\sqrt{5}}{2}$이 성립한다.

$\overline{AP}+\overline{BP}=2\left(r+\frac{1}{r}\right)=f(r)$이라 하면, $f'(r)=2\left(1-\frac{1}{r^2}\right)$이므로 다음의 변화표와 $f(r)$의 그래프로부터 $\overline{AP}+\overline{BP}$의 최댓값은 $f\left(\frac{-1+\sqrt{5}}{2}\right)=f\left(\frac{1+\sqrt{5}}{2}\right)=2\sqrt{5}$이고, $\overline{AP}+\overline{BP}$의 최솟값은 $f(1)=4$이다.

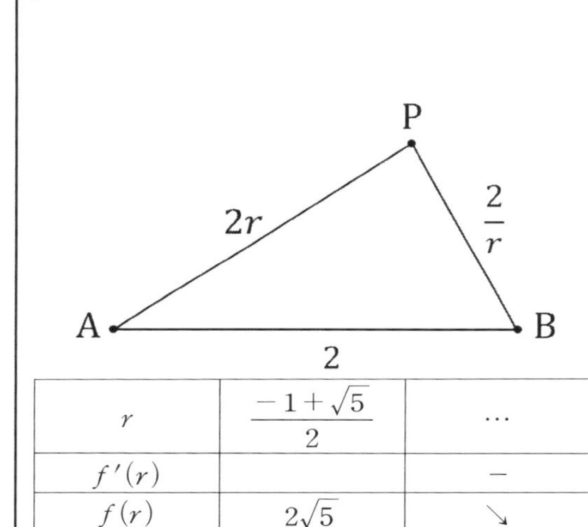

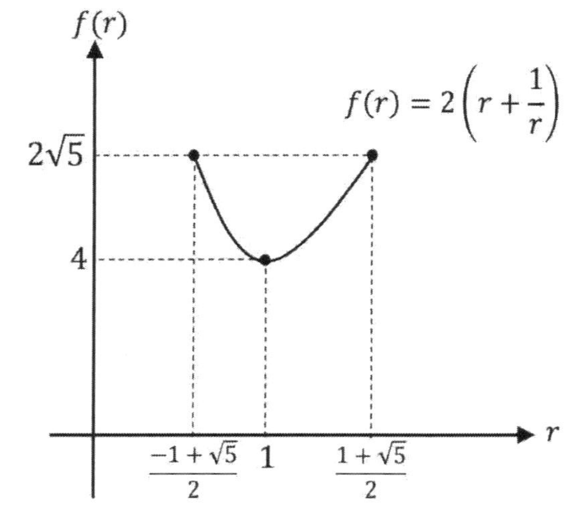

r	$\frac{-1+\sqrt{5}}{2}$	$\cdots$
$f'(r)$		$-$
$f(r)$	$2\sqrt{5}$	↘

(참고: $\overline{AP}=r$, $\overline{BP}=\frac{4}{r}$라 두면 $(r>0)$, $-1+\sqrt{5}\le r\le 1+\sqrt{5}$이 성립한다.
$\overline{AP}+\overline{BP}=r+\frac{4}{r}=g(r)$라 하면 역시 동일한 결과를 얻을 수 있다.)

2. 상수 a, b에 대하여, 함수 $f(x)=x\sqrt{4+x^2}+a\ln\left(x+\sqrt{4+x^2}\right)$의 도함수가 $f'(x)=b\sqrt{4+x^2}$일 때, $a+b$의 값을 구하시오.

$$f'(x)=\sqrt{4+x^2}+\frac{x^2}{\sqrt{4+x^2}}+a\cdot\frac{\left(x+\sqrt{4+x^2}\right)'}{x+\sqrt{4+x^2}}=\sqrt{4+x^2}+\frac{x^2+a}{\sqrt{4+x^2}}=\frac{2x^2+a+4}{\sqrt{4+x^2}}$$

이고, 한편 $f'(x) = b\sqrt{4+x^2} = \dfrac{bx^2+4b}{\sqrt{4+x^2}}$ 이다. $2x^2+a+4 = bx^2+4b$로부터 $b=2$, $a=4$이고 따라서 $a+b=6$이다.

3. 위의 문제 1에서 주어진 점 P들로 이루어진 곡선으로 둘러싸인 부분을 밑면으로 하는 입체도형이 있다. 이 입체도형을 점 A와 점 B를 지나는 직선에 수직인 평면으로 자른 단면이 정사각형일 때, 이 입체도형의 부피를 구하시오.

선분 AB가 놓여있는 평면을 xy평면이라 하고, A$(-1,\ 0)$, B$(1,\ 0)$, P$(x,\ y)$라 하면

$$\overline{\mathrm{AP}} \times \overline{\mathrm{BP}} = \sqrt{(x+1)^2+y^2} \cdot \sqrt{(x-1)^2+y^2} = 4$$

이다. 양변을 제곱해서 y^2에 대해 정리하면, $y^2 = 2\sqrt{x^2+4}-1-x^2$이고, P$(x,\ y)$는 이 방정식을 만족시킨다. 방정식으로부터 점 P들이 이루는 곡선은 x축 및 y축에 대칭이고, x축 및 y축과는 각각 $(\pm\sqrt{5},\ 0)$, $(0,\ \pm\sqrt{3})$에서 만난다.

$y^2 = h(x)$라 하면, 점 P들이 이루는 곡선은 함수 $y = \sqrt{h(x)}$ 및 $y = -\sqrt{h(x)}$의 그래프로 이루어져 있고, x의 범위는 $-\sqrt{5} \le x \le \sqrt{5}$임을 알 수 있다.
따라서 구하는 입체도형의 부피는 (문제 2의 결과를 이용해서)

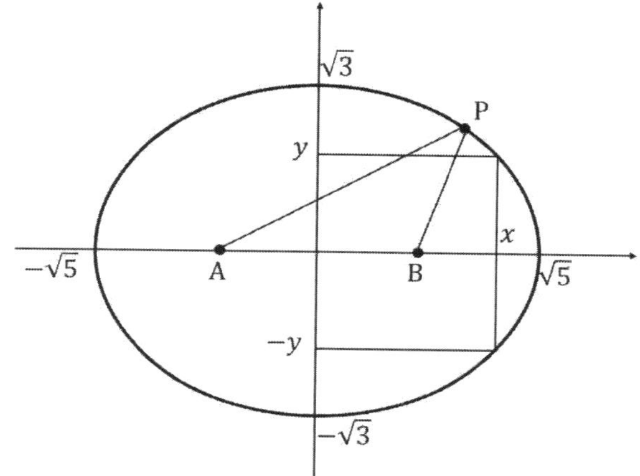

$$\int_{-\sqrt{5}}^{\sqrt{5}} (\sqrt{h(x)}-(-\sqrt{h(x)}))^2 dx = \int_{-\sqrt{5}}^{\sqrt{5}} (y-(-y))^2 dx = 2\int_0^{\sqrt{5}} 4y^2 dx$$

$$= 8\int_0^{\sqrt{5}} \left(2\sqrt{x^2+4}-1-x^2\right) dx$$

$$= 8\left(x\sqrt{4+x^2}+4\ln\left(x+\sqrt{4+x^2}\right)-x-\frac{1}{3}x^3\right)\Bigg|_0^{\sqrt{5}}$$

$$= 8\left(\frac{\sqrt{5}}{3}+4\ln\left(\frac{3+\sqrt{5}}{2}\right)\right) = \frac{8}{3}\sqrt{5}+32\ln\left(\frac{3+\sqrt{5}}{2}\right)$$

이다.